J.I. PACKER

El
RENACER
de la
SANTIDAD

CARIBE

© 1995 EDITORIAL CARIBE, Inc.
9200 South Dadeland Blvd., Suite 209
Miami, FL 33156, EE.UU.

Título del original en inglés: *Rediscovering Holiness*
© 1992 por *J.I. Packer*
Publicado por *Servant Publications*

Traductor: *Juan Sánchez Araujo*

ISBN: 0-88113-509-8

Impreso en EE.UU.
Printed in the U.S.A.
1ª Edición

A

Jim y Rita Houston,

*a quienes también les interesa
la santidad*

CONTENIDO

PREFACIO

ESTE LIBRO SURGE de cuatro charlas que di en cierta conferencia en el año 1991. El encuentro estaba patrocinado por la Alianza para la Fe y la Renovación, una organización interdenominacional que trata de capacitar a pastores y otros líderes cristianos para que edifiquen el reino de Dios y fortalezcan la vida cristiana de aquellos quienes sirven. La forma que ha tomado esta obra refleja mi convicción de que existe una necesidad de llamar la atención sobre la tendencia generalizada, que he visto durante mis años de ministerio entre los cristianos occidentales centrados en la Biblia, a marginar la santidad. No se trata de una tendencia que cabía esperar, ya que la Escritura insiste muy enérgicamente en que los creyentes en Cristo son llamados a ser santos, que Dios se complace en la santidad pero aborrece la impiedad, y que sin santidad nadie verá al Señor. Sin embargo, el desplazamiento del interés cristiano, que de la búsqueda de la santidad ha pasado a concentrarse en la diversión y la realización personal, en el masaje del ego y las técnicas para el éxito en el presente, así como en los temas públicos que no implican ningún desafío para la moralidad del individuo, es un hecho; en mi opinión esto es triste y escandaloso, y necesita ser revertido.

Con el debilitamiento del interés por la santidad sobrenatural, ha aumentado ese otro interés por la sanidad milagrosa y los poderes espirituales de maldad con quienes los cristianos tienen que batallar. Mi esperanza es que esta conciencia mayor de la realidad de lo sobrenatural vuelva pronto a conectarse con lo que Walter Marshall, el puritano, llamó hace mucho tiempo el «misterio evangélico de la santificación». Si este libro ayuda a que se renueve tal conexión me sentiré plenamente recompensado.

Estoy enormemente agradecido a mi hija Naomi, quien ha trabajado, a pesar de sus inconvenientes, a fin de transcribir el libro en la computadora, y a mi esposa Kit, la cual estuvo dispuesta a ser descuidada durante algún tiempo, para que el mismo pudiera ver la luz.

J. I. Packer
Marzo de 1992

Qué es la santidad y por qué es importante

Como aquel que os llamó es santo, sed también vosotros santos en toda vuestra manera de vivir; porque escrito está: Sed santos, porque yo soy santo. **1 Pedro 1.15-16**

Seguid [...] la santidad, sin la cual nadie verá al Señor.
Hebreos 12.14

LA PÉRDIDA DE UN VALIOSO PASADO

El reloj de pared de nuestro abuelo, que no sólo nos indica las horas, los minutos y los segundos, sino también los días de la semana, los meses del año y las fases de la luna, es todo un veterano. Marcada en uno de sus pesos de plomo está la fecha de 1789, el año de la Revolución Francesa y del primer mandato de George Washington como presidente de los Estados Unidos. Yo escribo estas palabras en 1991, en el doscientos aniversario de la muerte de John Wesley, por así decirlo, nuestro reloj ya funcionaba antes de que Wesley dejase de hacerlo. Es también un reloj musical de un tipo poco común: no sólo da las horas, sino que lleva un carillón incorporado (un cilindro de bronce con pivotes que accionan un número de martillos, los cuales golpean a su vez unas campanas que tocan cierta melodía durante tres minutos cada tres horas). Dos de sus cuatro melodías aún las reconocemos porque se oyen todavía. Sin embargo, las otras dos, que parecen contradanzas, resultan desconocidas, no sólo para nosotros sino para todos los que las han oído. Con el paso de los años han sido olvidadas, lo cual es una lástima, porque se trata de buenas melodías y nos gustaría saber algo acerca de ellas.

De igual manera, la enseñanza cristiana histórica sobre la santidad ha sido olvidada en su mayor parte, lo cual también resulta triste, ya que es decisiva para la gloria de Dios y el bien de las almas.

Hace casi sesenta años que aprendí en el colegio el primer verso de un poema de Rudyard Kipling, titulado «El camino del bosque», que dice lo siguiente:

Hace setenta años
    que abrieron el camino a través del bosque.
El mal tiempo y la lluvia lo han vuelto a cerrar.
Ahora nadie reconocería
    que hubo alguna vez un camino a través del bosque.

Supongo que la razón por la que me emocionan tan profundamente estas líneas es que me encanta pasear por el bosque. Una y otra vez, cuando me lamento por la pérdida de algo bueno que ha muerto debido a la estupidez, el descuido o la negligencia (y confieso que, como conservacionista y cristiano, tengo esa experiencia bastante a menudo), salta en mi mente este verso de Kipling. Ahora, el verso en cuestión, me persigue cuando contemplo la pérdida de la verdad bíblica sobre la santidad por parte de la iglesia.

Nuestra herencia cristiana de santidad. Hubo un tiempo en el que todos los cristianos ponían mucho énfasis en la realidad del llamamiento de Dios a la santidad, y hablaban con profundo discernimiento del modo que tiene el Señor de capacitarnos para ella. En particular, los protestantes evangélicos ofrecían innumerables variedades sobre lo que la santidad divina exige de nosotros, lo que implica para nosotros mismos ser santos, por qué medios y a través de qué disciplinas el Espíritu Santo nos santifica, así como las formas en que la santidad aumenta nuestra seguridad, nuestro gozo y nuestra utilidad para Dios.

Los puritanos insistían en que la vida entera y las relaciones debían llegar a ser «santidad al Señor». John Wesley decía al mundo que Dios había levantado el metodismo «para esparcir la santidad escritural por todo el país». Phoebe Palmer, Handley Moule, Andrew Murray, Jessie Penn Lewis, F.B. Meyer, Oswald Chambers, Horatius Bonar, Amy Carmichael y L.B. Maxwell son sólo algunas de las figuras más destacadas del «avivamiento de santidad» que afectó a toda la cristiandad evangélica entre mediados del siglo diecinueve y mediados del veinte.

Al otro lado de la línea divisoria de la Reforma, Serafín de Sarov (ortodoxo ruso) y Teresa de Ávila, Ignacio de Loyola, Madame Guyon y el Padre Grou (todos ellos católicos romanos), ministraron como apóstoles de la santidad de un modo semejante. Debemos comprender que, como viera por ejemplo John Wesley con toda claridad, la división de la Reforma fue mucho menos profunda en cuanto a la santificación y el Espíritu que respecto a la justificación y la misa.

En el pasado, pues, se destacaba la santidad a lo largo y a lo ancho de toda la iglesia cristiana. ¡Pero cuán diferente es hoy! Al escuchar nuestros sermones y leer los libros que escribimos, y al observar nuestra forma ridícula, mundana y pendenciera de comportarnos, uno nunca imaginaría que en otra época el camino de santidad estuvo claramente marcado para los creyentes bíblicos, de tal manera que los ministros y la gente sabían lo que era y podían hablar del mismo con autoridad y confianza. «El mal tiempo y la lluvia lo han vuelto a cerrar». Ahora tenemos que reconstruir y volver a abrir ese camino partiendo realmente de cero.

En el Antiguo Testamento leemos cómo Isaac, obligado a reubicar a su extensa familia, «volvió a abrir[...] los pozos de agua que habían abierto en los días de Abraham su padre, y que los filisteos habían cegado después de la muerte de Abraham» (Gn 26.18). Así aseguró Isaac la provisión de agua sin la cual ni su familia, ni sus siervos, ni su ganado, ni él mismo podrían haber sobrevivido. No hizo una prospección de nuevos pozos con una varilla de zahorí, lo cual hubiera podido dar o no resultados, sino que se fue derecho a los pozos antiguos. En ellos sabía que encontraría agua, después de haberlos limpiado de la tierra y los escombros que los malévolos filisteos habían apilado sobre ellos.

La acción de Isaac refleja dos sencillos principios espirituales que se aplican aquí de un modo muy directo:

1. La recuperación de la verdad antigua, que ha sido un medio de bendición en el pasado, puede convertirse en las manos de Dios, nuevamente, en instrumento de bendición

para el presente, mientras que la búsqueda de alternativas más nuevas es muy posible que resulte estéril.

2. Nadie debería ser desalentado al intentar una recuperación semejante por prejuicios, mala voluntad o actitudes hostiles que puedan haberse acumulado contra la vieja verdad durante el tiempo de su eclipse.

Estos son los principios cuya guía sigo en este libro. El lector no encontrará en el mismo ninguna novedad. Mi propósito es servirme con gratitud de una sabiduría cristiana más antigua.

El mundo perdido. Sir Arthur Conan Doyle, creador de Sherlock Holmes, escribió también un relato de aventuras titulado *El mundo perdido*, en el que el profesor Challenger y sus amigos suben a una meseta supuestamente inaccesible de Sudamérica y descubren allí tanto dinosaurios como formas de vida humana desconocidas hasta entonces. La historia se escribió evidentemente pensando en chicos de entre nueve y noventa años de edad, y recuerdo de manera vívida el entusiasmo que me produjo, tendría yo unos diez años, el escucharla en forma de serie radiofónica durante la «Hora de los Niños» en la radio británica. El relato termina con Challenger desafiando la incredulidad de sus colegas científicos al explicarles lo que había encontrado.

En el presente libro intento testificar de la realidad de ese mundo perdido, la auténtica santidad cristiana. Me pregunto: ¿Creerá la gente lo que digo acerca de la sobrenaturalización de nuestras vidas desordenadas? ¿Tendrá alguna credibilidad mi relato de lo que a muchos les parecerá una forma desconocida de vida humana? Y... ¿por qué clase de dinosaurio espiritual me tomarán al presentar al público estas antiguas ideas? No importa. Dicho con las memorables palabras de Cary Grant: «Un hombre tiene que hacer lo que tiene que hacer». Para mí eso significa entrar sin ceremonias en mi tarea expositora, sea o no tomado en serio. Eso es lo que paso a hacer ahora.

ESCUELA DE SANTIDAD, ESCUELA DE ORACIÓN

Uno de los títulos que propuse para este libro fue *Con Cristo en la escuela de la santidad*, el cual era un eco deliberado, casi un hurto, de *Con Cristo en la escuela de la oración,* de Andrew Murray, un autor devocional sudafricano muy apreciado de hace dos generaciones. Adapté de esta forma el título de Murray para destacar tres verdades que a mí me parecen fundamentales en relación con todo aquello que me propongo decir. (Andrew Murray estaría completamente de acuerdo, de hecho lo estaba, con cada una de ellas, como dejan bien claro sus muchos libros.)

Primera verdad. La santidad, como la oración (en realidad parte de ella), es algo que, aunque resulta instintivo para los cristianos en virtud de su nuevo nacimiento, tienen que aprender por la experiencia y a través de ella. Así como Jesús «por lo que padeció aprendió la obediencia» (Heb 5.8), lo que exige, cuesta e implica dicha obediencia a través de haber llevado realmente a cabo la voluntad de su Padre hasta el momento de su pasión y en esta última, también los cristianos deben aprender, y aprenden, lo que es la oración mediante sus luchas por orar, y la santidad gracias a sus batallas para obtener pureza de corazón y una vida justa.

Los jovencitos con talento que van a la escuela de tenis para aprender a jugar, pronto descubren que la esencia del proceso no consiste en hablar de tácticas, sino en practicar servicios y jugadas reales, formando de este modo nuevos hábitos y adquiriendo reflejos para subsanar las debilidades de estilo. La rutina, que resulta agotadora, consiste en hacer vez tras vez en la cancha las cosas prescritas contra un adversario real, hasta llegar a realizarlas verdaderamente bien.

La oración y la santidad se aprenden de un modo semejante, a medida que se van haciendo compromisos, formando hábitos y peleando batallas contra un adversario real (en este caso Satanás), que aprovecha continuamente, con gran astucia, nuestros puntos débiles. (El hecho de que esos puntos débiles sean a menudo los que el mundo considera nuestros puntos fuertes, es un indicio del ingenio del diablo: una autoconfianza presuntuosa y un intento orgulloso de abarcar demasiado por nuestra parte sirven a sus propósitos igual de bien que la timidez paralizante, los hábitos de aspereza e ira, la falta de disciplina, ya sea ésta interna o externa, la evasión de responsabilidades, la falta de reverencia hacia Dios, y una indulgencia obstinada en lo que uno sabe que está mal.) Satanás es tan diestro haciendo llaves de judo como en los ataques frontales, y tenemos que estar en guardia contra él todo el tiempo.

Segunda verdad. El proceso de aprendizaje para ser santo, como el aprender a orar, puede considerarse adecuadamente una escuela: la propia escuela de Dios, donde el currículum, el claustro de profesores, las reglas, la disciplina, los premios ocasionales y los compañeros con los que uno estudia, juega, debate y confraterniza, están todos presentes bajo la providencia soberana del Señor.

Así como avanzar en la senda de la oración y la santidad constituye una forma primordial de guerra espiritual contra el pecado y Satanás, también es un proceso educativo que Dios ha planeado y programado para refinarnos, limpiarnos, ensancharnos, animarnos, fortalecernos y madurarnos. Por medio del mismo, el Señor nos hace progresivamente alcanzar la forma moral y espiritual en la que Él quiere vernos.

La educación física en la escuela elemental y los ejercicios corporales para adultos en los gimnasios de mantenimiento ofrecen tal vez los mejores paralelos de lo que estamos tratando aquí. Esas cosas también exigen de nosotros que soportemos aquello que nos cuesta trabajo disfrutar. Cuando yo iba a la escuela, era un niño larguirucho y desmañado. Aborrecía la «EF» (*educación física*, como se la llamaba entonces). En realidad, me iba muy mal, aunque no dudo que me hiciera mucho bien. El tener que recorrer, dando botes, mi terco camino durante algunos años, mediante tirones físicos que a otros les parecían fáciles (y los cuales consideraban una diversión y hacían mucho mejor que yo) quizá me haya ayudado a comprender la virtud de la constancia en otras disciplinas que no resultan gratificantes de inmediato; y el programa divino de santidad incluye un buen número de ellas.

Debemos tener bien claro que cualesquiera que sean las profundas razones por las cuales Dios nos permite las alegrías y las tristezas, las satisfacciones y las frustraciones, el deleite y la decepción, la felicidad y las heridas que forman la realidad emocional de nuestras vidas, todas esas experiencias constituyen su currículum para nosotros en la escuela de la santidad, que es su gimnasio espiritual para conformarnos y edificarnos de nuevo a la semejanza moral de Jesucristo.

Se dice que en una ocasión, cuando Teresa de Ávila estaba viajando, su carruaje la tiró en el barro. Las primeras palabras de la animosa santa, mientras trataba de incorporarse, fueron: «¡Señor, si es así como tratas a tus amigos no resulta extraño que tengas tan pocos!» Una de las cosas más atractivas de Teresa era que podía ser así de juguetona con su Dios. Pero nadie sabía tan bien como ella que los altibajos de su propia vida estaban divinamente planeados para moldear su carácter, ensanchar su corazón y ahondar su devoción. Y lo que valía para ella vale también para todos nosotros.

Tercera verdad. En la escuela divina de santidad, nuestro Señor Jesucristo (el Hijo del Padre y el Salvador del cristiano) está con nosotros, y nosotros con Él, en una relación controladora de amo y siervo, líder y seguidor, profesor y estudiante. Resulta de crucial importancia reconocer esto. ¿Cuál es la causa de que en la escuela de la santidad, al igual que en los colegios a los que enviamos a nuestros propios hijos, algunos avancen más rápidamente que otros? ¿Cómo deben entenderse los distintos ritmos de progreso? Fundamentalmente, el factor que hace la diferencia no es ni el coeficiente intelectual de la persona, ni el número de libros que haya leído, ni tampoco las conferencias, los campamentos y los seminarios a los que haya podido asistir, sino la calidad de su comunión con Cristo a lo largo de las vicisitudes de la vida.

Jesús ha resucitado. Él vive. Hoy en día, por medio de su palabra y de su Espíritu nos llama a sí mismo, a recibirle como nuestro Salvador y Señor y a convertirnos en sus discípulos y seguidores. Hablando objetivamente, en cuanto a cómo son las cosas verdaderamente, y cómo puedan parecer en un momento determinado, el «estar ahí» de Jesús, y la naturaleza personal de su relación con nosotros como discípulos suyos, son tan reales como lo eran su presencia física y sus palabras de consuelo y mando cuando anduvo por esta tierra hace mucho tiempo. Algunos, sin embargo, no toman en cuenta este hecho de una manera tan vigorosa y práctica como otros. Eso es lo que hace la diferencia.

Lo que quiero decir, es que algunos que confían en Jesús como Salvador personal se han formado el hábito de acudir a Él para cualquier cosa que surge, a fin de tener claro de qué modo deberían reaccionar ante ella como discípulos suyos. («Acudir a Él» es una expresión global que abarca tres cosas diferentes: la oración, la meditación —la cual incluye el pensar, el reflexionar y el sacar conclusiones de la Escritura, así como el aplicarlas directamente a uno mismo en la presencia de Jesús— y la actitud abierta durante todo el proceso a la iluminación específica del Espíritu Santo.) Estos cristianos llegan a comprender cómo los acontecimientos les exigen:

- consagrarse completamente al Padre, como hizo Jesús;
- decir y hacer sólo aquello que agrada al Padre, como hizo Jesús;
- aceptar el dolor, la pena, la deslealtad y la traición, como hizo Jesús;
- interesarse por la gente y servirla en sus necesidades sin comprometer los propios principios ni tener motivos ocultos para actuar así, como hizo Jesús;
- aceptar la oposición y el aislamiento, esperando pacientemente cosas mejores y al mismo tiempo permaneciendo firmes bajo la presión, como hizo Jesús;
- regocijarse en los detalles de los caminos del Padre y darle gracias por su sabiduría y su bondad, como hizo Jesús; etcétera.

Guardados de la amargura y la autocompasión por estos medios, tales cristianos se enfrentan a los acontecimientos con un espíritu de paz, gozo y anhelo de ver lo que Dios va hacer a continuación. Otros, sin embargo, no menos comprometidos con Jesucristo como Salvador personal, jamás llegan a dominar este arte de acudir habitualmente a Él para los desafíos de la vida. Con demasiada frecuencia empiezan dando por sentado que su vida como hijos de Dios será un lecho de rosas todo el tiempo. Luego, cuando llegan las tempestades, lo máximo que pueden hacer es atravesarlas titubeando con un espíritu de verdadera, aunque no reconocida, desilusión de Dios; sintiendo, en todo momento, que el Señor les ha fallado. Es fácil comprender por qué aquellos que forman la primera categoría avanzan más rápido y van más lejos en el amor, la humildad y la esperanza, que componen la esencia de la semejanza con Cristo en santidad, que los que integran la segunda.

DEFINICIÓN DE SANTIDAD

Pero, ¿qué es exactamente la santidad? Necesitamos dar una definición amplia de la misma, y eso es lo que voy a intentar a continuación.[1]

---

1. Véase también J.I. Packer, *God's Words: Studies of Key Bible Themes* [Palabras de Dios: estudios de algunos de los principales temas bíblicos], Baker Book

Considere primeramente la palabra en sí misma. *Santidad* es un sustantivo relacionado con el adjetivo *santo* y el verbo *santificar*, que significa hacer santo. Tanto en hebreo como en griego, las dos lenguas bíblicas, *santo* quiere decir separado y apartado para Dios; consagrado y cedido al Señor. En su aplicación a la gente, los «santos» de Dios, el término implica tanto devoción como asimilación: devoción, en el sentido de una vida de servicio al Señor; y asimilación, en cuanto a imitar al Dios que uno sirve, conformarse a su carácter y llegar a ser como Él. Para los cristianos, esto significa tomar la ley moral de Dios como norma y a su Hijo encarnado como modelo; aquí es donde debe empezar nuestro análisis de la santidad.

En su magnífico libro *Holiness* [Santidad], publicado en 1879 y todavía a la venta con bastante éxito, el obispo anglicano John Charles Ryle trazó en términos bíblicos sencillos un perfil clásico de la persona santa en doce puntos. (Como buen victoriano, Ryle utiliza la palabra «hombre», pero también se refiere a las mujeres.) La descripción que hace es la siguiente:

1. Santidad es el hábito de ser de un mismo parecer con Dios, según la descripción de su mente que encontramos en la Escritura. Representa la costumbre de estar de acuerdo con el Señor en su juicio, aborrecer lo que Él aborrece, amar lo que ama, y medirlo todo en este mundo con la norma de su Palabra[...]

2. El hombre santo se esforzará en evitar todo pecado conocido y guardar cada uno de los mandamientos revelados. Tendrá una decidida disposición mental hacia Dios, un deseo sincero de hacer su voluntad, un miedo mayor a desagradarle a Él que al mundo, y... sentirá lo mismo que Pablo cuando dijo: «Según el hombre interior, me deleito en la ley de Dios» (Ro 7.22)[...]

3. El hombre santo luchará por ser como nuestro Señor Jesucristo. No sólo vivirá la vida de fe en Él, y extraerá de Jesús toda su paz y su fuerza diaria, sino que también se esforzará para tener el mismo sentir que hubo en Él y para

---

House, Grand Rapids, 1988, cap. 14, «Holiness and Sanctification» [Santidad y santificación], pp. 169-79; *Keep in Step with the Spirit* [Mantenerse al paso con el Espíritu], Fleming H. Revell, Old Tappan, 1984, caps. 3-4, pp. 94-169.

conformarse a su imagen (Ro 8.29). Su meta será soportar y perdonar a los demás... ser generoso... andar en amor... ser modesto y humilde... Tomará a pecho la afirmación de Juan, que expresa: «El que dice que permanece en Él [en Cristo], debe andar como Él anduvo» (1 Jn 2.6).

4. El hombre santo seguirá la mansedumbre, la resignación, la bondad, la paciencia, la disposición amable, el dominio de su lengua. Soportará mucho, tolerará mucho, pasará mucho por alto y será lento para hablar de afirmarse en sus derechos.

5. El hombre santo seguirá la templanza y la abnegación, se esforzará por hacer morir los deseos de su cuerpo, crucificará su carne con sus afectos e inclinaciones, pondrá freno a sus pasiones, reprimirá sus tendencias carnales, no sea que en cualquier momento se desaten[...] (Luego Ryle cita Lucas 21.34 y 1 Corintios 9.27.)

6. Un hombre santo seguirá la caridad y la bondad fraternal. Se esforzará por cumplir esa regla de oro que consiste en hacer aquello que uno quisiera que los demás hiciesen con uno y en hablar a otros como desea que ellos le hablen. Aborrecerá toda mentira, calumnia, murmuración, engaño, fraude y trato injusto, aun en las cosas más pequeñas.

7. El hombre santo seguirá una actitud misericordiosa y benevolente hacia los demás... Así era Dorcas, quien «abundaba en buenas obras y en limosnas», no simplemente se las proponía y hablaba de ellas, sino que las *hacía* (Hch 9.36).

8. Un hombre santo seguirá la pureza de corazón. Tendrá pavor de cualquier inmundicia e impureza de espíritu, y tratará de evitar todo aquello que pudiera llevarle a ellas. Sabe que su propio corazón es como la yesca, y con diligencia se apartará de cualquier chispa de tentación.

9. Un hombre santo seguirá el temor del Señor. No me refiero a un temor de esclavo, que sólo trabaja por miedo al castigo y estaría ocioso si no le asustara ser descubierto, sino más bien al temor de un hijo que desea vivir y actuar como si estuviera siempre delante de su padre, porque lo ama.

10. El hombre santo seguirá la humildad. Deseará, con actitud modesta, considerar a todos los demás como superiores a él mismo. Verá más maldad en su propio corazón que en ningún otro en todo el mundo.

11. El hombre santo seguirá la fidelidad en lo concerniente a todos los deberes y relaciones de la vida. Intentará, no meramente ocupar su sitio tan bien como lo hacen otros que no toman sus almas en consideración, sino incluso mejor, ya que tiene motivos más elevados y cuenta con más ayuda que ellos... Las personas santas deberían ponerse como meta el hacer todo bien, y sentir vergüenza cuando se permiten realizar algo de mala manera si pueden evitarlo... Deberían esforzarse en ser buenos maridos y buenas esposas, buenos padres y buenos hijos, buenos amos y buenos siervos, buenos vecinos, buenos amigos, buenos súbditos, buenos en privado y buenos en público, buenos en el lugar de sus negocios y buenos en el hogar. El Señor Jesús formula una pregunta escudriñadora a los suyos cuando dice: «¿Qué hacéis de más? ¿No hacen también así los gentiles?» (Mt 5.47).

12. En último lugar, pero no por eso menos importante, el hombre santo seguirá la mentalidad espiritual. Se esforzará en poner la mira completamente en las cosas de arriba, y en agarrar con mano muy suelta aquellas de la tierra... Aspirará a vivir como alguien que tiene su tesoro en el cielo, y a pasar por este mundo como un extranjero y peregrino que viaja hacia su hogar. A tener comunión con Dios en oración, en la Biblia y en la reunión de su pueblo, estas cosas serán los principales deleites del hombre santo. Valorará cada cosa, cada lugar y cada compañía según la medida en que los mismos le acerquen más a Dios.[2]

ASPECTOS DE LA SANTIDAD

Todas las afirmaciones de Ryle son sin duda verdades inmutables y desafiantes que ningún cristiano en su sano juicio se atreverá a discutir. Basándome en lo que él dice, y meditando las cosas a fondo desde la posición ventajosa en la que nos ha colocado, paso ahora por mi cuenta a hacer las aseveraciones que siguen; y las pongo en primera persona, en parte, para ayudar a

2. J. C. Ryle, *Holiness*, Evangelical Press, Welwyn, 1979 [Edición de centenario], pp. 34-37.

mis lectores a aplicarse a sí mismos lo que se dice, y en parte también, porque acepto la máxima de Calvino en cuanto a que mejor le sería a un predicador caerse y romperse el cuello mientras sube al púlpito, si no va a ser el primero en seguir a Dios viviendo su propio mensaje. Esto no es menos pertinente para cuando uno predica mediante la página impresa que para cuando lo hace en la iglesia, de modo que necesito predicarme a mí mismo tanto como a cualquiera.

Por lo tanto he aquí mis observaciones. Son cuatro en total.

La santidad tiene que ver con mi corazón. Me refiero aquí al corazón en el sentido bíblico, según el cual se trata, no de la bomba de sangre del cuerpo, sino del centro y foco de la vida interior de la persona: la fuente de la motivación, la sede de las pasiones, el resorte de todos los procesos de pensamiento y, en particular, de la conciencia. La afirmación que hago, y que yo mismo debo afrontar, es que la santidad comienza por el corazón, en el interior del individuo, con un buen propósito que trata de expresarse mediante la actuación debida. No tiene que ver sólo con la mecánica de lo que hago, sino también con los motivos que me impulsan a hacerlo.

El objetivo, la pasión, el deseo, el anhelo, la aspiración, la meta y el impulso que motiva a una persona santa es agradar a Dios, tanto con lo que hace como mediante lo que evita hacer. En otras palabras, se trata de realizar buenas obras y omitir las malas. Las buenas comienzan con la alabanza, la adoración y el honrar y exaltar a Dios como talante de toda la vida cuando uno está despierto. Las malas obras empiezan con el descuido de esas cosas y la frialdad acerca de ellas. De modo que debo esforzarme por mantener mi corazón sensible a Dios de una manera activa.

El puritano Richard Baxter decía lo siguiente de George Herbert, su poeta favorito: «Sus libros están hechos de *trabajo del corazón y trabajo celestial*».[3] Con «trabajo del corazón», Baxter quería decir el cultivo de un espíritu de amor agradecido, humilde y adorador hacia el Amante y Salvador personal, como hace Herbert en el siguiente poema (hoy en día un himno muy conocido en inglés):

Rey de gloria, Rey de paz,
Mi amor es para ti;
No cese tal amor jamás,

---

3. Richard Baxter, *Poetical Fragments* [Fragmentos poéticos], 1681.

Suplico hoy de ti.
Mi ruego me concedes,
Y oyes mi oración;
Al pecho tus mercedes
Le dan consolación.

Mi arte más supremo
Será cantarte a ti,
Del corazón lo bueno
Te ofreceré yo a ti...

Esta clase de amor del corazón por Dios es la raíz primaria de toda santidad verdadera.

De modo que el ascetismo como tal, las abstinencias voluntarias, los hábitos de privación autoimpuesta y la austeridad agobiante, no es lo mismo que la santidad, aunque algunas formas de ascetismo puedan tener su lugar en la vida de una persona santa. Tampoco el formalismo, en el sentido de una conformidad externa, en palabras y hechos, con las normas que Dios ha establecido, se parece en nada a la santidad, a pesar de que ciertamente no hay santidad sin una conformidad así. Tampoco debe considerarse santidad el legalismo, en lo que respecta a hacer ciertas cosas para ganar el favor de Dios o aumentar la medida del mismo que uno ya tiene. La santidad es siempre aquella respuesta de gratitud del pecador salvado por la gracia que se le ha concedido.

Los fariseos del tiempo de Jesús cometían estos tres errores y sin embargo se los tenía por gente muy santa, hasta que el Señor les dijo la verdad acerca de sí mismos y de las deficiencias de su supuesta piedad. De cualquier modo, después de aquello no nos atrevamos a olvidar que la santidad empieza en el corazón. ¿Quién desea alinearse con esos fariseos?

Como escribiera Charles Wesley:

Oh, quién tuviera un corazón
    Para alabarte a ti;
Del pecado siempre libre,
    Por tu sangre carmesí.

Manso, abnegado y sumiso;
    Trono de mi Redentor;

Donde sólo puede oírse
La voz de mi Salvador.

Un corazón renovado
En su forma de pensar,
Y lleno de amor divino:
Copia de tu santidad.

Es con este enfoque y con esta oración como empieza la verdadera santidad.

La santidad tiene que ver con mi temperamento. Con temperamento quiero decir aquellos factores que hacen naturales para mí ciertas formas de reaccionar y comportarme. Utilizando la jerga de los sicólogos, es mi temperamento lo que me inclina al *intercambio* con mi entorno (situaciones, cosas y personas) de la manera que lo hago habitualmente.

Aprovechando todos los recursos de dicha jerga, el sicólogo Gordon Allport define el temperamento como «los fenómenos característicos de la naturaleza de un individuo, que incluyen su sensibilidad a los estímulos emocionales, su fortaleza acostumbrada y velocidad de respuesta, la calidad de su talante habitual y todas las peculiaridades de sus fluctuaciones e intensidades de humor, consideradas como dependientes de su constitución natural y por tanto mayormente de carácter hereditario».[4] La declaración de Allport es engorrosa pero clara. El temperamento, podríamos decir, constituye la materia prima de la que está formado el carácter; por tanto, nuestro carácter es lo que nosotros hacemos con ese temperamento. La personalidad representa el producto final, la individualidad específica que resulta de todo ello.

Los temperamentos se clasifican de diversas maneras: en positivo y negativo, fácil y difícil, introvertido y extravertido, sociable y retraído, activo y pasivo, altruista y egoísta, comunicativo y amable en contraposición con ensimismado y manipulador, tímido y desinhibido, rápido y lento en entusiasmarse, inflexible y desafiante en oposición a flexible y condescendiente, etc.

---

4. G. W. Allport, *Pattern and Growth in Personality* [Los patrones y el crecimiento en la personalidad], Holt, Holt, Rinehart and Winston, Nueva York, 1961, p. 34.

Aunque estas clasificaciones tienen su valor cada una, tal vez la más útil de todas, por lo menos para el líder pastoral, sea la más antigua, la cual habían elaborado ya los médicos griegos antes del tiempo de Cristo y que distingue cuatro temperamentos fundamentales:

- Sanguíneo (cariñoso, divertido, sociable, relajado, optimista);
- Flemático (sereno, moderado, independiente, impasible, indiferente);
- Colérico (despierto, activo, hacendoso, impaciente, con relativamente poco aguante); y
- Melancólico (sombrío, pesimista, introspectivo, dado al cinismo y a la depresión).

Esta clasificación reconoce además la realidad de tipos mixtos, tales como el flemático-melancólico y el sanguíneo-colérico, cuando se dan en una misma persona rasgos pertenecientes a dos de los temperamentos. De esta forma se incluye a todo el mundo. Las creencias antiguas en cuanto a los fluidos corporales que respaldaban esta clasificación han desaparecido en la actualidad, pero las categorías en sí mismas siguen siendo útiles desde un punto de vista pastoral. La gente encaja perceptiblemente en dichas categorías, y el reconocerlas nos ayuda a comprender el genio y las reacciones de la persona con la que estamos tratando.

La afirmación que hago ahora, y que yo mismo tengo que afrontar, es que no debo llegar a ser (o seguir siendo) víctima de mi temperamento. Cada uno de dichos temperamentos tiene sus propios puntos fuertes y también sus propias debilidades. La gente sanguínea tiende a vivir irreflexivamente y al azar. Los flemáticos suelen ser distantes e insensibles, ociosos e indiferentes. Los coléricos, por su parte, son con frecuencia pendencieros, irascibles y malos compañeros de equipo. Los melancólicos tienden a considerarlo todo malo y errado, y a negar que haya nada realmente bueno y correcto.

Ceder a mis debilidades temperamentales es para mí, desde luego, la cosa más natural, por lo que constituye el tipo de pecado más difícil de vencer y detectar. Pero una humanidad santa, como la vemos en Jesucristo, combina en sí misma los puntos fuertes de esos cuatro temperamentos sin ninguna de sus debilidades.

Por tanto, debo intentar ser como Él en eso y no entregarme a los fallos particulares a los cuales me tienta mi propio temperamento.

De modo que para una persona de temperamento sanguíneo la santidad supondrá aprender a mirar antes de saltar, a meditar las cosas con responsabilidad y a hablar con sabiduría en lugar de hacerlo alocadamente. (Esas fueron algunas de las lecciones que aprendió Pedro con ayuda del Espíritu después de Pentecostés.) En el caso de alguien de temperamento flemático, la santidad implicará para él una disposición a ser abierto con la gente, a sentir con ella y por ella, a ser afable en las relaciones y a hacerse vulnerable, en el sentido de correr el riesgo de sufrir heridas. Para un colérico, la santidad implicará practicar la paciencia y el autodominio, y también redirigir su ira y hostilidad hacia Satanás y el pecado, en vez de hacia sus congéneres humanos que obstruyen lo que a él le parece que es el camino adelante. (Estas fueron algunas de las lecciones que Pablo aprendió del Señor después de convertirse.) Por último, para un melancólico la santidad supondrá aprender a regocijarse en el Señor, abandonar la autocompasión y el pesimismo orgulloso, y creer, junto con el místico medieval Julián de Norwich, que a través de la gracia soberana de Dios: «todo irá bien y todo irá bien, y toda clase de cosas irán bien». ¿Cuáles son mis debilidades temperamentales? Para ser santo, como soy llamado a serlo, debo identificarlas (esa es la parte difícil) y pedir a mi Señor que me capacite para adquirir hábitos de superación de las mismas.

La santidad tiene que ver con mi humanidad. Nuestro Señor Jesucristo es al mismo tiempo Dios para el hombre y hombre para Dios. Es el Hijo de Dios encarnado, plenamente divino y plenamente humano. Lo conocemos como mediador de la gracia divina y como modelo de piedad humana. ¿Y en qué consiste la piedad humana —esa que es verdadera santidad— como la vemos en Jesús? Pues, simplemente, en la vida del hombre, vivida según el propósito del Creador. En otras palabras: humanidad perfecta e ideal; una existencia en la que los elementos de la persona se hallan completamente unidos de un modo que honra a Dios y realiza la naturaleza del individuo. (Ya que Dios hizo a la humanidad para sí, la piedad realiza la naturaleza humana en el grado más profundo. Como demuestra la experiencia, ninguna satisfacción es capaz de igualar a aquella de la obediencia a Dios, por costosa que ésta pueda resultar.)

Las vidas que se viven de manera distinta a esta, aunque humanas en el sentido biológico y funcional, no lo son por entero en lo referente a su calidad. Santidad y humanidad constituyen términos correlativos y mutuos implicados (como dirían los lógicos). En la medida que no alcanzo la primera, dejo también de alcanzar la segunda.

Todos los miembros de nuestra raza caída quienes, por no conocer a Jesucristo, viven aún bajo el poder de ese síndrome de autodeificación y antidiós que se da en nuestro sistema espiritual al que la Biblia llama pecado, están llevando vidas cualitativamente subhumanas. El pecado nos dice otra cosa en nuestras mentes, pero, como siempre, está mintiendo.

El siglo veinte pasará indudablemente a la historia como la época del humanismo secular. Comenzó con la confianza eufórica, nacida del pecado, de que el empeño del hombre en la ciencia, la educación, el aprovechamiento de los recursos naturales y el aumento de la riqueza daría como resultado la felicidad humana, hasta el punto de lograrse algo parecido al cielo en la tierra. Y, no obstante, termina sin que se haya cumplido ninguna de tales expectativas, antes bien con deprimentes recuerdos de los muchos males cometidos y corazones llenos de desasosiego y sombría preocupación en lo referente a las perspectivas futuras de la humanidad, y al valor presente de la vida, por todas partes.

Nuestro humanismo orgulloso, por así decirlo, ha convertido al mundo en algo más parecido al infierno que al cielo. Como expresan acertadamente los escritores británicos Brain y Warren:

Lo que el mundo anhela en la actualidad... [es] el descubrimiento de lo que significa ser verdaderamente humano. El mundo ve el efecto destructivo de la dedicación a la búsqueda del dinero, el sexo y el poder en las vidas de muchos de sus héroes. Lo que la gente ansía es una forma de integrar las diferentes partes de sus personas y los conocimientos de la sicología y la sociología modernas, de una forma que conduzca a la integridad. El humanismo no tiene la respuesta. Es solamente por medio de la persona de Jesucristo como se puede encontrar la verdadera humanidad... La santidad no está relacionada principalmente con la sumisión a unas reglas autoritarias o con nociones estrechas o conformistas de cuál es el comportamiento aceptable, sino con la celebración de nuestra humanidad.

Y para remachar esto, dichos autores añaden una expresiva cita del predicador escocés James Philip:

> Sobre todo, la vida de la iglesia primitiva se caracterizaba —y ciertamente esta es una necesidad suprema en la vida evangélica actual— por la humanidad. La palabra más profunda que pueda darse acerca de la santificación es la que trata de un progreso hacia la verdadera humanidad. La salvación es, considerada en su esencia, la restauración de la humanidad a los hombres. Por esto, esa vena ligeramente inhumana —por no decir antinatural— de algunas formas y expresiones de santificación está tan alejada de la verdadera obra de gracia en el alma. Los grandes santos de Dios se han caracterizado, no por los halos, ni por una atmósfera de distante inaccesibilidad, sino por su humanidad. Han sido personas intensamente humanas y agradables, con un destello en sus ojos.[5]

La afirmación que hago, y que yo mismo debo afrontar, es que Brain, Warren y Philip están en lo cierto. La auténtica santidad es semejanza genuina con Cristo, y esta a su vez auténtica humanidad, la única humanidad verdadera que existe. El amor en el servicio de Dios y de los demás, la humildad y la mansedumbre bajo la divina mano, la integridad de conducta como expresión de una integración del carácter, la sabiduría con fidelidad, la osadía con devoción, la tristeza por los pecados de la gente, el gozo por la bondad del Padre y la constancia en buscar su agrado mañana, tarde y noche, son todas cualidades que se vieron en Cristo, el hombre perfecto.

Los cristianos deben llegar a ser humanos como lo fue Jesús. Somos llamados a imitar esas cualidades del carácter, con la ayuda del Espíritu Santo, para que dejemos atrás la inestabilidad infantil, el egoísmo desconsiderado, la piedad fingida y la testarudez sin discernimiento que tan a menudo estropean nuestras vidas supuestamente cristianas. «La santidad, correctamente entendida,

---

5. Chris Brain y Robert Warren, «Why Revival *Really* Tarries—Holiness» [Por qué realmente el avivamiento retarda la santidad], *Renewal*, 181, junio 1991, p. 35; cita de James Philip, *Christian Maturity*, Inter-Varsity Press, Londres, 1964, p. 70. He intentado apuntar lo mismo, brevemente, en *Knowing Man* [Conociendo al hombre], Cornerstone, Westchester, 1979 y de un modo más completo, con Thomas Howard, en *Christianity: the True Humanism* [El verdadero humanismo], Word Books, Dallas, 1985.

es algo hermoso, y su belleza es la belleza y ternura del amor divino»[6], el cual constituye precisamente la hermosura de la humanidad verdaderamente madura. Necesito recordar todo esto, tomármelo a pecho y fijar mis objetivos de acuerdo con ello.

La santidad tiene que ver con mis relaciones. A veces se ha pensado que para practicar la santidad resulta útil, e incluso necesario, un estado de aislamiento y soledad, desligado permanentemente de las relaciones humanas. Pero, si bien es cierto que la vida santa requiere períodos regulares de soledad con Dios, la idea a la que me refiero es que uno obtiene libertad para avanzar con el Señor separándose de la vida comunitaria de la familia, la iglesia y la sociedad, lo cual no parece ser cierto en absoluto. Tal concepto surgió, al parecer, en el siglo cuarto, con los monjes cristianos pioneros que se apartaban habitualmente para practicar a solas la austeridad corporal y el atletismo del espíritu que entonces determinaban la santidad. Así Antonio se retiró al desierto de Egipto durante veinte años, mientras que Simeón Estilita subió a su columna y vivió encima de ella por tres décadas. Hubo muchas cosas de este tipo.

A su vez, la gente de la Edad Media abrigaba la idea de que la santidad era una «vida más alta», opcional, de devota austeridad, para los superserios. Daban por sentado que incluía la propiedad de buscar la separación, supuestamente necesaria para una vida así, renunciando al matrimonio y a las riquezas, y haciéndose fraile, monja o ermitaño. Por tanto, para la vida y el pensamiento social de la época resultó revolucionario el que los reformadores volvieran a concebir la santidad como el cumplimiento de las relaciones personales, la administración de los propios talentos y tiempo, y el mantenimiento del amor, la humildad, la pureza y el celo por Dios en el corazón. El ideal del aislamiento fue por tanto completamente desechado y sustituido por una insistencia en que la santidad considerada ahora como la vida consagrada del agradecido y perdonado pecador debe lograrse por la manera en la cual, como adorador, obrero y testigo nos relacionamos con nuestra familia, iglesia y la comunidad en general. Sin embargo, no puede discutirse que los reformadores tenían la Biblia de su parte.

6. Philip, *Christian Maturity* [Madurez cristiana], p. 65.

Sin duda esos reformadores fueron demasiado lejos cuando, en el ardor de su reacción contra el modelo predominante, trataron de cerrar todos los monasterios y negaron que hubiera algo parecido a un llamamiento para servir a Dios a solas, retirados de los asuntos mundanos. Pero ciertamente tenían razón en cuanto a negar la idea de que tal retiro constituyese una condición necesaria para la santidad cabal y que la participación en el mundo excluyera cualquier posibilidad de una vida santa en plenitud. La santidad bíblica es, en ese sentido, inequívocamente mundana. Sin conformarse al mundo, ni llegar a ser un materialista, disipador, codicioso o constructor de imperios de algún tipo, el cristiano debe actuar como un siervo de Dios en ese mundo, sirviendo a otros a causa del Señor. De modo que la afirmación que hago, y que debo afrontar ahora yo mismo, es que la forma en que me relaciono con otra gente es la esencia de mi santidad a los ojos de Dios, así como también un indicio de la misma para los hombres y las mujeres.

Aquí recuerdo algo que leí en cierta ocasión acerca de una señora, oradora muy popular en las plataformas de santidad y escritora prolífica sobre estos temas hace más de cien años. (Para evitar el escándalo no daré su nombre, ni la referencia de la cita que hago a continuación.) El yerno de esta señora escribió que aunque mucha gente la tuviera por «una sabia y una santa», él «había llegado gradualmente a considerarla como una de las personas más perversas que jamás había conocido». ¿Por qué? Su lista de razones comenzaba del modo siguiente: «El trato que daba a su marido, al cual despreciaba, era humillante hasta lo sumo. Ella jamás le hablaba ni mencionaba salvo en un tono que obviamente demostraba su desdén. No puede negarse que el hombre fuera un anciano tonto, pero no merecía lo que ella le daba, y ninguna persona capaz de mostrar misericordia le hubiera tratado de un modo semejante».

El yerno no era creyente, pero no hay nada anticristiano en esa porción de razonamiento. Porque el hecho de que se sustituya el amor por un desdén resentido entre marido y mujer; o si vamos a ello, entre padre e hijo; o entre colegas... es una negación de la santidad; sea lo que fuere aquello que uno exhibe en sus libros o transmite desde púlpitos y plataformas. Yo necesito recordarlo, y no creo que sea el único.

En el libro citado por Brain y Warren, James Philip señala cómo algunos cristianos son reacios a mostrar cualquier tipo de sentimientos empáticos (el síndrome machista de aquellos que se consideran los tipos duros de Dios), y a renunciar a su amor por ocupar el centro de la pista y su deseo de controlar a otros (el mal de Diótrefes que vemos en 3 Juan 9); todas estas cosas, nos dice, producen dureza de corazón, la cual, desde el punto de vista de Dios, arruina sus relaciones con los demás.

Hay muchos cristianos que jamás han aprendido a decir «gracias» con amabilidad, y que producen mucha congoja a sus mejores amigos por su aparente desconsideración y falta de gratitud, cuando dan... por sentado... tanto amor valioso y amistad. No hay nada mejor calculado para crear problemas... que el persistir en valoraciones poco realistas de uno mismo... Con mucha frecuencia se trata naturalmente del implacable impulso de un complejo de inferioridad que se expresa en encumbradas y exaltadas ideas acerca de la propia importancia, ideas completamente desproporcionadas de la realidad. El problema del complejo de inferioridad está más íntimamente relacionado con el egocentrismo de lo que a la mayoría de nosotros nos gustaría creer... Debemos reconocer la raíz verdadera del problema. Por esta razón, el evangelio constituye en último término la única sicología verdadera, porque ningún poder menor es capaz de quebrar la tiranía del yo en el corazón humano.

El problema esencial es «un yo que no ha aprendido a morir». Sin embargo, «una verdadera entrega a Cristo encoge nuestro pomposo ego hasta su tamaño debido en relación con Él y con nuestros semejantes e imparte realidad a nuestras vidas».[7] ¡Qué sabias palabras! ¡Que nadie suponga que está avanzando en la santidad mientras tales lapsus en las relaciones cristianas sigan marcando su camino!

Resumiendo, por tanto, pareciera que la santidad cristiana es el compendio de una serie de cosas. Tiene aspectos tanto internos como externos. La santidad implica al mismo tiempo acción y motivación, conducta y carácter, gracia divina y esfuerzo humano, obediencia y creatividad, sumisión e iniciativa, consagración a Dios y dedicación a la gente, autodisciplina y altruismo, justicia y amor. Es cuestión de guardar la ley guiados por el Espíritu, un caminar o rumbo de vida espiritual que manifiesta el fruto del

---

7. Philip, *Christian Maturity*, pp. 67-69.

Espíritu Santo (la semejanza con Cristo en actitud y disposición). Se trata de imitar la forma de comportarse de Jesús, confiando en Él para ser liberados del ensimismamiento carnal y discernir las necesidades y posibilidades espirituales.

Es un asunto de rectitud paciente y perseverante; de ponernos al lado de Dios contra el pecado en nuestras vidas y en la de los demás; de adorar al Señor en el Espíritu mientras le servimos en el mundo; y de concentrarnos tenaz, sincera, libre y gozosamente en el negocio de agradar a Dios. Se trata de la forma y, por así decirlo, del sabor distintivo de una vida apartada para Dios que está siendo renovada interiormente por su poder.

La santidad es por tanto la demostración de esa fe que obra por el amor. Algo completamente sobrenatural, en el sentido de que Dios lo efectúa misericordiosamente en nuestro interior, y enteramente natural, puesto que se trata de nuestra propia y verdadera humanidad, perdida a causa del pecado, mal entendida por la ignorancia y por prestar demasiado oído a la cultura actual, pero ahora en proceso de restauración mediante la energía reorientadora y reintegradora de la nueva creación en Cristo gracias al Espíritu Santo. Oswald Chambers llamaba al don divino de la santidad «nuestro brillante patrimonio». La expresión estaba muy bien escogida: *Brillante* —reluciente, rutilante, precioso y glorioso— es la palabra adecuada.

¿ES LA SANTIDAD IMPORTANTE HOY EN DÍA?

¿Pero es verdaderamente importante la santidad? ¿Interesa, en último análisis, si los que se confiesan seguidores de Cristo llevan vidas santas o no?

Observando el mundo cristiano actual (y en particular a los muchos evangélicos de Norteamérica), uno podría fácilmente concluir que la santidad no importa. En cierta ocasión tuve que responder por escrito a la pregunta: «¿Ha quedado obsoleta la santidad personal?» Y me resultó difícil no sacar la conclusión de que la mayoría de los creyentes actuales piensan en lo más íntimo que así es. He aquí algunas pruebas que avalan esta conclusión.

Predicación y enseñanza. ¿Sobre qué predicamos, enseñamos, hacemos programas de televisión y videocasetes los cristianos en estos tiempos? La respuesta no parece ser la santidad, sino el éxito y los sentimientos positivos: como obtener salud, riqueza, libertad de las preocupaciones, buenas relaciones sexuales y familias felices. Recuerdo haber visto en cierta publicación cristiana un grupo de ocho nuevos títulos de libros prácticos comentados en una sola página. ¿Cuánto tiempo hace, me pregunto, que no ha oído usted ocho nuevos libros sobre la santidad? ¿Intento adivinarlo?

Liderazgo. ¿Qué es lo que los cristianos valoramos principalmente en nuestros líderes —predicadores, maestros, pastores, escritores, televangelistas, responsables máximos en los ministerios paraeclesiales, hombres con dinero que financian a las iglesias y otras empresas cristianas y demás gente con puestos clave en nuestro sistema? La respuesta no parece ser su santidad, sino más bien sus dones, habilidades y recursos. El número de líderes (y otros creyentes) norteamericanos que en años recientes se han hecho culpables de mentiras sexuales y financieras, y que al ser desafiados no han querido responder por ellos ante ninguna parte del cuerpo de Cristo, es alarmante. Pero más todavía lo es la forma en que, después de haber sido desenmascarados públicamente, y de unas pocas palmadas en la muñeca, pueden pronto reemprender su ministerio y seguir adelante como si nada hubiera pasado, disponiendo aparentemente de tanto apoyo como antes. Declarar que los cristianos creen en el perdón de los pecados y en la restauración de los pecadores no viene al caso. Lo que estoy diciendo es que la rapidez de su rehabilitación demuestra que los valoramos más por sus dones manifiestos que por su santidad demostrada, debido a que la idea de que sólo la gente santa será probablemente útil en el terreno espiritual no cobra mucha importancia en nuestras mentes.

Hace más de siglo y medio, el pastor escocés y predicador de avivamiento Robert Murray McCheyne declaró: «La mayor necesidad que tiene mi gente es mi santidad personal». Parece claro que ni los ministros religiosos modernos ni sus rebaños estarían de acuerdo con la valoración de McCheyne. En el pasado, cuando su iglesia ha nombrado algún comité para buscar a su siguiente pastor, estoy seguro de que habrá trazado un perfil muy preciso de los dones requeridos, pero ¿cuánto énfasis han puesto en la crucial necesidad de encontrar a un hombre santo? ¿adivino?

Evangelización. ¿Cómo presentamos los cristianos el evangelio a los demás al evangelizar, y cómo lo hacemos para nosotros mismos, creyentes nacidos de nuevo que somos llamados a vivirlo? Creo que resulta indiscutible que aunque ponemos mucho énfasis en la fe (venir a Cristo, confiar en sus promesas, creer que Dios sabe lo que está haciendo con nuestras vidas y tener la esperanza del cielo), hablamos muy poco del arrepentimiento (ligar nuestra conciencia a la ley moral de Dios, confesar y abandonar los propios pecados, hacer restitución por los pasados agravios, entristecernos delante del Señor por la deshonra que le han causado nuestras caídas y preparar una estrategia para vivir santamente). La cultura poscristiana de Occidente cuestiona que exista algún absoluto moral, y no hay duda de que en cualquier caso la moralidad o inmoralidad privada no interesa realmente a nadie salvo a la persona directamente afectada. Los cristianos occidentales actúan como si estuviesen de acuerdo con esto, especialmente en lo tocante al «sexo y a los siclos» (según la acertada expresión de H. Hensley Henson).

Algunos argumentan incluso que hablar del arrepentimiento como una necesidad, y no como una mera opción beneficiosa, y afirmar que el llamamiento del evangelio a la fe supone también un llamamiento a arrepentirse, es caer en un legalismo anticristiano.[8] Estoy seguro de que ha escuchado usted muchos, muchos sermones, sobre la fe, pero me pregunto cuán a menudo habrá oído una serie, o siquiera uno sólo, acerca del arrepentimiento. En su casa tiene libros referentes a cómo vivir la vida cristiana con éxito. ¿Mencionan dichos libros alguna vez el arrepentimiento, sin hablar ya de si le dan mucha importancia como disciplina esencial para toda la vida?

Cuando usted explica a otros el evangelio, ¿subraya el arrepentimiento —y la santidad por la que se expresa el mismo— como una necesidad espiritual? ¿Intento adivinarlo?

No obstante, si restamos importancia o pasamos por alto la santidad estaremos completa y absolutamente equivocados.

---

8. Véase John McArthur, hijo, *The Gospel According to Jesus* [El evangelio de acuerdo a Jesús], Zondervan, Grand Rapids, 1988; Richard P. Belcher, *A Layman's Guide to the Lordship Controversy*, Crowne Publications, Southbridge, 1990; J.I. Packer, «Understanding the Lordship Controversy», en *Table Talk*, Ligonier Ministries, mayo 1991, p. 7.

La santidad es en realidad un mandamiento: Dios la desea, Cristo la exige, y todas las Escrituras —la ley, el evangelio, los profetas, los escritos de sabiduría, las epístolas, los libros históricos que cuentan los juicios pasados y el libro del Apocalipsis que habla de los que han de venir— la reclaman.

La voluntad de Dios es vuestra santificación.

1 Tesalonicenses 4.3

Vete, y no peques más. **Juan 8.11**

Toda la Escritura es inspirada por Dios, y útil para enseñar, para redargüir, para corregir, para instruir en justicia, a fin de que el hombre de Dios sea perfecto, enteramente preparado para toda buena obra. **2 Timoteo 3.16-17**

Nunca se apartará de tu boca este libro de la ley, sino que de día y de noche meditarás en él, para que guardes y hagas conforme a todo lo que en él está escrito. **Josué 1.8**

De manera que cualquiera que quebrante uno de estos mandamientos muy pequeños, y así enseñe a los hombres, muy pequeño será llamado en el reino de los cielos; mas cualquiera que los haga y los enseñe, éste será llamado grande en el reino de los cielos. **Mateo 5.19**

Escrito está: Sed santos, porque yo soy santo. **1 Pedro 1.16**

En realidad, el propósito de nuestra redención es la santidad: así como Cristo murió para que pudiéramos ser justificados, somos justificados con objeto de poder ser santificados... santos.

Porque la gracia de Dios se ha manifestado para salvación[...] enseñándonos que, renunciando a la impiedad y a los deseos mundanos, vivamos en este siglo sobria, justa y piadosamente, aguardando la esperanza bienaventurada y la manifestación gloriosa de nuestro gran Dios y Salvador Jesucristo, quien se dio a sí mismo por nosotros para redimirnos de toda iniquidad y purificar para sí un pueblo propio, celoso de buenas obras.

Timoteo 2.11-14

Cristo amó a la iglesia, y se entregó a sí mismo por ella, para santificarla, habiéndola purificado en el lavamiento del agua por la palabra, a fin de presentársela a sí mismo, una iglesia gloriosa... santa y sin mancha. **Efesios 5.25-27**

La santidad es el objeto de nuestra nueva creación. Nacemos otra vez para que podamos crecer en la semejanza de Cristo.

Porque somos hechura suya, creados en Cristo Jesús para buenas obras, las cuales Dios preparó de antemano para que anduviésemos en ella. **Efesios 2.10**

Habéis sido por Él enseñados, conforme a la verdad que está en Jesús... despojaos del viejo hombre, que está viciado conforme a los deseos engañosos, y renovaos en el espíritu de vuestra mente, y vestíos del nuevo hombre, creado según Dios en la justicia y santidad de la verdad. **Efesios 4.21-24**

La santidad, como signo y expresión de la realidad de la propia fe y el propio arrepentimiento, y de la aceptación por parte de uno del propósito definitivo de Dios, es auténticamente necesaria para la salvación final del individuo.

No entrará en ella [la Nueva Jerusalén] ninguna cosa inmunda, o que hace abominación o mentira. **Apocalipsis 21.27**

Seguid... la santidad, sin la cual nadie verá al Señor.
Hebreos 12.14

La santidad constituye en realidad la verdadera salud de la persona. Cualquier otra cosa es fealdad y deformidad en el nivel del carácter, un funcionamiento defectuoso del individuo, un estado de invalidez del alma. Las diversas formas de enfermedad y deterioro corporal que Jesús sanó son otras tantas ilustraciones de esta deformidad interior más profunda.

La santidad, en efecto, frustra los designios de Satanás para nuestras vidas. Por el contrario, la falta de interés en ella y el no practicar la pureza y la justicia a que somos llamados le hace el juego a él cada vez.

Sed sobrios, y velad; porque vuestro adversario el diablo, como león rugiente, anda alrededor buscando a quien devorar; al cual resistid... **1 Pedro 5.8-9**

Ni deis lugar al diablo. **Efesios 4.27**

La justicia, que significa integridad y rectitud santas, es la coraza de la armadura de Dios a la cual los cristianos son llamados a vestirse para poder contrarrestar los ataques de Satanás (Ef 6.14).

La santidad confiere también credibilidad al testimonio; pero aquellos que proclaman a un Salvador el cual transforma las vidas de la gente no impresionarán a otros si sus propias existencias parecen no ser distintas a las de los demás. Las maneras santas darán realce a nuestro testimonio, mientras que las mundanas lo socavarán. «Vosotros sois la luz del mundo[...] Así alumbre vuestra luz delante de los hombres, para que vean vuestras buenas obras [buenos hechos que respalden las buenas palabras], y glorifiquen a vuestro Padre que está en los cielos [acerca del cual les habéis hablado, y cuyo poder ven ahora en vuestras vidas]». Mateo 5.14,16

Si queremos llevar fruto en la evangelización debemos cultivar la santidad de vida.

Por último, la santidad es aquella substancia que tiene como producto la felicidad. Los que persiguen esta última no la consiguen, mientras que aquellos que buscan la santidad mediante la gracia de Cristo, reciben esa felicidad de espíritu sin haberla pedido. «Y me regocijaré en tus mandamientos, los cuales he amado... Porque son el gozo de mi corazón». Salmo 119.47,111

¿Puede alguien todavía dudar, después de todo esto, que la santidad sea importante para todo cristiano sin excepción?

SISTEMÁTICA Y PROBADA POR EL TIEMPO

La consideración de la santidad que se hace en los siguientes capítulos es, para bien o para mal, la de un teólogo sistemático. La teología sistemática representa, según la conocida frase de San Anselmo, la fe en busca de comprensión; intenta meditarlo todo y considerarlo todo junto respecto a Dios el Creador, que es la realidad central. El estudio de la santidad constituye una cartografía de la vida de Dios en el alma humana, un estudio que hoy en día se denomina generalmente espiritualidad cristiana. (El adjetivo «cristiana» es importante aquí, ya que cada religión posee su propia espiritualidad. La del cristianismo está, sin embargo, tan distante de las demás como la doctrina cristiana de otras formas de creencia.) Este libro debería considerarse una empresa de espiritualidad sistemática. ¿Y qué es eso? Una subdivisión de la teología sistemática en la que tratamos de meditarlo todo y considerarlo todo en términos de la comunión con Dios como relación principal.

Como dije en un principio, considero que la santidad cristiana es un tema sobre el que se enseñó mejor en el pasado, y las líneas de pensamiento que voy a proponer han sido todas ellas probadas por el tiempo. No me excuso por servirme de la sabiduría protestante, católica romana y ortodoxa de antaño para que nos ayude a ver cómo se aplica hoy a nosotros la instrucción bíblica pertinente. Más bien insisto en que se trata de sentido común. Subiéndonos a los hombros de los gigantes, los pequeños podemos tener la esperanza de ver más de lo que contemplaríamos si permaneciéramos en tierra.

Explore la salvación: ¿Por qué es necesaria la santidad?

Pero nosotros debemos dar siempre gracias a Dios respecto a vosotros, hermanos amados por el Señor, de que Dios os haya escogido desde el principio para salvación, mediante la santificación por el Espíritu y la fe en la verdad, a lo cual os llamó mediante nuestro evangelio, para alcanzar la gloria de nuestro Señor Jesucristo.

2 Tesalonicenses 2.13-14

Pedro, apóstol de Jesucristo, a los expatriados de la dispersión [...] elegidos según la presciencia de Dios Padre en santificación del Espíritu, para obedecer y ser rociados con la sangre de Jesucristo: Gracia y paz os sean multiplicadas. **1 Pedro 1.1-2**

ENFERMEDADES E ILUSIONES

Abrí los ojos y me encontré tumbado en una cama extraña. Como tenía la cabeza en alto podía ver en la semipenumbra qué había más allá de mi lecho. Lo primero que pensé fue que me encontraba en la estación Gran Central de Nueva York por la noche. (Hacía poco que había visto una fotografía nocturna del enorme vestíbulo de la estación y creí que reconocía el lugar.)

Luego vi a mi madre, sentada en el lado izquierdo de la cama. Vestía la gran bata floreada y el gorro que se ponía para limpiar la casa. Aunque no me hablaba, me sonreía, e hizo que bebiera algo frío a través del pico de lo que parecía ser una pequeña tetera blanca. Después me explicaron que volví a quedarme dormido de inmediato.

En realidad, como supe al despertarme la siguiente vez, distaba mucho de estar en la estación Gran Central. Me encontraba en el hospital de mi pueblo natal en Inglaterra, donde había sido intervenido de una fractura de compresión en el cráneo, la cual pensaban que me había dañado el cerebro. Lo que vi fue en parte una ilusión, puesto que el pabellón del hospital no se parecía realmente a la estación de ferrocarril de Nueva York que aparecía en la foto, ni de noche ni de día. La persona que había estado velando al lado de mi cama era una enfermera de uniforme, tocada con una cofia adornada, bata azul y delantal blanco. Vi lo que vi (y si cierro los ojos aún puedo verlo), pero en realidad no era lo que allí había. Mi aturdido y golpeado cerebro me estaba engañando, y la realidad era distinta de lo que yo pensaba.

Todo esto sucedía en 1933, cuando yo contaba siete años de edad. ¿Por qué vuelvo ahora sobre el asunto? Pues porque ilustra dos verdades las cuales veo que tengo que subrayar una y otra vez cuando hablo en la actualidad a los cristianos.

Primera verdad. Todos somos inválidos en el hospital de Dios. Tanto en términos morales como espirituales estamos enfermos y lastimados, afectados y deformes, marcados de cicatrices e hinchados, cojos y desproporcionados... en una medida muchísimo mayor de la que pensamos. Bajo el cuidado de Dios vamos mejorando, pero todavía no estamos del todo bien. A los cristianos modernos nos gusta más pensar en las bendiciones presentes que en perspectivas futuras, y nos instamos unos a otros a testificar que, aunque en otro tiempo éramos ciegos, sordos y en realidad estábamos muertos en lo que a Dios se refiere, ahora, por medio de Cristo, hemos sido traídos a la vida, transformados radicalmente y bendecidos con salud espiritual. Gracias a Dios que hay en ello una verdad cierta. Sin embargo, la salud espiritual consiste en ser santo y cabal, y en la medida en que no lo somos, tampoco estamos plenamente saludables.

Tenemos que comprender que la salud espiritual de la cual testificamos es sólo parcial y relativa, cuestión de estar menos enfermos e incapacitados de lo que lo estábamos antes. Medidos por la norma absoluta de la salud espiritual que vemos en Jesucristo, somos nada más, y nada menos, que inválidos en proceso de curación. Ese viejo dicho de que la iglesia es el hospital de Dios sigue siendo verdad. Nuestra vida espiritual supone, cuando menos, una frágil convalecencia que fácilmente se interrumpe. Cuando existen tensiones, tiranteces, perversidades y desengaños en la comunión cristiana, eso nos ayuda a recordar que ningún creyente, ni iglesia alguna, tiene la patente limpia de sanidad espiritual capaz de igualar al pleno bienestar corporal que se esfuerzan por conseguir los buscadores de la buena condición física. Anhelar el bienestar espiritual completo es justo y natural, pero creer que nos encontramos siquiera próximos al mismo significa engañarnos por completo.

No siempre resulta fácil comprender que uno está enfermo. Recuerdo cómo en 1933, en aquel hospital, me guardaron, por así decirlo, entre algodones durante varios días por orden facultativa, ya que nadie sabía cuánto daño podía haber sufrido mi cerebro. También me acuerdo de lo difícil que resultaba para mí el considerarme un chico enfermo, ya que en ninguna fase de mi dolencia sentí efecto alguno de enfermedad. Puedo recordar cuán severamente me reprendió la enfermera, con elocuentes reproches galeses, por haber puesto, ciertamente mi vida en peligro al escabullirme de la cama para dar vueltas por ahí o ponerme de pie en la misma para ver lo elástico que eran sus muelles. Después de aquello permanecí obedientemente en cama, según las instrucciones, pero todavía sin ninguna convicción de que tuviera que ser así. (Los niños de siete años pueden ser tan tercos en sus opiniones como cualquier adulto, y yo ciertamente lo era.)

De igual modo, los cristianos actuales pueden verse a sí mismos fuertes, saludables y santos, cuando en realidad son débiles, enfermos y pecaminosos de maneras no sólo discernibles para su Padre celestial sino también para otros creyentes. El orgullo y la autocomplacencia, sin embargo, nos ciegan a esta realidad, y no queremos que se nos advierta cuando nos estamos deslizando. Pensando estar firmes nos exponemos a caer. Y por desgracia, como era predecible, caemos.

En los buenos hospitales, los enfermos reciben tanto un tratamiento curativo regular como una atención constante, y el primero determina directamente la forma que adoptará la segunda.

En el hospital de Dios, la línea de tratamiento que el Padre, el Hijo y el Espíritu Santo (equipo médico permanente, si me atrevo a hablar así) siguen con cada uno de nosotros, con vistas a nuestra restauración final a la plenitud de la imagen divina, se llama *santificación*. Es este un proceso que incluye, por un lado, medicación y dieta (en forma de instrucción y amonestación bíblicas que llegan al corazón de varias maneras) y, por otro, pruebas y ejercicios (en forma de presiones internas y externas ordenadas por la Providencia, a las cuales debemos responder activamente). Y el proceso en cuestión se desarrolla durante todo el tiempo que estamos en este mundo, lo cual es algo que Dios decide en cada caso.

Como los enfermos de cualquier hospital ordinario, nos sentimos impacientes por recuperarnos, y la pregunta que forma el título del maravilloso librito de Lane Adams *How Come It's Taking Me So Long to Get Better?*[1] [¿Cómo es que me lleva tanto tiempo mejorar?] es a menudo el clamor de nuestro corazón hacia Dios. Lo cierto es que el Señor sabe lo que está haciendo; pero a veces, por motivos relacionados con la madurez y el ministerio que Él ha previsto para nosotros, nos viste despacio a causa de la premura. Esto es algo que debemos aprender a aceptar humildemente. Nosotros tenemos prisa, pero Dios no.

Segunda verdad. Todos tenemos cierta tendencia a las ilusiones perjudiciales. Durante mi primera noche en el hospital, ese lugar no estaba donde yo pensaba, ni la persona que se encontraba al lado de mi cama era quien yo creía, me hallaba en un estado de delirio. Al día siguiente me sentía bien y no podía pensar en mí mismo como enfermo, pero eso también era un engaño. De igual manera, con frecuencia los creyentes están engañados en cuanto a su fe y su vida cristiana.

Existen las ilusiones del error teológico abierto en cuanto a la naturaleza, el carácter, la forma de hacer las cosas o los propósitos de Dios. Tales engaños abundan, por no ir más lejos, en las teologías liberal, modernista y del proceso.

Se dan también los engaños de la duda y la incredulidad. Sucede alguna cosa horrible y de inmediato concluimos que Dios debe haberse olvidado de nosotros o vuelto contra nosotros o tal vez que ha dejado de existir.

---

1. Lane Adams, *How Come It's Taking Me So Long to Get Better?*, Tyndale House, Wheaton, 1975.

Igualmente están las ilusiones relacionadas con la confianza en nosotros mismos. Creemos haber superado por fin algún pecado o debilidad particular, que anteriormente nos hacía caer, y nos relajamos, mientras una sensación de bienestar, seguridad y triunfo invade nuestro ser. Luego viene el doble golpe mortal de una nueva presión externa y un impulso interior renovado que nos hace caer otra vez.

Tenemos asimismo esos engaños que trastornan nuestras relaciones. Malinterpretamos los motivos e intenciones unos de otros. Culpamos a los demás de causar las tensiones y producir la hostilidad, mientras permanecemos ciegos al papel que nosotros mismos hemos desempeñado en cuanto a provocar esas dificultades.

También hay engaños que resultan de no distinguir entre cosas diferentes (como, por ejemplo, equiparar el evangelio bíblico de Jesucristo con el legalismo, la impiedad, el socialismo o el racismo centrados en Jesús; o el consejo sicológico secular con la orientación bíblica pastoral; o la pasividad interior como fórmula para la santidad con el llamamiento bíblico a un esfuerzo moral disciplinado en el poder del Espíritu Santo).[2] Todos estos engaños suponen el desastre.

Y luego tenemos las ilusiones en cuanto a la vida cristiana: que esta será por lo general fácil, exitosa, saludable y rica en bienes materiales, además de estar salpicada de excitantes milagros; que hechos tales como la fornicación y la evasión de impuestos no tienen importancia a menos que alguien los descubra; que Dios siempre desea que hagamos lo que tenemos ganas de hacer; etcétera, etcétera... Satanás, padre de las mentiras y experto en engañar, se esfuerza constantemente por descarriar y enredar al pueblo de Dios, de modo que la autodesconfianza humilde y esa lógica terquedad que solía llamarse prudencia, así como el hábito de comprobar con la Escritura ciertas cosas que hasta el momento se han dado por sentadas, llegan a ser virtudes de muy grande importancia.

A lo largo de todo este libro me referiré constantemente a la Escritura, ya que ese es el único camino seguro; puesto que todos somos tan vulnerables al engaño sobre la santidad como respecto cualquier otra cosa.

---

2. Véanse J.I. Packer, *Keep in Step with the Spirit*, pp. 94-169, especialmente pp. 145-64; John MacArthur, hijo, *Our Sufficiency in Christ* [Nuestra suficiencia en Cristo], Word Publishing, Dallas, pp. 191-209.

LA RECETA DE DIOS PARA NOSOTROS

La clase de médico que a mí me gusta (y espero que a usted también) genera confianza al paciente y le explica la diagnosis, la prognosis y el tratamiento de su enfermedad. Luego, ese doctor o doctora le dice a uno lo que se espera del medicamento recetado; le pone al corriente de todo, para que conozca su situación. No todos los médicos actúan de esta manera, pero los mejores sí lo hacen, y así sucede con el Gran Médico de nuestras almas: nuestro Señor Jesucristo. Su estilo terapéutico, si puedo expresarme de este modo, es comunicativo de principio a fin. La Biblia, escuchada y leída, predicada y enseñada, interpretada y aplicada, constituye al mismo tiempo el canal y el contenido de la comunicación del Señor: como si Jesús nos entregase personalmente las Escrituras canónicas y nos dijera que estas son la fuente autorizada y suficiente de la cual debemos aprender, tanto aquello que hemos de llevar a cabo para ser sus seguidores, como lo que Él ha hecho, hace y hará para salvarnos de esa enfermedad mortal que es el pecado. Piense por tanto en su Biblia como en el regalo de Jesucristo para usted, una carta que Él le envía. Imagine su propio nombre escrito en la portada, como si Jesús mismo lo hubiese grabado allí. Piense en Cristo cada vez que la lea, como si Él le preguntara (página tras página y capítulo tras capítulo) lo que acaba usted de aprender acerca de la necesidad, la naturaleza, el método y el efecto de la gracia que Él trae consigo, así como de la senda del discipulado leal que le llama a transitar. Esa es la forma de aprovechar la Biblia. Sólo cuando la lectura de la Palabra escrita alimenta su relación con la Palabra viva (Jesús), actúa la Escritura como ese canal de luz y vida que Dios quiere que sea.

El marco escritural. El objetivo del presente capítulo es perfilar, basándonos en las Escrituras, la obra completa de la divina gracia en el individuo de principio a fin, para que captemos el marco de referencia dentro del cual se emite el llamamiento de Dios a la santidad.

Si comprendemos lo que Dios está haciendo por nosotros y en nosotros a través de Cristo y del Espíritu, estaremos en una posición mejor para entender lo que Él nos manda hacer por Él y con Él. Aquí resulta importante distinguir entre justificación y santificación.

Por lo que respecta a la trama de la expiación por nuestros pecados, y el consiguiente perdón y justificación de nuestras personas, la obra es entera y exclusivamente de Dios. Cuando nos confesamos pecadores perdidos y confiamos en Cristo para que nos salve, estamos reconociendo con esa acción que no aportamos nada a nuestra nueva relación con Dios, salvo la necesidad que tenemos de ella, y esa es la pura verdad. Entramos en el favor del Señor, no pagando el precio del mismo, sino aceptando el regalo divino de una amnistía comprada con sangre. Sin embargo, en el caso de la santificación, que es la obra de Dios en nuestro interior de la cual brota nuestra propia santidad, somos llamados a cooperar activamente con Él, y para hacerlo como debiéramos necesitamos tener un cierto conocimiento general de su propósito y estrategia para nuestras vidas como un todo.

De modo que ofrezco ahora una descripción, basada en la Biblia, del trato de Dios con nosotros como nuestro Creador y Redentor; una descripción construida en torno a las preguntas referentes a Él y a nosotros mismos las cuales todos deberíamos estarnos haciendo (sea o no sea este el caso). Quisiera que dicha descripción nos sirviese como mapa del montañero; es decir, que nos ayudara a determinar dónde estamos en la actualidad y el camino que deberíamos seguir. Cierto que este mapa es a pequeña escala (lo que aquí repaso ocupa cientos de páginas en los libros de texto teológicos), pero esa clase de planos sirve mejor, a veces, para obtener una idea clara de la configuración general del terreno, y espero que así sea en esta ocasión.

Si mi intento de aclararlo todo de una vez hace que el capítulo le resulte pesado, pido que me disculpe; pero también le ruego que, de todos modos, no lo abandone, ya que es fundamental para cada una de las otras cosas que diré más adelante.

¿CÓMO SE DEFINE LA SALVACIÓN?

Pasemos pues a la primera pregunta: *¿Qué es la salvación?*

Contestarla no resulta difícil en absoluto. Dondequiera que abramos el Nuevo Testamento encontraremos que, desde uno u otro ángulo, se está explicando, mostrando y tratando dicha salvación. Ella es el tema principal de sus veintisiete libros. Si comparamos y correlacionamos el contenido de los mismos, descubriremos que el concepto de salvación que allí se presenta es uniformemente claro y prácticamente unánime. La idea que transmite el lenguaje de salvación nunca se pone en duda: ser salvo significa, invariablemente, haber sido rescatado de peligro y desdicha, de modo que uno está seguro en la actualidad. Así, en el Antiguo Testamento, se dice que Dios salvó a Israel de Egipto, a Jonás del vientre del pez, y al salmista de la muerte (Éx 15.2; Jon 2.9; Sal 116.6).

En cambio, la salvación novotestamentaria es del pecado y sus consecuencias. Se trata de la obra de ese Dios que se revela como Uno y Trino: Dios Padre, Hijo y Espíritu Santo, en clara distinción de personas aunque con una igualmente clara unidad de ser y de propósito. El Nuevo Testamento no deja lugar a dudas en cuanto a que el Salvador-Dios que proclama es Yahvé (Jehová), el Señor de pacto del Antiguo Testamento, pero tampoco en cuanto a presentarlo como tripersonal, revelando, si puede expresarse así, que Él es Ellos. El Dios que salva del pecado forma, por así decirlo, un equipo, y parte de la gloria de cada persona divina consiste en ser un jugador de dicho equipo. Los escritores del Nuevo Testamento hablan de su propia experiencia en cuanto a la salvación por una actuación conjunta del Padre, el Hijo y el Espíritu Santo, y gastan sus energías repasando los diversos aspectos de esta salvación con la esperanza de ayudar a sus lectores a comprenderla mejor y a entrar más plenamente en ella. Los que no ven esto no comprenden en absoluto el Nuevo Testamento.

La salvación novotestamentaria tiene tres tiempos: pasado, presente y futuro. Es salvación:

- de la culpabilidad del pecado (aspecto pasado: el peligro de sanción ya no existe);
- de su poder (aspecto presente: el pecado no nos domina más); y,
- en último lugar, de su presencia (aspecto futuro: algún día el pecado no será más que un mal recuerdo).

En otras palabras, la salvación es un proceso continuo que en la actualidad está incompleto. Los cristianos ya han sido salvos:

- de la ira de Dios (la retribución judicial: Ro 5.9; 1 Ts 1.10);
- de la muerte eterna (Ro 6.21,23);
- del dominio del pecado (Ro 6.14,18);
- de una vida de temor (Ro 8.15); y
- de los hábitos predominantes de impiedad e inmoralidad (Ti 2.11–3.6).

Y algún día, pasado este mundo, serán plenamente conformados a Jesús, tanto en cuerpo como en carácter moral (Flp 3.20; 1 Jn 3.2). Entonces el pecado ya no estará más en ellos.

Actualmente, sin embargo, los cristianos estamos muy conscientes de no haber alcanzado todavía ese feliz estado. Vivimos gozosamente en el favor de Dios, le servimos y le adoramos en reconocimiento a su gracia, y luchamos con el lastre del pecado que mora en nosotros mediante la energía que nos concede el Espíritu Santo residente en nuestras vidas (Ro 5.1; 12.1; 8.5-14; Gl 5.16). A menudo tenemos razones para dar gracias a Dios por las nuevas victorias conseguidas, pero al igual que Pablo anhelamos ese día en el que la guerra interna será algo del pasado (Ro 7.24ss; 8.23).

Deseamos la santidad perfecta y vamos tras ella, pero en la actualidad aquello hacia lo que nos extendemos no podemos alcanzarlo. La de Dios es una salvación del pecado: estamos en pero ella no está aún del todo en nosotros; ahora tenemos un anticipo de la misma, pero su cumplimiento sigue siendo futuro. Es ahí donde me encuentro mientras escribo estas palabras, y donde supondré que usted también se halla al leerlas. ¿Estoy en lo cierto o no?

En la salvación novotestamentaria, Jesucristo el Salvador, que es al mismo tiempo Dios y hombre (Jn 1.14; Col 1.13-20; 2.9), constituye la figura clave. La salvación es *por medio de* Él, en el sentido de que nuestro perdón, justificación, reconciliación, indulto, aceptación, entrada, posición y comunión con Dios (se utilizan todos estos términos[3]) son consecuencia de su muerte como sacrificio por nuestros pecados, sacrificio que garantiza que los creyentes jamás entrarán en condenación, ni se verán privados de la comunión con el Padre y el Hijo que ya disfrutan (Jn 5.24; Ro 8.32-39).

---

3. Véanse Romanos 5.1, 10; Efesios 4.32; Colosenses 1.13; 1 Juan 1.3

La salvación es también *en Él,* con el doble sentido de que estamos solidarizados con Cristo como nuestra cabeza representativa, quien antes sufrió como portador de nuestros pecados y ahora intercede por nosotros, y tenemos una unión vital y vivificante con Él por la fe, mediante el Espíritu Santo. De modo que Jesús se convierte verdaderamente en Aquel que nos da la vida; quien nos alienta para la santidad de una forma a la que éramos ajenos en el pasado (véanse Ro 5.12-19; Ef 2.1-10; 4.20-24; Col 1.27; 3.4). La vida natural se sobrenaturaliza cuando el Espíritu Santo nos hace presente a Cristo y reproduce en nosotros los deseos, las metas, las actitudes y los patrones de conducta orientados hacia Dios que se vieron en la perfecta humanidad de Jesús cuando estaba en la tierra. Todos los cristianos que recuerden la vida que llevaban antes de convertirse, pueden señalar formas específicas en las cuales su mentalidad en Cristo ha llegado a ser diferente de lo que era antes.

La salvación como esfuerzo conjunto de la Trinidad. La salvación novotestamentaria, como ya hemos apuntado antes, es la obra conjunta de un trío divino: un equipo compuesto por el Padre, el Hijo y el Espíritu Santo. Ciertamente es al explicar la actuación salvadora en mutua colaboración de este trío santo, cuando el Nuevo Testamento destaca su distinción personal dentro de la unidad de Dios. Por tanto, la verdad trinitaria surge como parte de la doctrina de la salvación, y los distintos papeles que desempeñan en ella las tres Personas se exponen de la siguiente manera: el Padre, que lo ideó todo (Ro 8.28-30; Ef 3.9-11), envió en primer lugar a su Hijo y luego al Espíritu Santo al mundo para que llevasen a cabo sus intenciones salvadoras (Jn 3.17; 6.38-40; 14.26; 16.7-15; Ro 8.26); el Hijo, cuya naturaleza y cuyo gozo consisten siempre en cumplir la voluntad del Padre (Jn 4.34; 5.19; 6.38; 8.29), se hizo hombre a fin de morir por nosotros, resucitar por nosotros, reinar por nosotros, y un día volver por nosotros para llevarnos al lugar de feliz descanso que Él nos ha preparado (Jn 10.14-18; 14.2, 18-23) —mientras tanto, nos comunica misericordia y ayuda desde su trono (Heb 4.14-16; 7.25)—. El Espíritu Santo, ejecutivo divino que no atrae la atención sobre sí mismo, que fue el artífice de la creación del mundo (Gn 1.2) y que ahora gestiona esa nueva creación (Jn 3.3-8), ha estado actuando desde Pentecostés, impartiendo a los creyentes su primer plazo de vida celestial en y con su Salvador (Ro 8.23;

Ef 1.13). Además, el Espíritu está cambiando progresivamente a los cristianos a la imagen de Cristo (2 Co 3.18).

La salvación es, por tanto, la triple actividad del Dios Uno y Trino. Al igual que la honra y el amor mutuos se revelan como la ocupación de los que son Tres en Uno (Jn 3.35; 5.20; 14.31; 16.14; 17.1, 4), también el amar y el honrar a la Trinidad llega a ser la vocación eterna de aquellos a quienes esta ha salvado, ¡comenzando ahora mismo! Una característica de los salvados es, entonces, que en el presente se entregan a adorar a Dios, y quieren seguir haciéndolo literalmente por siempre. Esto se ve en la expectación gozosa de la eternidad celestial descrita en el himno «Sublime Gracia».

> Y cuando en Sion por siglos mil
> Brillando esté cual sol;
> *Yo cantaré por siempre allí*
> *Su amor que me salvó.* (Énfasis mío)

EL PROPÓSITO DE LA SALVACIÓN

La segunda pregunta es: *¿Por qué necesitábamos ser salvos?*

¡Porque éramos pecadores! Y como tales estábamos perdidos. Esto ya se ha dicho antes, pero ahora hay que ampliar dicha aseveración.

Éramos pecadores: pecadores en la práctica, debido a que lo éramos también por naturaleza. El pecado es una realidad universal y transcultural, una infección de la que ningún ser humano en ninguna parte y en ningún momento está libre. ¿De qué se trata? Formalmente es lo que dice la respuesta decimocuarta del *Catecismo Breve de Westminster:* «Cualquier falta de conformidad con la ley de Dios o transgresión de la misma».

Pero el pecado es asimismo una energía, una obsesión, una reacción alérgica a la ley divina, un irracional síndrome antidiós que se da en nuestro sistema espiritual y que nos lleva a exaltarnos a nosotros mismos y a endurecer nuestros corazones contra la devoción y la obediencia a nuestro Hacedor. El orgullo, la ingratitud y la satisfacción de los propios deseos son sus expresiones fundamentales, las cuales conducen a veces a un comportamiento antisocial, y siempre, incluso en las personas mejores y más honorables, a una falta de amor por Dios en el nivel de las motivaciones. Las prácticas religiosas de la humanidad no regenerada, sea cual fuere su forma, pueden ser, y muchas veces son, concienzudas y laboriosas; sin embargo, al analizarlas, se demuestra siempre que su propósito es egoísta y va dirigido a aprovecharse de Dios, en vez de ser desinteresado y para la gloria divina.

Tanto el Antiguo Testamento hebreo como el Nuevo Testamento griego tienen una gran variedad de palabras para referirse al pecado, las cuales describen su disidencia de Dios en una variedad de formas distintas:

- como rebelión contra nuestro legítimo dueño y soberano;
- como transgresión de los límites establecidos por Él;
- como un errar ese blanco al que Él nos dijo que apuntásemos;
- como quebrantamiento de la ley que Él promulgó;
- como el ensuciarnos (mancharnos, contaminarnos) ante sus ojos, de modo que nos hacemos inadecuados para su compañía;
- como el abrazar la locura cerrando nuestros oídos a su sabiduría; y
- como el incurrir en culpa ante su tribunal.

La Biblia, haciendo las veces de espejo para el conocimiento propio, nos presenta como jugando a ser Dios al convertirnos a nosotros mismos, nuestros deseos y nuestro avance personal en el centro de todo; como luchando con Dios al rehusar someternos a Él y desafiar su voluntad revelada; y como odiándole en nuestros corazones por las demandas que Él hace sobre nuestras vidas: «Porque el ocuparse de la carne es muerte[...] Por cuanto la mente carnal es enemistad contra Dios; porque no se sujeta a la ley de Dios, ni tampoco puede; y los que viven según la carne no pueden agradar a Dios» (Ro 8.6-8).

Pecadores perdidos. Como pecadores *estábamos perdidos*, de la misma forma que lo están las ovejas descarriadas: separados de nuestro verdadero hogar y sin contacto con nuestro auténtico dueño. No teníamos más expectativa que la desdicha sin fin, ni merecíamos nada salvo ser excluidos y desterrados de la presencia del Dios vivo, a quien nosotros ya habíamos dejado fuera de nuestras vidas. Tal vez lo hiciéramos obsesionados por la búsqueda del placer y la ganancia, la posición y los bienes e incluso protegiéndonos tras una cortina de humo religiosa. No obstante lo hicimos, de un modo u otro, y es simplemente justo que ahora Dios nos deje fuera de su vida como nosotros le excluimos a Él de la nuestra. Hechos por Él y para Él, de tal manera que en lo más profundo de nuestro ser no podemos encontrar contentamiento si no es en una relación de amor con Dios, estábamos, por tanto, «sin esperanza y sin Dios en el mundo» (Ef 2.12). Esta es la condición universal de la humanidad. Todos los cristianos saben en sus corazones que cualquiera que da rienda suelta a su naturaleza caída se encuentra sencillamente en ese estado de perdición y desesperanza, y por consiguiente se glorían en esa «sublime gracia... que a un infeliz salvó».

¿Saben todos los pecadores que lo son? Sí y no. La distinción, importante en toda la teología, entre el orden del ser y el del conocer se aplica en este caso (es decir, la diferencia que hay —para aquellos a quienes gustan los términos técnicos— entre las dimensiones ontológica y epistemológica). El mortífero dominio del pecado sobre nosotros es una realidad desde que nacemos, pero sólo llegamos a conocerla cuando la luz divina penetra en nuestros corazones exponiendo la falta de amor por Dios y de confiada obediencia a su palabra que nos caracteriza. Dicha luz manifiesta lo egocéntricos que son nuestros motivos reales y cómo dejamos de hacer regularmente lo que deberíamos, haciendo en cambio aquello otro que debiéramos omitir.

Pero tal exposición es dolorosa, por lo que huimos de ella. La primera reacción que tenemos ante lo que nos revela la luz acerca de nuestra maldad interior, es semejante a aquella otra que experimentamos cuando se nos diagnostica un cáncer terminal; a saber, negarlo.

Todos el mundo tiene, sin embargo, algún conocimiento rudimentario de Dios del cual se pueden aprender estas cosas. En Romanos 1.18-32, Pablo nos dice que toda la humanidad ha «conocido a Dios», que el hombre estaba (y está), hasta cierto punto, consciente de la realidad divina, y de las exigencias del Señor, a través de la revelación universal que Él ha hecho de sí mismo a la mente y la conciencia de cada uno por medio de la creación. Así que los hombres, sin excepción, «no tienen excusa» por abrazar la idolatría y la inmoralidad. Toda falta de piedad del mundo no cristiano y poscristiano es efectivamente impiedad y antipiedad en el mundo del Creador. Significa pecado contra la luz; y en lo íntimo de su ser la gente lo sabe, aunque muchos hayan perdido de tal manera el contacto consigo mismos que, si se les pregunta, afirmen que no.

Sin embargo, aquellos que han sido instruidos en la ley divina y en el evangelio tal y como aparece en la Biblia, tienen por lo general una conciencia más vívida de su pecaminosidad y de sus pecados particulares, porque la luz de Dios que les alumbra desde la Escritura para mostrarles cómo son, es más brillante. He aquí una de las razones, hay otras, por las cuales los cristianos convertidos experimentan habitualmente una convicción de pecado más profunda después de haber recibido a Cristo que antes de hacerlo, y por las que una dimensión del crecimiento espiritual, como en breve veremos, es hacia abajo: experimentando una humildad más plena y un arrepentimiento más radical. Aunque hoy en día no se hable mucho de esto, entre las piedras de toque de la vida cristiana auténtica sigue estando un sentimiento más profundo de la propia pecaminosidad.

EL PLAN DIVINO DE SALVACIÓN

La tercera pregunta es: *¿En qué consiste la estrategia de Dios para la salvación?* ¿Por qué serie de pasos y etapas ha pasado el Señor, y pasará aún, a fin de llevar a cabo su propósito salvador en cada vida cristiana y completar así «la buena obra» que Él ha comenzado? (Flp 1.6) Con la Escritura en la mano, podemos formular una respuesta para ambas partes de la pregunta; como en el caso anterior, se trata de una respuesta que ya ha sido insinuada, pero que ahora es necesario ampliar.

Historia de la salvación. En primer lugar, entonces, ¿cómo me brindó Dios la salvación de la que ahora disfruto? La Biblia me dice que en el comienzo del primer siglo de nuestra era, en Galilea, la parte septentrional de Palestina, «cuando vino el cumplimiento del tiempo [señalado]» (Gl 4.4), se produjo la encarnación divina: el Hijo de Dios, sin dejar de ser Dios el Hijo, se convirtió en Jesús de Nazaret por medio del nacimiento virginal (véanse Lc 1.29-35; Jn 1.14; Gl 4.4). Y la vocación de Jesús, como Dios-hombre, consistió en ser el mediador entre su Padre y nosotros (1 Ti 2.5), revelárnoslo a Él, enseñarnos y ejemplificar para nosotros la senda de la piedad, comunicar a la gente necesitada misericordia y ayuda de parte de Dios y finalmente convertirse Él mismo en rescate sacrificial por nuestros pecados (Mc 10.45; Mt 26.28; 1 Ti 2.6).

Al cabo de sus tres años de ministerio, después de haber anunciado el Reino de Dios y dado credibilidad a dicho anuncio mediante obras de gracia milagrosas, sanidades en su mayor parte, Jesús fue crucificado como un subversivo político (aunque no lo era). En la cruz, la retribución penal que nosotros merecíamos por nuestros pecados fue cargada sobre Él y llegó a ser su experiencia, por la misma acción de su Padre. Al sufrir de ese modo como nuestro sacrificio vicario, nos redimió del mal, nos reconcilió con el Padre y aplacó para siempre la hostilidad judicial (ira) de éste hacia nosotros (véanse Ro 3.21-26; 5.6-11).

El histórico *Libro de Oración Anglicano,* celebra la muerte expiatoria de Jesús en la cruz como «sacrificio, oblación y satisfacción plena, perfecta y suficiente por los pecados del mundo entero». Esta magnífica expresión enuncia una verdad espléndida: puesto que Cristo sufrió en nuestro lugar, nosotros podemos tener perdón de pecados y ser salvos: «salvos por su preciosa sangre» (su preciada muerte sacrificial, que es lo que el Nuevo Testamento quiere dar a entender siempre que habla de la sangre de Cristo). Como lo expresara Calvino, Dios nos amaba, de un modo que sobrepasa nuestro entendimiento, incluso cuando nos aborrecía. La medida de su amor fue, y sigue siendo, el don de su Hijo para que muriese por nuestros pecados (Jn 3.16; Ro 5.8; 1 Jn 4.8-10).

La muerte de Jesús no constituyó el final de la historia, ya que al tercer día de su crucifixión fue resucitado de los muertos por el poder de su Padre; salió de la tumba con un cuerpo dotado de más amplias facultades, y en el cual una vez más misteriosamente, estuvo yendo de acá para allá durante su ministerio a sus discípulos en los cuarenta días siguientes; y luego ascendió al Padre (Jn 20.17; Hch 1.1-11; Ef 4.10), siendo apartado de la vista humana por un movimiento ascendente que le introdujo en una nube. En alguna parte, C.S. Lewis habla de que Jesús fue sacado por «un pliegue en el espacio».

Desde aquel día, el Señor ha estado ejerciendo dominio sobre el orden creado en nombre de su Padre y de parte de este. (Por eso se le llama «Cristo», título que le designa como el Rey-Salvador ungido por Dios.) Y a modo de inauguración de dicho dominio, tanto demostrándolo como promoviéndolo, derramó el Espíritu Santo sobre sus discípulos a las nueve de la mañana de Pentecostés, unos diez días después de haber ascendido a su trono (Hch 2.21,33). A partir de entonces, el Espíritu Santo ha estado activo en el mundo, testificando de Jesús al estimular y bendecir el testimonio de los hombres en cuanto al ministerio salvador de Cristo, y atrayendo a Él a la gente mediante su obra de nueva creación y nuevo nacimiento (Jn 3.3-8; 2 Co 5.17; Tit 3.4-7). Esto significa que el Espíritu renueva a los individuos en la esencia misma de su condición de personas para que lleguen a confiar activamente en Cristo, a obedecerle y a amarle como su Salvador viviente, Rey divino y Amigo celestial. Es mediante esta actividad del Espíritu Santo como usted, yo y todos los cristianos que han existido nunca llegamos a ser creyentes.

Lo que sucede aquí es que, en virtud de la obra del Espíritu en los corazones de las personas, una vez que el mensaje que las invita a la fe ha entrado en sus mentes, llegan a estar seguras de que Jesucristo es una realidad y no imaginaciones; que Él vive para salvar a aquellos que se vuelven del pecado para ser suyos; y que no hay ninguna salvación sino por la fe personal en Él. De manera que de hecho se entregan activa y deliberadamente a Jesús, no sólo porque saben que necesitan hacerlo, sino también porque se encuentran tan cambiados que ellos mismos lo desean.

Para algunos, como es el caso de este autor, la entrega en cuestión tiene lugar como una ruptura clara y consciente con un pasado inconverso; mientras que para otros, dicha entrega surge como un enfoque de lo que ha estado sobrentendido en su vida durante algún tiempo, tal vez desde la infancia. Pero esas diferencias no cambian nada en cuanto a la realidad de lo que sucede: de una u otra forma, de los corazones cambiados emerge un compromiso de vivir vidas cambiadas, mientras el Espíritu dentro de nosotros testifica, al mismo tiempo, de la realidad de Jesús como el poderoso Salvador que está ahí para nosotros, y de nuestra propia renovación como pecadores arrepentidos los cuales le han convertido a Él en el objeto de su sincera lealtad.

Nueva vida. El Nuevo Testamento sigue explicándonos que nuestra novedad de vida en Cristo constituye una alteración real y radical de nuestro ser personal. Nos dice que los creyentes han sido unidos a Jesús, ahora están «en» Él, habiendo muerto (acabado con su vieja vida) y resucitado (comenzado una vida nueva) con su Señor (Ro 6.3-11; Ef 2.4-10; Col 2.11-14). En Cristo los creyentes gozan de una nueva condición, habiendo sido:

- *justificados* (perdonados y aceptados);
- *adoptados* (hechos hijos y herederos de Dios); y
- *limpiados* (hechos aptos para la comunión con su santo Creador).

Todos los aspectos de su nueva condición se hacen realidad en virtud del sufrimiento de Cristo por ellos en la cruz (véanse Ro 3.21-26; 5.1; 8.15-19; Gl 4.4-7; Jn 15.3; 1 Jn 1.3-7). Esto es algo trascendental. Ser justificado significa que, por propia decisión judicial de Dios, estoy delante de Él, ahora y por siempre, «como si nunca hubiese pecado». Ser adoptado quiere decir que puedo llamar a mi Creador y Juez «Padre», en la intimidad de su amada familia, y saber que soy un heredero de su gloria «herederos de Dios y coherederos con Cristo» (Ro 8.17). Y ser limpiados implica que ninguna cosa de mi pasado impone freno alguno a mi relación con Dios en el presente.

Tampoco es eso todo. En Cristo los creyentes se hallan también implicados en un proceso de transformación del carácter. El Espíritu Santo (por medio del cual la fe ha sido engendrada en ellos) y Jesús (a través de quien se ganó y se hizo conscientemente real para ellos la nueva vida) ahora viven en su interior para transformarlos «de gloria en gloria en la misma imagen [de Cristo]». Jesús y su Espíritu capacitan a los creyentes para que hagan morir los hábitos pecaminosos y producen en ellos los nuevos patrones de conducta que constituyen el «fruto» del Espíritu (véanse Ro 8.9-13; 2 Co 3.18; Gl 5.22-26). Esto también es trascendental.

Los que creemos tenemos que despertar al hecho de que el ministerio del Padre y del Hijo hacia nosotros por medio del Espíritu, nos ha convertido en personas distintas de lo que éramos por naturaleza. Nuestra tarea actual consiste, como se expresa algunas veces, en ser lo que somos: vivir aquello que Dios ha forjado en nuestro interior, manifestando con acciones la nueva vida (nueva visión, motivación, devoción y sentido de la dirección) que ha llegado a ser nuestra; o conducirnos, como dice

Pablo: «como es digno de la vocación con que fuisteis llamados» (Ef 4.1). La idea es la misma.

Los corazones de las personas salvas afirmarán siempre que su conversión, nuevo nacimiento o renovación (sobre este asunto hay diferentes palabras que se usan) fue obra de Dios de principio a fin. Toda la indagación y lucha que dicha experiencia significó será considerada algo tan divinamente orquestado como las etapas finales de la convicción, el compromiso y la seguridad. Desde el siglo cinco, los cristianos occidentales han utilizado el término de San Agustín para referirse a la iniciativa divina de amor vivificante en el alma, dando gracias por su *gracia proveniente:* aquella que se instala como una fuerza renovadora para que el espiritualmente ciego vea, el espiritualmente sordo oiga y el espiritualmente mudo hable. (Proveniente significa «que llega antes»; que uno la recibe antes de estar espiritualmente vivo para impartirle vida.)

El propósito de Dios. La sensación de que Dios ha invadido de este modo la oscuridad y la perdición de uno para salvarlo, suscita de un modo natural esa pregunta que ha sido conmovedoramente expresada en una canción cristiana moderna: «Pero Jesús... ¿por qué yo?» El Nuevo Testamento se enfrenta y contesta la misma señalando hacia atrás y hacia arriba: a un propósito eterno de amor divino soberano para con los individuos pecadores, que tiene su origen en la libre decisión de Dios. Dicho propósito se manifiesta mediante la gracia proveniente que trae a cada uno a la fe y a la salvación, y que garantiza su gloria final. Los escritores novotestamentarios no me dicen por qué Dios ha escogido salvarme a mí, lo único que hacen es decirme que esté agradecido porque Él lo ha hecho.

Aquí tenemos a Pablo celebrando el propósito amoroso de Dios mientras llama a los creyentes gentiles de Éfeso a unirse en la doxología:

> Bendito sea el Dios y Padre de nuestro Señor Jesucristo, que nos bendijo con toda bendición espiritual en los lugares celestiales en Cristo, según nos escogió en Él antes de la fundación del mundo, para que fuésemos santos y sin mancha delante de Él, en amor habiéndonos predestinado para ser adoptados hijos suyos por medio de Jesucristo, según el puro afecto de su voluntad, para alabanza de la gloria de su gracia,

con la cual nos hizo aceptos en el Amado, en quien tenemos redención por su sangre, el perdón de pecados según las riquezas de su gracia, que hizo sobreabundar para con nosotros... En Él también vosotros, habiendo oído la palabra de verdad, el evangelio de vuestra salvación, y habiendo creído en Él, fuisteis sellados con el Espíritu Santo de la promesa, que es las arras de nuestra herencia hasta la redención de la posesión adquirida, para alabanza de su gloria.

Efesios 1.3-7; 13-14

Y esta es la manera en que enuncia el mismo propósito eterno para dar aliento a los cristianos que afrontan el sufrimiento y se sienten débiles ante el mismo:

Y sabemos que a los que aman a Dios, todas las cosas les ayudan a bien, esto es, a los que conforme a su propósito son llamados. Porque a los que antes conoció, también los predestinó para que fuesen hechos conforme a la imagen de su Hijo, para que Él sea el primogénito entre muchos hermanos. Y a los que predestinó, a éstos también llamó; y a los que llamó, a éstos también justificó; y a los que justificó, a éstos también glorificó. **Romanos 8.28-30**

Jesús mismo está pensando precisamente en este propósito cuando dice:

Todo lo que el Padre me da, vendrá a mí; y al que a mí viene, no le echo fuera. Porque he descendido del cielo, no para hacer mi voluntad, sino la voluntad del que me envió. Y esta es la voluntad del Padre, el que me envió: Que de todo lo que Él me diere, no pierda yo nada, sino que lo resucite en el día postrero. Y esta es la voluntad del que me ha enviado: Que todo aquel que ve al Hijo, y cree en Él, tenga vida eterna; y yo le resucitaré en el día postrero[...] Ninguno puede venir a mí, si el Padre que me envió no le trajere; y yo le resucitaré en el día postrero[...] Todo aquel que oyó al Padre, y aprendió de Él, viene a mí. **Juan 6.37-40,44-45.**

A veces se considera este plan de Dios para la salvación de individuos pecadores por medio de su gracia soberana, un tema de angustioso debate. Se piensa que la realidad de que Dios tenga dicho plan supone una amenaza para los que todavía no creen, implicando que, en caso de que estos se volviesen a Dios, podrían descubrir que Él no tiene misericordia para ellos debido a que no se cuentan entre sus elegidos. Pero este miedo es irreal, ya que nadie se convierte a Dios «nadie viene a mí» –dice Jesús–, sino es por la gracia soberana que implementa el misericordioso plan divino.

El hecho real es que todos son invitados a entrar en el reino de Dios, con la seguridad de que si buscan la capacitación del Espíritu Santo para arrepentirse y creer, la encontrarán. La gracia proveniente –el Espíritu Santo ya en acción– despierta cualquier respuesta positiva que produce la invitación. Como ya vimos, los creyentes saben con toda certeza que sin la gracia proveniente no serían cristianos, y que dicha gracia alcanzó sus vidas porque el plan de Dios era salvarlos. De modo que no resulta extraño que en el Nuevo Testamento el plan de Dios aparezca, no como una cuestión para el debate y la duda, sino para la doxología: dirigiendo a los que ahora creen a la humildad, el homenaje y la esperanza, e impartiéndoles tanto determinación como deleite cuando sus mentes meditan en ello. El artículo 17 del Anglicano 39 lo expresa de forma clara (aunque tosca):

> La consideración piadosa de la predestinación y de nuestra elección en Cristo está llena de dulce, agradable e indecible consuelo para las personas temerosas de Dios, dichas personas, al sentir en sí mismas la obra del Espíritu de Cristo, haciendo morir las obras de la carne y lo terrenal en ellas, y elevando sus mentes a lo alto y las cosas celestiales, tanto porque establece y confirma en gran manera su fe de eterna salvación que se gozará por medio de Cristo, como porque enciende fervorosamente su amor por Dios...

EL PLAN DIVINO DE SALVACIÓN

La pregunta acerca de cómo me trajo Dios a la salvación que ahora disfruto queda así plenamente contestada, de modo que pasamos a nuestra siguiente cuestión respecto a la estrategia divina para salvarnos: *¿Qué seguirá haciendo Dios, ahora y desde ahora, para acabar lo que ha comenzado y completar la salvación que tiene preparada para mí?* A fin de establecer la perspectiva adecuada para contestar a esta pregunta, cito el conocido himno de Thomas Binney:

¡Eterna luz! ¡Eterna luz!
¡Muy pura el alma debe ser
Si no rehuye tu presencia!,
Y con deleite reposado
Puede vivir y contemplarte.

Los ángeles del trono alrededor
Soportar pueden la encendida dicha,
Que es ciertamente suya sólo,
No habiendo nunca conocido
Un mundo caído como el nuestro.

¿Cómo podré yo pecador
Contemplar al Inefable,
Y en mi espíritu desnudo soportar
El rayo eterno, no creado,
Si mi mente y mi esfera son tinieblas?

Existe forma para el hombre
De elevarse a la morada eterna:
Ofrenda, sacrificio y abogado
Tiene para con Dios,
y el Espíritu Santo las fuerzas le provee.

De esta forma preparados contemplamos
La santidad excelsa;
Y siendo hijos de la noche y la ignorancia,
Hacemos morada en la perpetua luz
Por el amor eterno.

El plan divino de salvación para el futuro. La lección que debemos aprender aquí es que nuestra meditación acerca del aspecto futuro del plan de salvación de Dios ha de comenzar por donde empieza Binney: a saber, con el reconocimiento de que el Dios Uno y Trino es *luz*. Esto significa que el Señor es santo, puro y perfecto, amante de todo lo bueno y aborrecedor de todo mal. También quiere decir que Él escudriña constantemente cuanto hay en nosotros, de manera que «todas las cosas están desnudas y abiertas a los ojos de aquel a quien tenemos que dar cuenta» (Heb 4.13). (La revelación de lo que de otro modo permanecería oculto en las tinieblas es una de las ideas que la imagen bíblica

de la *luz* transmite habitualmente: véanse Jn 3.19-21; Ef 5.11-14.)
De manera que ninguna impiedad en nosotros pasará inadverti-
da.

El Dios Uno y Trino, que es *luz,* es asimismo *amor* —amor
santo—. (Véanse 1 Jn 1.5; 4.8,16.) ¿Qué significa esto? Pues
significa que sólo aquello realmente santo y digno puede darle
al Señor verdadera satisfacción. Así como el amor que une a los
cónyuges en un buen matrimonio es apreciativo y valora la
excelencia de la persona amada, el amor que liga al Padre, al Hijo
y al Espíritu también lo es, y mediante el mismo cada uno se
deleita en la santidad de los otros dos y en aquella de los santos
ángeles. Ese amor no se gozará plenamente en nosotros, los que
pertenecemos a Cristo, a menos que seamos igualmente santos.
Ni tampoco podremos nosotros amar a Dios en plenitud, y
disfrutar por entero de Él amándole, mientras sepamos que aún
estamos dominados por debilidades y perversidades morales. El
reconocerme aquí y ahora, según la expresión de Lutero, *simul
justus et peccator*, un pecador justificado, en paz con Dios pero que
todavía peca, constituye un maravilloso privilegio; pero la esperanza que tenemos delante de nosotros resulta aún más maravillosa, a saber, el estar en la presencia de Dios, viéndole y teniendo
comunión con Él, como quienes no son ya pecadores. Lo que el
Señor se propone con nosotros en la actualidad es guiarnos hacia
esa meta.

De modo que el programa divino para el resto de mi vida aquí
en la tierra es mi santificación. Como ya hemos apuntado antes,
he sido levantado de la muerte espiritual y nacido de nuevo en
Cristo para poder ser cambiado a su semejanza moral. Pablo me
dice, puesto que como cualquier otro lector de la Biblia me
encuentro en la misma situación que los efesios: «Habéis sido[...]
enseñados[...] en cuanto a la pasada manera de vivir, despojaos
del viejo hombre[...] renovaos[...] y vestíos del nuevo hombre,
creado según Dios en la justicia y santidad de la verdad» (Ef
4.21-24; véase también Col 3.9-10). Y las directrices morales
detalladas que aparecen en cada una de las cartas del apóstol me
indican que él quiere decir lo que dice en el sentido más literal
y práctico.

La suma y esencia de las «buenas obras» para las cuales los
cristianos han sido creados en Cristo (Ef 2.10) (es decir «recrea-
dos») consiste en conformarse cada vez más a la imagen de Jesús:
a su justicia y santidad, su amor y humildad, su abnegación y

perseverancia, su sabiduría y prudencia, su valentía y dominio propio, su fidelidad y fortaleza bajo la presión[...] Ese es igualmente el «bien» al que ayudan todas las cosas en las vidas de los que aman a Dios (Ro 8.28). El Dios en cuyas manos estoy —de buen o mal grado— y a quien he entregado en realidad, gozosa y penitentemente, el mando de mi vida, tiene por ocupación la santidad. Parte de la respuesta a esa pregunta que formula repetidamente la montaña rusa de la vida, *¿por qué tenía esto que sucederme a mí?*, es siempre: se trata de la preparación moral y la disciplina planeadas por mi Padre celestial para ayudarme a avanzar en la senda de la virtud de Cristo (véase Heb 12.5-11).

Hace muchos años, un hombre sabio me explicó que la vida cristiana —refiriéndose, como acabamos de ver, a la vida de crecimiento en la semejanza de Cristo— es como una banqueta de tres patas, que sólo se mantiene si cada una de dichas patas está en su lugar. Y a esas tres patas las llamaba D, E y P, doctrina, experiencia y práctica.

Doctrina. Se refiere a la verdad y la sabiduría que podemos recibir constantemente de Dios mediante el estudio de la Biblia, la meditación basada en ella (aclárese que no son lo mismo) y el ministerio de la Palabra bíblica.

Experiencia. Significa la polifacética comunión con Dios a la cual conducen la verdad y la sabiduría divinas cuando las aplicamos a nuestras vidas: la fe, el arrepentimiento, el sentimiento renovado de pecado, el gozo restaurado de la salvación, la congoja por nuestro fracaso reiterado en cuanto a ser todo aquello que quisiéramos ser por Cristo, la tristeza que sentimos ante las necesidades y la aflicción de los demás mientras oramos por ellos, así como nuestro deleite cuando otros son bendecidos. E incluye asimismo: los momentos de firme seguridad y vehemente deseo del cielo, las nuevas lecciones aprendidas acerca de la operación de Dios por medio del dolor y la angustia del sufrimiento, el miedo de llegar a ser, después de todo, un hipócrita inconverso, la conciencia más profunda de la realidad de Dios que produce el intercambio sincero con otro creyente, la vívida sensación de la proximidad de Cristo que obtenemos a través de la alabanza colectiva y, particularmente, de una seria participación de la Santa Cena, etcétera...

Práctica. Implica una dedicación vigorosa a obedecer la verdad y seguir la senda de la sabiduría en las relaciones personales, la administración diaria de la propia vida, la participación en la vida familiar, el compromiso con la iglesia, el papel que desempeña en la comunidad, el trabajo con el que se gana la vida, etcétera...

La enseñanza en cuestión es cierta. Un cristiano que se queda corto en D, E o P tiene ineludiblemente problemas, de uno u otro tipo. Cuando la gente ignora la verdad y la sabiduría divinas o no pone cuidado en dar a estas una expresión práctica, o cuando omite el buscar a Dios constantemente en los términos de ambas y tratar con Él en función de ellas, la vida cristiana fracasa. La banqueta se ha desplomado y un desarrollo deforme está frustrando el plan divino de crecimiento espiritual saludable.

Renovación de la iglesia. Parece claro que al menos una parte del propósito de Dios con los movimientos de renovación de la iglesia consiste siempre en el redescubrimiento de D y/o E y/o P en las vidas individuales. Tales movimientos no son realmente comprendidos y evaluados de manera realista hasta que esto se entiende. El movimiento de la Reforma, por ejemplo, se considera muchas veces como un conflicto teológico técnico, enrarecido y remoto, que no expresaba nada más noble que la pasión nacionalista. Sin embargo, sus líderes lo entendieron, y grandes multitudes lo experimentaron, como el avivamiento de las raíces de la religión pura. Algunos ejemplos más obvios son el avivamiento devocional que abarcó tanto al catolicismo de la Contrarreforma como al puritanismo protestante en los comienzos del siglo diecisiete, el avivamiento metodista británico y el Gran Despertamiento de mediados del siglo dieciocho en Nueva Inglaterra, así como el denominado «avivamiento de santidad», con sus cuantiosas mutaciones de etiquetas metodistas, que alcanzó a todo el mundo protestante entre 1850 y 1950. Y una ilustración actual es la continua renovación del Espíritu Santo en nuestros días.

¿Qué podría uno decir del movimiento carismático mundial de los últimos treinta años? Dejando a un lado las cuestiones de detalle,[4] creo que Dios lo ha engendrado para contrarrestar y

---

4. Véase J.I. Packer, *Keep in Step with the Spirit*, pp. 170-234; «Charismatic Renewal: Pointing to a Person and a Power», *Christianity Today*, 7 de marzo,

corregir las modas mortíferas de pensamiento que, comenzando por los teólogos y extendiéndose a todas partes, han causado daños durante el último siglo objetando a la verdad de la Trinidad, rebajando la divinidad de Jesucristo y descartando prácticamente del todo al Espíritu Santo.

Para atajar tales errores teóricos y la falta de vida espiritual a la que han dado lugar, Dios ha levantado este movimiento de vitalidad llamativa y sin inhibiciones del Espíritu Santo, con el que se vindica la verdad trinitaria (D), se explora nuevamente la comunión-unión con el divino Cristo, por medio del Espíritu, como centro de atención de la vida espiritual (E), y se logra hacer otra vez respetable el concepto de cristianismo como una vida sobrenatural en el Espíritu cantando, predicando y sirviendo (P). Aquellos que mantienen los citados errores se ven así globalmente burlados, por no decir desairados. ¡Qué sabia es la estrategia de Dios!

Señales de crecimiento espiritual. Respecto al futuro de los cristianos mucho resulta misterioso. El crecimiento espiritual, de igual modo que su homólogo físico, es habitualmente un proceso lento e imperceptible, ni se ve ni se siente cuando está ocurriendo. Lo más que puede decirse acerca del aspecto subjetivo del mismo es que, de vez en cuando, los creyentes caen en cuenta de que son distintos en esto o aquello de como eran antes. Los efectos a largo plazo de determinadas enseñanzas, experiencias, castigos, momentos de estupor, rutinas sostenidas y relaciones constantes no pueden calcularse de antemano.

Algunos cristianos cambian en su apariencia mucho más rápida y espectacularmente que otros, pero es imposible verificar, tanto para el interesado como para cualquier observador humano, qué grado de cambio interior equivalente se ha producido en profundidad. Esto sólo Dios lo conoce, ya que únicamente Él puede escudriñar los corazones hasta el fondo. El reflector de la conciencia nos capacita para conocer tan sólo una pequeña parte de nosotros mismos. La obra transformadora del Espíritu Santo llega a lo profundo de esa parte de nuestro ser a la que no tenemos acceso. No es extraño, por tanto, que malentendamos

1980, pp. 16-20; «Piety on Fire», *Christianity Today*, 12 de mayo, 1989, pp. 18-23.

y malinterpretemos constantemente lo que Dios está o no haciendo en nosotros, con nosotros y por nosotros, del mismo modo que nos equivocamos de continuo al tratar de evaluar aquello que Él hace a través de nosotros cuando ministramos a los demás.

Hay otros factores los cuales nos esconden la obra que Dios está haciendo en nuestro interior. El cuerpo y el alma (el principio de vida personal consciente) se encuentran en todos nosotros íntimamente relacionados —más de lo que podemos llegar a comprender—, y la influencia de cada uno de ellos en el otro oscurece todavía en mayor grado la acción santificadora del Espíritu. Pienso aquí en una amplia gama de dolencias en las que una enfermedad física afecta desfavorablemente a la mente: desde la depresión y la esquizofrenia hasta el síndrome de Down, la demencia senil y la enfermedad de Alzheimer.

Luego la muerte, esa partida de la persona de su cuerpo material, acontece en diferentes momentos y de distintas formas a unos y otros. La queja de que no parece haber razón o sentido alguno en la manera en que un creyente es tomado y otro dejado nos resulta más que familiar. Dios ya ha fijado la hora y el modo en que debemos morir. Y más allá de la muerte, el Señor acabará de eliminar el pecado de nuestro sistema y de conformarnos a Cristo en el carácter. Nuestros «yoes» transformados y restaurados recibirán, a su debido tiempo, unos cuerpos de resurrección correspondientes, y a través de ellos podremos expresar todo lo que entonces seamos como personas plenamente renovadas. Esto constituye una certeza; pero una certeza de fe, no de vista. Lo que supondrá para nosotros no podemos imaginarlo actualmente, sino que hemos de conformarnos con esperar y observar.

Hay por tanto dos cosas que decir acerca de la obra futura de Dios que vendrá a completar nuestra salvación. La primera es que *conocemos la fórmula*. Ya hemos analizado dicha fórmula anteriormente, y se nos resume otra vez en el siguiente extracto del comentario de John Stott sobre 1 Juan 3.2: «Amados, ahora somos hijos de Dios, y aún no se ha manifestado lo que hemos de ser; pero sabemos que cuando Él se manifieste, seremos semejantes a Él, porque le veremos tal como Él es». Stott escribe lo siguiente:

Ya la imagen de Dios, desfigurada por la caída, ha vuelto a ser estampada en nosotros. El hombre nuevo, que asumimos en nuestra conversión, estaba «creado según Dios en la justicia y santidad de la verdad» (Efesios 4.24; Col 3.10). Y desde aquel día, en cumplimiento del propósito predestinador del Señor según el cual debíamos ser «hechos conforme a la imagen de su Hijo» (Ro 8.28), el Espíritu Santo nos ha estado transfigurando «de gloria en gloria en la misma imagen» (2 Co 3.18; cp 1 Jn 2.6).

En este último pasaje se dice que la transformación es debida al hecho de que miramos «a cara descubierta... la gloria del Señor», por lo que resulta comprensible que si le vemos tal como Él es, y no sólo nuestro rostro sino también el suyo está descubierto, seamos final y plenamente como Él, incluyendo nuestros cuerpos (Flp 3.29; cf 1 Co 9.49). «La visión se convierte así en asimilación» (Law). Esto es todo lo que sabe Juan acerca de nuestro último y celestial estado. Y Pablo, en sus epístolas, se concentra en la verdad de que en el cielo estaremos «con Cristo» (2 Co 5.8; Flp 1.23; Col 3.4;1 Ts 4.17; cf. Lc 23.43; Jn 14.3; 17.24). Es bastante para nosotros saber que en el día postrero, y por toda la eternidad, estaremos con Cristo y seremos como Él; hasta esa más plena revelación de lo que hemos de ser, nos conformamos con esperar.[5]

La segunda verdad, sin embargo, es que aunque sabemos la fórmula *no conocemos el guión*. Podemos declarar en términos teológicos lo que nos aguarda según la voluntad revelada de Dios en cuanto a su propósito, pero no decir en términos circunstanciales aquello que nos sucederá según su voluntad secreta de los acontecimientos. Una canción de mi juventud incluía esta línea: «Cualquier cosa puede suceder y probablemente sucederá»; y esta es la verdad respecto a la vida cristiana. No sabemos lo que traerá consigo un día, de modo que hemos de estar listos para cualquier cosa. Es cierto que nada podrá separarnos del amor de Cristo, y que Dios hace que todas las cosas nos ayuden espiritualmente a bien (véase Ro 8.35-39,28); como también lo es que nos enfrentamos a la posibilidad de experimentar «tribulación, angustia, persecución, hambre, desnudez, peligro, espada» (véase nuevamente Ro 8.35). De modo que para todos los cristianos que afrontan en cualquier parte el desconocido futuro, la palabra de

---

5. J. R. W. Stott, *The Epistles of John* [Las epístolas de Juan], Tyndale Press y Grand Rapids: Eerdmans, Londres, 1964, p. 119. Cita a Robert Law, *The Tests of Life*, T & T. Clark, Edimburgo, 1909.

sabiduría es el lema de los Pequeños Exploradores, el cual también constituye la máxima del buen montañero: *¡Estad preparado!*

¿Y qué implica estar preparado? En una palabra, un realismo centrado en Dios respecto a la vida, una verdadera santidad de vida. Después de la afirmación: «Sabemos que cuando Él se manifieste, seremos semejantes a Él, porque le veremos tal como Él es», Juan escribe: «Y todo aquel que tiene esta esperanza en Él, se purifica a sí mismo, así como Él es puro» (1 Jn 3.3. Y otra vez: «Todo aquel que permanece en Él, no peca[...] El que practica el pecado es del diablo[...] Para esto apareció el Hijo de Dios, para deshacer las obras del diablo» (1 Jn 3.6, 8). Aquellos que mejor soportan las presiones y dificultades son, por lo general, quienes tienen como meta en su vida el ser santos, que imitan al Hijo para la gloria del Padre motivados, tanto por la gratitud hacia el amor tripersonal que los ha traído de la muerte espiritual a la vida como por el deseo de estar listos en todo momento para encontrarse con el Señor Jesús y rendirle cuentas, en caso de que Él escogiera dicho momento para regresar o llamarnos a su presencia. Si queremos vivir y morir en paz, necesitamos ciertamente la santidad.

CAPÍTULO
3

Aprecie la salvación: El comienzo de la santidad

Oh Jehová, ciertamente yo soy tu siervo...
Te ofreceré sacrificio de alabanza,
E invocaré el nombre de Jehová.
A Jehová pagaré ahora mis votos
Delante de todo su pueblo. **Salmo 116.16-18**

YA HEMOS COMPLETADO nuestro bosquejo del plan de salvación individual, ideado por Dios, para el hombre común tal como lo presenta la Biblia en sus aspectos pasado, presente y futuro. Pero ¿quién es ese «hombre común» al que lo dirijo? Esta expresión se remonta al famoso libro sobre fundamentos cristianos *The Plaine Man's Pathway to Heaven* [El camino al cielo para el hombre común], escrito por Arthur Dent, un puritano isabelino, en 1601. El «hombre común» para el que Dent escribía entonces y para el que lo hago yo hoy en día es alguien franco, sin recovecos, sincero, cuyo corazón dice al igual que John Wesley: «Soy una criatura de un día que pronto caerá en la eternidad; una cosa quiero saber: el camino al cielo». Y ciertamente se trata del mejor y más sabio deseo que una persona pueda jamás experimentar. Pero si esto es así, no hay cosa más excelente que pueda hacer el presente autor que intentar ser su propio hombre común. De modo que me propongo una vez más hablar para mí mismo. En este capítulo reflexiono sobre las reacciones que debiera despertar en mí el conocimiento del plan de salvación divino.

Y digo reacciones, en plural, porque al menos cuatro vienen al caso. La santidad cristiana las abarca todas, lo cual significa que nuestros propios esfuerzos por alcanzar la santidad se verán radicalmente debilitados si falta alguna de ellas.

ASOMBRO ANTE LA GRANDEZA DE DIOS

Primeramente, de este plan de salvación debo aprender a *sentirme pasmado ante la grandeza de mi Hacedor*.

Durante los últimos treinta años me he encontrado a menudo lamentando en público la manera en que este siglo veinte ha permitido pensamientos injustificadamente grandes sobre la humanidad y escandalosamente pequeños acerca de Dios. Con toda seguridad nuestro tiempo pasará a la historia, al menos por lo que a Occidente se refiere, como la era de los «encogedores de Dios». Los pensadores de las corrientes principales, tanto dentro como fuera de la Iglesia, han afirmado bien el insípido deísmo de un Dios frío, distante y desinteresado, que deja al mundo funcionar a su antojo, bien el monismo estático de otro cuyo logro se limita a unificar la realidad, vinculando consigo mismo todas las entidades y procesos en un conjunto interdependiente; bien la patética impotencia de un Dios que se revela en Jesús como un amante sin éxito, bien la fuerza impersonal de otro que anima a todas las religiones por igual, a fin de que ninguna de ellas sueñe con desplazar a las otras.

Han habido teólogos laicos como G.K. Chesterton, Charles Williams, Dorothy L. Sayers, C.S. Lewis y Peter Kreef, y otros académicos como Leonard Hodgson, Oliver Quick, Karl Barth, Cornelius van Til, G.C. Berkouwer y Donald Bloesch que han proclamado las verdades gemelas de la Trinidad y la Encarnación, así como la doble esperanza de la resurrección personal y la renovación cósmica bajo la soberanía de Dios, de manera reconocible. Sin embargo, dichos teólogos han constituido una minoría, pareciéndose con frecuencia a Canuto, el rey danés de Inglaterra de hace un milenio, pues prohibían en vano a la marea que subiera mientras las olas de las teologías desvirtuadas continuaban rompiendo y remolineando por todas partes, causando un impacto cada vez mayor. Quiera Dios que esa marea cambie —tal vez ya esté empezando a hacerlo— pero la tendencia a «encogerle» a Él ha prevalecido durante mucho tiempo, y el resultado es que la creencia en la soberanía y la omnisciencia divinas, la majestad de su ley moral y el terror de sus juicios, las consecuencias retributivas de la vida que vivimos aquí y la eternidad sin fin en la cual las experimentaremos, juntamente con la creencia en la intrínseca trinidad de Dios y en la divinidad así como el regreso personal de Jesucristo, está tan erosionada que apenas se distingue. Para muchos de nuestros contemporáneos Dios no es nada más que un borrón.

Sin embargo, el plan de salvación, que me dice cómo mi Creador ha llegado a ser mi Redentor, pone ante mí, en toda su gloria, la trascendente majestad que las iglesias han, en gran medida, olvidado. Me muestra a un Dios infinitamente grande en sabiduría y poder —que sabía desde toda eternidad cuál habría de ser la inquietante condición de la humanidad caída—, y que antes de crear el cosmos ya había planeado en detalle cómo nos salvaría; no sólo a mí, sino a cada uno de los muchos miles de millones de individuos que Él había resuelto llevar a la gloria. Ese plan me habla de un amplio programa para la historia mundial, el cual implica milenios enteros de preparación providencial para la primera venida de un Salvador, y más milenios de evangelización mundial, cuidado pastoral, cristianización de la cultura, demostración del Reino de Dios, guerra espiritual contra sus enemigos, y edificación de la Iglesia antes de que dicho Salvador regrese.

El plan en cuestión pone ante mí al Padre enviando a su Hijo para redimir, y al Espíritu para avivar, a los perdidos y culpables muertos vivientes: almas muertas como la mía, muerta en delitos y pecados, guiada por las veleidades y los deseos de un corazón corrupto, y que a menudo levanta una cortina de humo de formalismo religioso para que la luz de Dios no alcance a mi conciencia. El plan divino abarca, no sólo (1) las tres horas de agonía de Jesús en la cruz, soportando vicariamente el abandono de Dios para que los pecadores como yo no tuviésemos que sufrirlo jamás; sino también (2) la resurrección corporal —permanentemente transformadora— de Jesús y la también permanentemente transformadora regeneración del corazón de todo aquel que es salvo: dos demostraciones del poder que hizo el universo, las cuales son, reconozcámoslo, completamente inexplicables en términos de las fuerzas creadas que operan en el mundo. (Aquí es, por tanto, donde debiera comenzar la apologética.) Y, por último, ese plan se extiende hasta el futuro, prometiendo a cada individuo un cuerpo nuevo e inmortal. Además de esto, también asegura a los pecadores salvados como yo, un nuevo cielo y una tierra nueva, una amplia sociedad perfeccionada, y la presencia visible de Jesús que podremos disfrutar para siempre mediante ese nuevo cuerpo.

Tales son las maravillas del plan de salvación. El llamamiento de Dios a la santidad comienza por decirme que medite en estas realidades magníficas e imponentes hasta quedar verdaderamente pasmado ante la grandeza de mi Dios, quien hace que todo esto suceda. De esta forma aprenderé a darle gloria (en el sentido de alabanza) por la grandeza de su gloria (con la acepción de autorrevelación) como Aquel cuya sabiduría y cuyo poder revelados, tanto en la redención como en la creación, deslumbran, sobrepasan y abruman mi entendimiento. El Dios Uno y Trino del plan de salvación es grande: trascendente e inmutable en su omnipotencia, omnisciencia y omnipresencia; es eterno en su veracidad y fidelidad, sabiduría y justicia, severidad y bondad; por lo que debe ser alabado y adorado como tal. La alabanza de este tipo constituye el fundamento doxológico de la santidad humana, que siempre comienza en este punto. De igual manera que para Cristo no podía haber ninguna corona sin la cruz, para nosotros es imposible la santidad sin alabanza.

La Biblia enfatiza la alabanza. La Escritura está llena de pasajes que exigen y recitan las alabanzas que los redimidos deben a Dios. He aquí algunos del Antiguo Testamento:

> Cantaré yo a Jehová, porque se ha magnificado grandemente[...] Lo alabaré[...] ¿Quién como tú, magnífico en santidad, terrible en maravillosas hazañas, hacedor de prodigios?... Jehová reinará eternamente y para siempre. **Éxodo 15.1-2,11,18**

> Jehová el Altísimo es temible; Rey grande sobre toda la tierra.
> **Salmo 47.2**

> Grande es Jehová, y digno de ser en gran manera alabado.
> **Salmo 48.1**

Jehová reina[...] Él está sentado sobre los querubines[...] Jehová en Sion es grande, y exaltado sobre todos los pueblos. Alaben tu nombre grande y temible; Él es santo[...] Exaltad a Jehová nuestro Dios, y postraos ante el estrado de sus pies; Él es santo.
Salmo 99.1-5

Alabad el nombre de Jehová[...] Alabad a JAH, porque Él es bueno[...] Yo sé que Jehová es grande[...] Todo lo que Jehová quiere, lo hace[...] Oh Jehová, eterno es tu nombre; tu memoria, oh Jehová, de generación en generación[...] Bendecid a Jehová. **Salmo 135.1,3,5,6,13,19**

Te alabaré con todo mi corazón[...] Me postraré hacia tu santo templo, y alabaré tu nombre por tu misericordia y tu fidelidad; porque has engrandecido tu nombre, y tu palabra sobre todas las cosas[...] Te alabarán, oh Jehová, todos los reyes de la tierra, porque han oído los dichos de tu boca. **Salmo 138.1-2,4**

Alabad a JAH, porque es bueno cantar salmos a nuestro Dios; porque suave y hermosa es la alabanza[...] Grande es el Señor nuestro, y de mucho poder; y su entendimiento es infinito[...] Alaba a Jehová[...] Aleluya. **Salmo 147.1,5,12,20**

Cantad salmos a Jehová, porque ha hecho cosas magníficas[...] Regocíjate y canta, oh moradora de Sion; porque grande es en medio de ti el Santo de Israel. **Isaías 12.5-6**

No hay semejante a ti, oh Jehová; grande eres tú, y grande tu nombre en poderío. ¿Quién no te temerá, oh Rey de las naciones? Porque a ti es debido el temor. **Jeremías 10.6-7**

Y, como dicen los catálogos de ventas, hay mucho, mucho más. Muy bien podrían citarse aquí, por ejemplo, los salmos 145 a 150 completos, pero debemos seguir adelante.

El Nuevo Testamento también prorrumpe en alabanza periódicamente. He aquí algunos ejemplos de ello:

Engrandece mi alma al Señor [le declara grande, le exalta]; y mi espíritu se regocija en Dios mi Salvador[...] Porque me ha hecho grandes cosas el Poderoso; santo es su nombre.
Lucas 1.46-47,49

¡Oh profundidad de las riquezas de la sabiduría y de la ciencia de Dios! ¡Cuán insondables son sus juicios, e inescrutables sus caminos![...] Porque de Él, y por Él, y para Él, son todas las cosas. A Él sea la gloria por los siglos. Amén.

Romanos 11.33,36

Al Rey de los siglos, inmortal, invisible, al único y sabio Dios, sea honor y gloria por los siglos de los siglos. Amén.

1 Timoteo 1.17

Al único y sabio Dios, nuestro Salvador, sea gloria y majestad, imperio y potencia, ahora y por todos los siglos. Amén.

Judas 25

El Cordero que fue inmolado es digno de tomar las riquezas, la sabiduría, la fortaleza, la honra, la gloria y la alabanza[...] Al que está sentado en el trono, y al Cordero, sea la alabanza, la honra, la gloria y el poder, por los siglos de los siglos.

Apocalipsis 5.12-13

Grandes y maravillosas son tus obras, Señor Dios Todopoderoso; justos y verdaderos son tus caminos, Rey de los santos. ¿Quién no te temerá, oh Señor, y glorificará tu nombre? pues sólo tú eres santo; por lo cual todas las naciones vendrán y te adorarán, porque tus juicios se han manifestado.

Apocalipsis 15.3-4

Fue un sano instinto cristiano el que llevó a Horatius Bonar, autor del librito clásico *God's Way of Holiness* [El camino de santidad de Dios] a pedir en oración alabanza:

Llena mi vida, Señor mi Dios,
Toda ella de alabanza.
Pueda mi ser entero proclamar
Quién eres tú y cuáles son tus sendas.

No pido sólo de labios exaltarte,
Ni siquiera un corazón que te engrandezca,
Sino toda una vida
A la alabanza íntegramente dedicada.

Alabanza en lo corriente,
En las salidas y entradas de la vida;
Alabanza en cada deber y cada hecho,
Por pequeño e insignificante que este sea.

Lléname por completo de alabanza:
Que todo mi ser a ti proclame;
Y tu amor, oh Señor,
Por pobre y débil que yo sea.

Así hasta de mí recibirás
La gloria que mereces;
Y empezaré a cantar aquí en la tierra
Ese cántico nuevo que es eterno.

Así es exactamente: la verdadera consagración a un propósito real de agradar y glorificar a Dios en la vida comienza de esta forma. La vida de santidad genuina se arraiga en el suelo de la adoración expectante, no crece en otro lugar; cualquier cosa que crezca en otro sitio, sea lo que fuere, no será verdadera santidad. Ninguna mezcla de celo, pasión, abnegación, disciplina, ortodoxia o esfuerzo constituye santidad allí donde falta la alabanza.

GRATITUD POR LA MISERICORDIA DE DIOS

En segundo lugar, debo aprender de este plan de salvación a *estar agradecido por la misericordia de mi Dios*.

Puede decirse con confianza que ninguna religión ha hecho nunca tanto hincapié en la necesidad de la acción de gracias, ni ha llamado a sus adherentes tan incesantemente y con tanta insistencia a dar gracias a Dios, como la religión bíblica, tanto en su forma veterotestamentaria como novotestamentaria. Los salmistas están constantemente dando gracias (Sal 35.18; 75.1; 119.62) e invitando a otros a hacer lo mismo (Sal 95.2; 100.4; 105.1; 106.1; cf. 47; 107.1, 21ss.; 118.1,29; 136.1-3,26; 147.7). Del mismo modo Pablo expresa su agradecimiento a Dios una vez tras otra (Ro 1.8; 6.17; 7.25; 1 Co 1.4,14; 14.18; 15.57; 2 Co 2.14; 8.16; 9.15; Ef 1.16; Flp 1.3; Col 1.3; 1 Ts 1.2; 2.13; 3.9; 2 Ts 2.13;

1 Ti 1.12; 2 Ti 1.3; Flm 4) e instruye a los cristianos a hacer lo mismo (Ef 5.20; Flp 4.6; Col 2.7; 4.2; 1 Ts 5.18).

No resulta difícil entender la razón por la que se enfatiza tanto el glorificar a Dios mediante la acción de gracias (véanse Sal 69.30; 2 Co 4.15). Las bendiciones y los dones divinos que la Escritura considera otorgados en las buenas experiencias de la vida natural y en la asombrosa misericordia de la salvación sobrenatural, son mucho más ricos y abundantes —e implican una generosidad divina mucho mayor— que ninguna otra fe pueda soñar jamás.

Nuestras acciones de gracias no deben por tanto ser huecos formalismos, por el contrario, para resultar aceptables han de constituir expresiones genuinas de gratitud del corazón por todas las dádivas de Dios, gratitud por lo que el apartado de Acción de Gracias General del *Libro Anglicano de Oración* llama «nuestra creación, preservación y todas las bendiciones de esta vida; pero sobre todo por tu inestimable amor en la redención del mundo mediante nuestro Señor Jesucristo, por los medios de gracia y por la esperanza de la gloria». El plan de salvación constituye el gráfico de ese «inestimable amor».

El amor *(agape)*, en el sentido cristiano de la palabra, se ha definido como el propósito de hacer grande al ser amado. Esta definición la aprendemos de la revelación del amor de Dios en Cristo: el amor que salva. Como el amor por los pecadores que merecían el infierno, fue esa misericordia. Como el propósito de levantar a estos de la miseria espiritual hasta la dignidad del perdón y la restauración, la aceptación y la adopción en la familia de Dios, resultó costoso, no para nosotros, pero sí para el propio Dios, como bien aclarada la Escritura.

Porque de tal manera amó Dios al mundo [a los seres humanos en su estado impío y corrupto], que ha dado a su Hijo unigénito, para que todo aquel que en Él cree, no se pierda, mas tenga vida eterna. **Juan 3.16**

Dios muestra su amor para con nosotros, en que siendo aun pecadores, Cristo murió por nosotros. **Romanos 5.8**

Dios es amor. En esto se mostró el amor de Dios para con nosotros, en que Dios envió a su Hijo unigénito al mundo, para que vivamos por Él. En esto consiste el amor: no en que nosotros hayamos amado a Dios, sino en que Él nos amó a nosotros, y envió a su Hijo en propiciación [que significa sacrificio que aplaca la ira divina] por nuestros pecados. **1 Juan 4.8-10**

No escatimó ni a su propio Hijo, sino que lo entregó por todos nosotros. **Romanos 8.32**

La medida de todo amor está en el dar, y la medida del amor de Dios es la cruz de Cristo: donde el Padre entregó a su Hijo a la muerte para que los espiritualmente muertos pudieran tener vida.

Nuestra motivación. El mundo secular no comprende nunca los motivos cristianos. Al enfrentarse a la pregunta de qué es lo que mueve a los creyentes, los inconversos sostienen que el cristianismo se practica sólo por interés: creen que los cristianos temen a las consecuencias de no serlo (la religión como un seguro contra el fuego), o que se sienten necesitados de ayuda y apoyo para alcanzar sus objetivos (la religión como muleta), o que desean mantener una identidad social (la religión como distintivo de respetabilidad). Ciertamente todas esas motivaciones pueden encontrarse entre los miembros de las iglesias —sería inútil discutirlo—, pero al igual que no por meter un caballo en una casa se le convierte en persona, tampoco los motivos interesados llegan a ser cristianos por el hecho de meterlos en la iglesia; ni llegará a ser jamás la santidad el nombre adecuado para las rutinas religiosas así motivadas. Por el plan de salvación sé que la verdadera fuerza impulsora de una auténtica vida cristiana es, y debe ser, no la expectativa de sacar provecho, sino un corazón agradecido.

El plan de salvación me enseña, no meramente que jamás podré hacer nada para ganar, aumentar o ampliar el favor de Dios hacia mí, ni para evitar el furor justificado de su ira, ni para obtener de Él ventajas mediante halagos, sino también que nunca me será necesario intentar ninguna de tales cosas. Dios mismo me ha amado desde la eternidad, redimido del infierno mediante la cruz, renovado mi corazón y traído a la fe; se ha comprometido soberanamente en este tiempo a completar mi transformación a la imagen de Cristo y a colocarme, sin mancha y glorificado, en su propia presencia por toda la eternidad. Cuando el amor omnipotente ha tomado sobre sí de un modo tan pleno el llevarme al hogar en la gloria, el amor responsivo, alimentado por la gratitud y expresado en la acción de gracias, debería manifestarse espontáneamente como la pasión predominante de mi vida. Mi sabiduría consistirá en meditar y reflexionar sobre las maravillosas misericordias del plan de Dios hasta que eso suceda.

Una pequeña rima que en otro tiempo se enseñaba a los adolescentes me dice cuál debería ser mi respuesta:

No he de trabajar para salvarme,
 Pues Cristo lo hizo ya;
Mas por amor al Hijo he de entregarme
 Como un esclavo más.

En Romanos 12, Pablo deja claro que así debería ser. El apóstol ha proclamado la justicia de Dios (la obra divina de reconciliar a los pecadores para siempre consigo mismo, Ro 1.17; 3.21; 10.3) en su relación con la expiación histórica (Ro 3.21-26), la elección eterna (Ro 8.29-39), la vocación personal (es decir, el «llamamiento» que engendra la fe, Ro 1.6; 8.28-30; 9.24) y el lugar del judío y el gentil en la comunidad del pacto (Ro 9.1–11.36). Ahora pide una respuesta del lector con las siguientes palabras: «Hermanos, os ruego por las misericordias [actos que expresan misericordia] de Dios, que presentéis vuestros cuerpos en sacrificio vivo, santo, agradable a Dios, que es vuestro culto racional» (Ro 12.1).

Los cristianos, según dice Pablo, deben ser movidos y estimulados a una vida consagrada por su conocimiento del amor, la gracia y la misericordia de Dios (la misericordia de la salvación soberana, por la cual Él perdona, acepta y exalta al miserable que no lo merece pagando Él mismo un terrible precio). En tanto y en cuanto haya una diferencia de matiz entre los términos amor, gracia y misericordia de Dios, el amor representa su iniciativa de bendecir a aquellos que considera sin ningún derecho sobre Él; la gracia, su decisión de hacer bien a los que piensa que merecen su rechazo; y la misericordia, su resolución de bendecir a esos otros cuyo estado considera miserable. El amor expresa la libertad autodeterminada de Dios; la gracia, su favor autogenerador; y la misericordia, su bondad compasiva. Pablo se ha dilatado acerca de la gracia soberana de Dios para con los pecadores en Romanos 9.15-18; 11.30-32, y ahora dice en efecto: «Aquellos que conocéis por propia experiencia esta misericordia, debéis mostraros realmente agradecidos por ella mediante un compromiso esmerado con Dios de ahora en adelante. Este esmero constituye vuestra santidad, ya que ser santo significa entregarse completamente al Señor del mismo modo que Él se ha dado, se da y se dará por entero a vosotros. Dicho esmero agradará a Dios, puesto que es la muestra de vuestro aprecio y afecto por Él, además constituye por tanto la verdadera esencia que enseña y forja el Espíritu de vuestra adoración al Señor».

Es importante tener claro que, así como la alabanza a Dios por su grandeza trascendente es la base doxológica de la santidad, el compromiso de dedicar la propia vida a expresar gratitud por la gracia divina, de toda forma posible, constituye la base devocional de tal santidad. Ninguna reordenación de la vida que no fluya de dicho compromiso puede llamarse santidad, por muy admirable que sea según otros criterios y otros puntos de vista.

Parece, por tanto, que —como solían decir los puritanos— el corazón de la santidad es la santidad del corazón. El sacrificio santo que agrada a Dios es el creyente cuyo corazón nunca cesa de estarle agradecido por su gracia. Al Señor le complacen los cristianos cuya meta diaria consiste en expresar esa gratitud viviendo como de Él, por medio de Él y para Él, y que están constantemente preguntándose, al igual que hace el salmista: «¿Qué pagaré a Jehová por todos sus beneficios para conmigo?» (Sal 116.12). Esa es la clase de cristiano que fue el santo escocés Robert Murray McCheyne, el cual escribió:

> Escogido, no por nada bueno en mí;
> Despertado para huir de la ira;
> Oculto en el costado del Salvador,
> Y en santificación del Espíritu.
> Enséñame a mostrar en esta tierra,
> Con mi amor, la magnitud de mi deuda.

Esa es la clase de cristiano que debo tratar de ser.

CELOSO DE SU GLORIA

En tercer lugar, he de aprender de este plan de salvación a ser *celoso de la gloria de mi Salvador*.

Se dice a menudo que el propósito de Dios con el plan de salvación es exaltarse a sí mismo mediante la exaltación de aquellos a quienes salva; y es cierto. Pero el Nuevo Testamento va más lejos, al insistir en que el principal objetivo del Padre a lo largo de todo ese plan es enaltecer al Hijo, al cual conocemos en su ser encarnado como Jesucristo nuestro Señor. El Hijo de Dios, que es Dios el Hijo (segunda persona de la Deidad), fue y sigue siendo el agente de cada una de las obras del Padre en la creación, la providencia y la gracia. Él es el mediador de toda bondad y misericordia que han fluido siempre de Dios hacia los hombres y mujeres. El Nuevo Testamento identifica su vida, muerte, resurrección y entronización como el eje de la historia universal; del mismo modo que describe su trono mismo como el centro principal de atención en el cielo (Ap 4 y 5). Así como el Padre ama al Hijo y le expresa su amor honrándolo en la eterna comunión de la Trinidad, quiere también que por medio de la consumación del plan de salvación, en el que Jesús es la figura central, «todos honren al Hijo como honran al Padre» (Jn 5.23).

Con ese fin, y como un reconocimiento explícito de lo perfecta que fue la costosa obediencia del Hijo al expiar el pecado humano, «Dios también le exaltó hasta lo sumo, y le dio un nombre que es sobre todo nombre, para que en el nombre de Jesús se doble toda rodilla de los que están en los cielos, y en la tierra, y debajo de la tierra; y toda lengua confiese que Jesucristo es el Señor, para gloria de Dios Padre» (Flp 2.9-11).

Escribiendo a los cristianos de Colosas, a quienes se les estaba diciendo que juntamente con Jesús adorasen a los ángeles, Pablo formula como sigue el plan del Padre para que «su amado Hijo» (Col 1.13) tenga el honor supremo en todos los órdenes:

Todo fue creado por medio de Él y para Él. Y Él es antes de todas las cosas, y todas las cosas en Él subsisten; y Él es la cabeza del cuerpo que es la iglesia, Él que es el principio, el primogénito de entre los muertos, para que en todo tenga la preeminencia; por cuanto agradó al Padre que en Él habitase toda plenitud, y por medio de Él reconciliar consigo todas las cosas, así las que están en la tierra como las que están en los cielos, haciendo la paz mediante la sangre de su cruz.

Colosenses 1.16-20

A quien anunciamos, amonestando a todo hombre, y enseñando a todo hombre en toda sabiduría, a fin de presentar perfecto en Cristo Jesús a todo hombre[...] en quien están escondidos todos los tesoros de la sabiduría y del conocimiento.

Colosenses 1.28; 2.3

En Él habita corporalmente toda la plenitud de la Deidad, y vosotros estáis completos en Él, que es la cabeza de todo principado y potestad.   **Colosenses 2.9-10**

Habéis muerto, y vuestra vida está escondida con Cristo en Dios. Cuando Cristo, vuestra vida, se manifieste, entonces también seréis vosotros manifestados con Él en gloria.

Colosenses 3.3

[Os habéis] despojado del viejo hombre con sus hechos, y revestido del nuevo, el cual conforme a la imagen del que lo creó se va renovando hasta el conocimiento pleno, donde no hay griego ni judío, circuncisión ni incircuncisión, bárbaro ni escita, siervo ni libre, sino que Cristo es el todo, y en todos.

Colosenses 3.9-11

Y la paz de Dios gobierne en vuestros corazones[...] La palabra de Cristo more en abundancia en vosotros[...] Y todo lo que hacéis, sea de palabra o de hecho, hacedlo todo en el nombre del Señor Jesús, dando gracias a Dios Padre por medio de Él.

Colosenses 3.15-17

Por estos textos bíblicos, que juntos constituyen la «trama» de Colosenses, quedan claras la centralidad y la supremacía de Jesucristo en el plan de salvación.

El Apocalipsis nos muestra esto mismo (como hacen en realidad todos los libros del Nuevo Testamento de cierta extensión, aunque me limitaré a este único ejemplo adicional). Comenzando con la visión de Cristo en la gloria, que dicta cartas personales para cada una de las siete iglesias (caps. 1-3), Apocalipsis pasa luego a describirlo como el León de Judá bajo el aspecto del Cordero sacrificado, entronizado como Redentor y Señor de la historia (cap. 5), a quien se dirigen repetidamente cánticos de alabanza. Y a su debido tiempo, el Cordero aparece como el victorioso Verbo de Dios: «Rey de reyes y Señor de señores» (Ap 19.11-16). El libro concluye con Jesús hablando de sí mismo como el Señor de todo, al igual que hace en los tres primeros capítulos, y declarando: «He aquí yo vengo pronto, y mi galardón conmigo, para recompensar a cada uno según sea su obra. Yo soy el Alfa y la Omega, el principio y el fin, el primero y el último[...] Yo Jesús he enviado mi ángel para daros testimonio de estas cosas en las iglesias. Yo soy la raíz y el linaje de David, la estrella resplandeciente de la mañana» (Ap 22.12-13,16).

Lo que tengo que aprender, por tanto, es esto: que mi salvación, de comienzo a fin, es por medio de Jesucristo y en Jesucristo («en» significa ahí una comunión personal que es al mismo tiempo unión vivificante deseada y forjada por la acción divina). Dios el Padre así lo planeó, para gloria y alabanza de Cristo, su Hijo eterno. Las misericordias de la elección, la redención, la regeneración y la justificación son mías en Jesús (Ef 1.4, 7; 2.4-10; Gl 2.17).

Yo he muerto con Cristo, y Dios ha dado así fin dentro de mí a esa vieja manera de vivir a la cual he renunciado. He sido hecho partícipe de la vida resucitada de Cristo por medio del Espíritu Santo, de modo que aunque sigo siendo el que era, no soy ya la misma cosa, ahora soy en mi interior una persona completamente distinta (Ro 6.2-11; 7.4-6; Gl 2.20; Ef 4.20-24; Col 2.11-13, 20; 3.1-4, 9-11). Mi ocupación de aquí en adelante, en todos los órdenes de mi existencia, es confiar en Cristo, obedecerle, exaltarle, adorarle, obtener mis fuerzas de Él (2 Co 12.9; Flp 4.13; Col 1.11; 1 Ti 1.12; 2 Ti 4.17), regocijarme en Él (Flp 3.1; 4.4), darle gracias, permanecer («estarme quieto») en Él (Jn 15.4-7) y mirar hacia delante con esperanza al día en que Cristo vendrá a llevarme consigo al hogar (Jn 14.1-3; Flp 1.23; 2 Co 5.6-8). Yo sé que Jesús considera amigos a sus discípulos (Jn 15.15), y debo mostrar mi aprecio por ese fantástico privilegio de amistad con el Señor soberano del mundo. He de intentar honrarle y glorificarle a Él de toda forma posible.

Ciertamente no debería concentrarme tanto en el Hijo que me olvidara, o pasase por alto, al Padre y al Espíritu, ya que entonces sería lo que a veces se denomina un jesusólatra (alguien que adora a Jesús de un modo que no es fiel para con la visión de Dios que presenta la Biblia). Sin embargo, tampoco debiera enfocar de tal forma mi atención en el Padre y/o en el Espíritu que la gloria única de Cristo dejara de ocupar el lugar central para mí, como el Padre y el Espíritu quieren que sea (véanse Jn 5.23; 16.14). En el pasado se han cometido ambos errores, y todavía se cometen en determinados círculos. He de intentar evitar tanto el uno como el otro, o entristeceré a mi Dios y mataré de hambre a mi alma.

La salvación y la santidad. De modo que nuestra meta constante debería ser exaltar a Cristo mediante la adoración, el testimonio y el servicio, como enfoque principal de nuestra exaltación del Dios Uno y Trino. No hacerlo significa errar el camino de santidad, ya que el fundamento de dicha santidad es un compromiso de por vida, deliberado, celoso y diariamente renovado, de glorificar al Señor Jesús. No hay santidad posible sin un corazón que tiene a Cristo por centro, que le busca, le sirve y le adora. Y el plan de salvación nos exige que pongamos nuestros corazones dentro de ese marco y los mantengamos allí.

¿Cómo podemos hacerlo? Esto es muchísimo más fácil de decir que de llevar a cabo, pero una ayuda para ello consiste en pensar a menudo en la cruz. Charles Wesley lo expresa debidamente:

Miradlo quienes cerca de Él pasáis,
　　Ved ensangrentado al Príncipe de vida y paz.
Venid, pecadores, y contemplad morir al Hacedor,
　　Y decidme: ¿Ha habido alguna pena igual?
Venid, sentid como yo su sangre ya aplicada;
Crucificado es mi Amor y mi Señor.

Sentémonos después bajo su cruz,
　　Y apropiémonos gustosos del río sanador.
como pérdida estimado es todo por ganarle,
　　Entreguémosle a Él el corazón.
Ninguna otra cosa penséis ni refiráis;
　　Crucificado es mi Amor y mi Señor.

Otra ayuda consiste en empapar de continuo el alma en los cuatro evangelios, donde se proyectan con electrizante poder la majestad y la belleza de Jesús. (¿Por qué no utilizamos más a menudo los evangelios?) Y una tercera ayuda es emplear un buen himnario en las devociones privadas, juntamente (¡desde luego!) con el propio cancionero de Dios: el libro de los Salmos. En los himnarios que conozco, hasta la mitad de los cánticos expresan alabanza y amor por Jesús de forma explícita, y entretejer estos con mis oraciones (una costumbre que aprendí de los metodistas de Wesley) mueve mi corazón en la dirección deseada. El amor por los grandes himnos, especialmente por aquellos de hombres como los dos hermanos Wesley, Isaac Watts y John Newton («¡Oh Sublime Gracia!»), produce muchos buenos efectos, y el celo de la gloria de Cristo que uno recibe de ellos es una de las mejores ayudas para la santidad que conozco.

VIVIR CON NATURALIDAD COMO UN HIJO DE DIOS

En cuarto lugar, del plan de salvación de Dios debo aprender a ser *natural en la forma de vivir mi vida.*

¿Y qué significa comportarme naturalmente? La pregunta es más complicada de lo que pueda parecer a primera vista. En cierta ocasión, los integrantes del grupo de fraternidad de mi universidad acordamos tener un interés personal especial por turnos. Uno de ellos trató de iniciarnos en la danza religiosa. Nos sentamos en el suelo, y se nos dijo que cuando empezara la música debíamos mover nuestros miembros de cualquier forma que nos pareciera natural como respuesta a ella. Pronto estuvimos todos retorciéndonos y contorneándonos como serpientes que salen de la cesta al oír la flauta del encantador; es decir, todos menos yo.

¿Qué sucedía? Pues bien, que a mí la música jamás me ha sugerido ninguna otra cosa salvo que me quede quieto escuchándola, como el invitado a las bodas que menciona Coleridge, el cual es abordado por el viejo lobo de mar, quien le fascina para que escuche en silencio su historia de albatros. De niño me irritaba tener que desfilar al son de la música en la escuela y correr alrededor de las sillas mientras esta se tocaba en las fiestas en vez de poder permanecer quieto escuchándola sin distracción. Y como adulto, siempre he pensado que bailar al son de la música es una falta de respeto hacia ella; supongo que eso ayuda a explicar por qué jamás he podido hacerlo (hasta este día soy incapaz de bailar).

De modo que me quedé sentado, como un tonto melancólico, viendo a mis compañeros de estudios vibrando de cintura para arriba y batiendo las manos, y a su debido tiempo levantándose y dando saltos. Como a mí no se me ocurría nada que hacer, no hice nada. ¿Era aquello una muestra de desdén hacia el instructor o la actividad? En absoluto. Tal vez mi esposa (a quien le gusta bailar) me describiría, quizás acertadamente, como lo más anti-natural, aunque yo estaba siendo «natural» en la forma que me resulta serlo. Porque la naturalidad no consiste en hacer lo que se espera de uno, ni lo que los otros están haciendo, sino en realizar o no aquello que tu propia naturaleza interna te impulsa a hacer.

Ahora bien, ¿qué clase de comportamiento es natural para un hijo de Dios?

La naturaleza del cristiano. Hay una extendida pero equivocada línea de enseñanza que nos dice que los cristianos tienen dos naturalezas: una vieja y otra nueva. Y que deben obedecer a esta última negando la primera. A veces se ilustra dicha enseñanza con el ejemplo de quien alimenta a uno de sus dos perros mientras al otro lo mata de hambre. Lo engañoso aquí no es la advertencia en cuanto a que somos llamados a la santidad y no al pecado, sino que la idea de «naturaleza» no se utiliza con el sentido que tiene ni en la vida ni en la Escritura (véanse, p. ej., Ro 2.14; Ef 2.3). El asunto es que el término «naturaleza» significa la totalidad de lo que somos, y esa totalidad de nuestro ser se expresa mediante las diversas acciones y reacciones que consti-tuyen nuestra vida. Concebir dos «naturalezas», dos conjuntos distintos de deseos de los cuales ninguno me domina hasta que yo decido permitírselo, es algo irreal y desconcertante, puesto que deja fuera gran parte de lo que verdaderamente sucede dentro de mí.

La forma más clara y correcta de explicarlo, como ya vimos anteriormente, es: por naturaleza nacimos pecadores, domina-dos y dirigidos desde el principio —y la mayor parte del tiempo inconscientemente— por motivos y anhelos egoístas, interesados y de autodeificación. Haber sido unidos a Cristo por el nuevo nacimiento, mediante la obra regeneradora del Espíritu, ha cambiado tanto nuestra naturaleza que el más profundo deseo de nuestro propio corazón (la pasión predominante que ahora nos gobierna y dirige) es una copia, pobre pero real, de aquel que movía a nuestro Señor Jesucristo. Ese deseo era el de conocer, confiar, amar, obedecer, servir, agradar, honrar, glori-ficar y disfrutar a su Padre celestial: un deseo polifacético y multigradual de Dios, y de tener más de Él, de cuanto se ha disfrutado hasta el momento.

El foco de este deseo de Jesús estaba en el Padre, mientras que en el caso de los cristianos está en el Padre y en el Hijo juntamente (y de modo especial en este último). Sin embargo, la naturaleza del anhelo es la misma. La forma natural de vivir para los cristianos es dejando que dicho deseo determine y controle lo que ellos hacen, de manera que el móvil principal de sus vidas llegue a ser esa aspiración de buscar, conocer y amar al Señor.

Augustus Toplady, uno de los pioneros del avivamiento evangélico en Inglaterra durante el siglo dieciocho, demostró que comprendía esto al escribir:

> Objeto de mi principal deseo,
>   Crucificado fuiste tú por mí;
> Todo a la felicidad aspira,
>   Y la encuentra sólo en ti.
> Alabarte y conocerte
> Es mi dicha aquí en la tierra,
>   Y el amarte y contemplarte
>   Mi felicidad eterna.
>
> Al sentirme por ti amado,
>   Nada hay que de gozo no rebose.
> Pueda yo en tu compañía siempre andar,
>   Pues esa es dicha que de pura luce.
> Permíteme sólo a ti tenerte,
> Suma total de goces en la tierra,
>   Y paz perfecta así podré gustar
>   Bajo el cielo y en tu casa eterna.

La trascendental verdad que emerge de esta forma es que el «andar con Cristo», como expresa Toplady, en la senda del santo discipulado, es la vida que anhelan en realidad los corazones de los cristianos. De ello se deduce la verdad, igualmente importante, de que obedecer a los impulsos del pecado que mora en ellos (ese pecado que merodea todavía en la constitución de los creyentes aunque ya no controle sus corazones) no es lo que los cristianos desean en absoluto, puesto que el pecado supone algo totalmente antinatural en sus vidas.

¿Por qué pecamos entonces? Sin hablar de por qué convertimos en un hábito el pecado, como tan notoriamente hacemos a veces. En parte es, sin duda, debido a que no lo reconocemos como lo que es, por ignorancia de los criterios de Dios. En parte, también, porque cedemos al tirón insistente de la tentación (consintiendo, pese a que sabemos que no deberíamos ni tenemos por qué hacerlo). Pero, igualmente en parte, se debe a que nos dejamos engañar por la suposición de que lo que de veras queremos hacer es ceder a este o aquel deseo desordenado (de comida, bebida, placer, comodidad, ganancia, ascenso o lo que sea).

Una y otra vez da la sensación de que los cristianos no están bastante en contacto consigo mismos: no se conocen lo suficientemente bien como para comprender que, debido al cambio que se ha operado en su naturaleza, sus corazones son ahora contrarios a todo pecado conocido; de modo que se aferran a patrones de conducta poco espirituales o moralmente oscuros, engañándose con la idea de que estos proporcionan gozo a sus vidas. Estimulados por Satanás, el gran maestro del engaño, sienten (los sentimientos, como tales, son ciegos e irreflexivos) que abandonar esas cosas les resultaría definitivamente doloroso y empobrecedor; de modo que, aunque saben que deben hacerlo, no las abandonan. En vez de ello, se conforman con ser cristianos de un nivel inferior al normal, creyendo que así se sentirán más felices, y luego se preguntan por qué sus vidas parecen haberse convertido en algo soso y vacío.

La verdad es que estos cristianos se comportan de un modo radicalmente antinatural, el cual hace profunda violencia a su propia naturaleza transformada. Al ejecutar lo que ellos creen que les gusta, en realidad están haciendo aquello que su corazón renovado —si le dejasen hablar— diría que aborrece con vehemencia: no sólo porque le produce un sentimiento de culpabilidad y vergüenza delante de Dios, sino, fundamentalmente, porque es en sí repulsivo para la mentalidad regenerada. El nuevo corazón no puede amar aquello que sabe que Dios aborrece, de modo que tales cristianos se comportan antinaturalmente, ocupándose en actividades contra las cuales se rebela su propia naturaleza interior. Esa clase de conducta es siempre una mala medicina, la cual produce tristeza, tensión y disgusto, cuando no cosas peores.

La reincidencia en el pecado. Tenemos una descripción vívida de esta condición en el libro de Jeremías (véanse Jer 2.19; 3.22; 5.6; 15.6), y particularmente pertinente para nuestra actual discusión resulta el primero de dichos pasajes, donde Dios dice por medio del profeta: «Tu maldad te castigará, y tus rebeldías te condenarán; sabe, pues, y ve cuán malo y amargo es el haber dejado tú a Jehová tu Dios, y faltar mi temor en ti, dice el Señor, Jehová de los ejércitos».

Hace tres siglos que el comentarista puritano Matthew Henry explicó claramente la implicación de esas palabras como sigue:

Observe aquí, (1) La naturaleza del pecado: es abandonar al Señor como nuestro propio Dios; el alejamiento del alma de Él y su aversión por Él. Adherirse al pecado supone dejar a Dios. (2) La causa del pecado: que no tenemos en nosotros su temor [reverente] [...] Los hombres abandonan su deber para con Dios porque no sienten temor de Él, ni miedo a desagradarle. (3) La malignidad del pecado: este es algo malo y amargo[...] un mal que constituye la raíz y la causa de todos los demás[...] No se trata sólo de la más grande contrariedad que pueda haber para la naturaleza divina, sino también de la mayor corrupción de la naturaleza humana[...] (4) Las fatales consecuencias del pecado: al igual que es en sí algo malo y amargo, posee también una clara tendencia a hacer que nos sintamos desdichados[...] Ciertamente te traerá dificultades: el castigo seguirá de un modo tan inevitable al pecado, que se dirá que este mismo te castiga[...] y la justicia del castigo resultará tan evidente, que no tendrás palabra que proferir a tu favor[...] (5) El uso y la aplicación de todo esto: «Sabe, pues, y ve, y arrepiéntete de tu pecado, para que la iniquidad no te sea causa de ruina».

Así que el acto antinatural de la reincidencia en el pecado debe siempre evitarse: tanto porque provoca a nuestro santo Padre celestial a disciplinarnos y corregirnos de un modo punitivo (como se explica más detalladamente en Heb 12.5-10), como porque, en alguna etapa y en determinada medida, la amargura y la calamidad constituyen su definitivo e ineludible fruto. Debemos comprender que todo pecado tiene el carácter de locura suicida y autoempobrecedora, en la vida cristiana no menos que en cualquier otra parte. Entender esto y, por consiguiente, entregarse a seguir el propio corazón de uno corriendo por el sendero del llamamiento y los mandatos de Dios, con tanta energía y velocidad como se pueda, constituye la base direccional de la santidad. Y ya que ese es verdaderamente el curso más natural a seguir para cualquier cristiano, ofrece una esperanza de profunda felicidad —felicidad del corazón—, aquí y ahora, que de otro modo jamás puede obtenerse.

Alegre santidad. Una paradoja de la santidad cristiana que confunde a los extraños es que, a pesar de las privaciones que Jesús describió, tales como el negarse a sí mismo, llevar la cruz, cortarse la propia mano o el propio pie, sacarse el propio ojo, cambiar la riqueza y la seguridad por la pobreza y cierta medida de persecución, la santidad es esencialmente alegre. Ahora entendemos por qué resulta así: la autoinmolación sombría no constituye vida santa, como tampoco la actitud farisaica. La verdadera santidad es una cuestión gozosa de seguir el propio corazón, pensando y planeando —y realizando devotamente— aquello que a éste le resulta más natural. Es decir, alabar a Dios, amarle y servirle a Él y a los demás, como ya hemos visto anteriormente. Mientras la naturalidad del mundo adopta la forma de un desenfreno impío, la cristiana se viste de santidad. Esta es la cuarta verdad que el plan de salvación me exige que aprenda con la mente y que viva con el corazón.

Así llegamos al final de este largo repaso, con el que nos hemos orientado en el plan divino de salvación. Y podemos ver que (1) la adoración a Dios por su grandeza, (2) la gratitud en respuesta a la gracia salvadora, (3) el celo por exaltar a Jesús, «mi Salvador y mi Amigo», como le llama el himno, y (4) una búsqueda sincera de Dios y de la piedad según el deseo natural del corazón regenerado, son los cuatro fundamentos de la vida santa. He aquí las primeras lecciones que tenemos que aprender en la escuela de santidad de Cristo; lecciones a las que necesitamos volver una y otra vez por lo fácilmente que se escapan de nuestras memorias y mentalidades. Pero es a partir de estas lecciones básicas desde donde debemos avanzar, y si no las hemos aprendido aún en cierta medida la santidad no ha comenzado todavía a formarse en nosotros como Dios quiere que se forme. ¡De modo que empezamos desde aquí! ¿Me sigue usted aún? Pues vayamos adelante.

4 ‖ Una visión panorámica de la santidad

Mi porción es Jehová;
He dicho que guardaré tus palabras.
Tu presencia supliqué de todo corazón;
Ten misericordia de mí según tu palabra.
Consideré mis caminos,
Y volví mis pies a tus testimonios.
Me apresuré y no me retardé
En guardar tus mandamientos. **Salmo 119.57-60**

Llevad mi yugo sobre vosotros, y aprended de mí, que soy
manso y humilde de corazón; y hallaréis descanso para
vuestras almas; porque mi yugo es fácil, y ligera mi carga.
Mateo 11.29-20

Y el mismo Dios de paz os santifique por completo; y todo
vuestro ser, espíritu, alma y cuerpo, sea guardado irre-
prensible para la venida de nuestro Señor Jesucristo. Fiel
es el que os llama, el cual también lo hará.
1 Tesalonicenses 5.23-24

EL PANORAMA DESPLEGADO

Una de las mejores experiencias de la vida consiste en subir hasta la cima de una montaña. Mientras ascendemos pesada y lentamente podemos sentir cómo las laderas van estrechando su cerco sobre nosotros como si nos desafiasen a abrirnos paso por la fuerza. Por último, sin embargo, llegamos a la cumbre, y allí, de repente (generalmente se trata de algo súbito que ocurre en el transcurso de uno o dos pasos), un paisaje nuevo se abre ante nosotros. Nos detenemos y lo contemplamos, tal vez sin respiración y ciertamente emocionados.

Pienso en dos parajes del norte de Gales donde esa experiencia jamás deja de deleitarme; y ya que existen desfiladeros de montañas por todo el mundo, confío en que casi todos mis lectores habrán conocido alguna vez un deleite parecido. Jadeando a causa del ascenso, uno se queda en pie embelesado con el paisaje, y mira de un lado a otro a fin de asegurarse de que percibe todo lo que está observando. La alegría de esa magnífica vista le infunde fuerzas para la siguiente etapa de su excursión.

A los lectores que se han esforzado en permanecer conmigo durante todo lo que ha sido dicho hasta el momento, quisiera darles la buena noticia de que hemos llegado a la cumbre del desfiladero y el panorama de la santidad se abre ahora ante nosotros.

Mi trabajo durante el resto de este libro consistirá simplemente en enfocar con mayor nitidez ciertas partes especiales del paisaje, las cuales, creo yo, ya pueden ver ustedes por lo menos esbozadas. Algunas de ellas, ciertamente, se encuentran a bastante distancia de donde estamos ahora; lo que significa que necesitaremos el equivalente de unos binoculares para inspeccionarlas. Pero eso no representa ningún problema. Mi esposa, que es una activa observadora de los pájaros, usa constantemente los prismáticos para acercar a su línea de visión aquellas aves que están lejos, y le encanta pasármelos a mí para que yo también pueda inspeccionarlas. De ahora en adelante mi intención es hacer un papel parecido respecto a la santidad: le invito a usted a que contemple, por así decirlo, a través de mis binoculares, varios temas particulares que quisiera acercar a su mente y a su corazón.

Verdades fundamentales. Nos ayudará, de cualquier modo, mirar primeramente hacia atrás, a algunas de las verdades básicas que contribuyen a situarnos y que han surgido por lo menos como insinuaciones y pistas (la mayor parte de ellas incluso mediante formulaciones explícitas) durante el transcurso de nuestro ascenso hasta la posición panorámica a que hemos llegado.

Para empezar, hemos visto que la santidad es el llamamiento de todo cristiano. No es una opción, sino un requisito: Dios quiere que sus hijos vivan según sus normas y le hagan justicia a los ojos de un mundo que observa. Así nos lo dice expresamente a cada uno: «Sed santos, porque yo soy santo» (1 P 1.16). La santidad personal es, por tanto, algo para todos los creyentes sin excepción. «Se espera realmente de mí que sea hasta tal punto como Jesucristo, que otros sepan en seguida y sin lugar a dudas que soy cristiano».[1] Cada uno de nosotros debe contar con asistir a la escuela con Jesús nuestro Señor para aprender la práctica de la santidad.

Hemos visto que la santidad es ante todo una relación con Dios, la cual Él mismo nos concede con gracia: una relación establecida por la justificación de que hemos sido objeto (ese acto único y definitivo, de parte del Señor, de perdonarnos y aceptarnos), mediante la cual Él nos reivindica, o más bien nos reclama, como suyos, a través de la mediación salvadora de nuestro Señor Jesucristo, y de este modo nos aparta para Él. La santidad o santificación, en este sentido, constituye siempre única y enteramente el generoso regalo de Dios, un aspecto de esa novedad de vida que produce la unión con Cristo.

Los creyentes son santos posicionalmente (separados por Dios para sí mismos) a causa de la palabra «id». Su obligación de practicar la santidad moral y espiritual a diario se deriva de ese hecho. El apartarnos nosotros mismos para Dios, en una separación resuelta del mundo, la carne y el diablo, constituye la respuesta adecuada por nuestra parte, la única posible, al conocimiento de que el Señor ya nos ha reclamado por derecho de redención. Dios nos da su Espíritu a modo de arras y adelanto de la gloria: «¿O ignoráis que vuestro cuerpo es templo del Espíritu Santo, el cual está en vosotros, el cual tenéis de Dios, y que no sois vuestros? Porque habéis sido comprados por precio; glorificad, pues, a Dios en vuestro cuerpo» (1 Co 6.19-20). «Y no contristéis al Espíritu Santo de Dios, con el cual fuisteis sellados para el día de la redención» (Ef 4.30).

Hemos visto asimismo que la santidad de vida no es precisamente un logro humano, por mucho esfuerzo que requiera del hombre. Es obra del Espíritu Santo, el cual estimula y activa el

---

1. Stephen Neill, *Christian Holiness* [Santidad cristiana], Lutterworth Press, Londres, 1960, p. 114.

empeño de la persona como parte de dicha obra. Se trata de la sobrenaturalización de nuestras vidas naturales... es convertirnos y por lo tanto ser lo que somos como nuevas criaturas en Cristo... es expresar, en el comportamiento, la transformación que Dios está operando en nosotros. No nos santificamos a nosotros mismos; por el contrario, el reconocimiento consciente de que aparte de Cristo no podemos hacer nada (Jn 15.6), y una dependencia devota de Él para que nos haga capaces de realizar cada una de las cosas que sabemos que deberíamos llevar a cabo, es condición *sine qua non* de la vida santa. La confianza en uno mismo no representa el camino de santidad, sino su negación: el confiar en los propios recursos frente a la tentación y a las presiones contrarias es garantía segura de algún tipo de fracaso moral.

Con todo esto hemos visto que la santidad implica esos dos aspectos, distintos pero relacionados entre sí, de la existencia cristiana que hoy se conocen como espiritualidad y ética. La espiritualidad incluye todo aquello que tiene que ver con la práctica de una comunión cristiana con Dios: meditación, oración, autodisciplina, utilización de los medios de gracia, ejercicio de la fe, la esperanza y el amor, mantenimiento de la pureza, la paz y la paciencia de corazón, búsqueda y servicio de Dios en todas las relaciones personales, y atribución de la gloria y de acciones de gracias al Señor; mientras que la ética abarca la delimitación de las normas de Dios, el determinar su voluntad revelada, y el desarrollo y la manifestación de aquellas cualidades del carácter que constituyen la imagen divina en nosotros que hemos sido hechos portadores de dicha imagen.

La espiritualidad sin ética se corrompe, convirtiéndose en moralmente insensible y antinomiana, más preocupada por experimentar la presencia de Dios que por guardar su ley. Por otra parte, la ética sin espiritualidad se pervierte igualmente, haciéndose mecánica, formalista, orgullosa y antiespiritual, sigue a los fariseos en cuanto a conformarse con el papel de santurrón y olvidar que ser santo requiere un corazón humilde. La santidad es un arco que se apoya sobre la espiritualidad y la ética, sus dos pilares, y que cae en el momento que alguno de dichos pilares se derrumba.

Además hemos visto que la santidad es imitar a Cristo en sus virtudes de amor a Dios y a la humanidad, confianza en la bondad del Padre, aceptación de su voluntad, sumisión a su providencia, y celo por su honra y su gloria. Stephen Neill escribía:

Fundamentalmente... nos enfrentamos a la misma situación que Jesús: la tentación de escoger el camino más fácil en lugar del más difícil; las demandas de la experiencia diaria en un mundo muy material; las intrusas pretensiones de la familia, que algunas veces se levantan contra aquellas de Dios; la amargura de los malentendidos y la hostilidad; las sencillas alegrías de la amistad y el compañerismo. ¿Cómo debería uno actuar en todas estas situaciones? No existen reglas que las abarquen en su totalidad, pero hay una vida que fue realmente vivida, y... uno de los ingredientes esenciales de la santidad cristiana es la contemplación ininterrumpida y paciente de Jesús tal y como era en la plenitud y sencillez de su vida humana.[2]

El modelar cuidadosa y devotamente nuestras actitudes y respuestas a la presión según aquellas de Jesús, forma parte del significado de la santidad. «Quiero ser cual Cristo en mi corazón», dice la letra de un espiritual clásico, y la verdadera santidad siempre desea tal cosa.

Integridad personal. Por último, hemos visto que santidad equivale a integridad: la reincorporación progresiva de nuestra humanidad desintegrada y desordenada en tanto perseguimos la meta de una semejanza resuelta con Jesús; el dominio cada vez mayor de nuestra vida, que se adquiere cuando aprendemos a devolvérsela a Dios y entregarla a los demás; el gozo cada vez más profundo de encontrar mérito incluso a las tareas más aburridas y triviales cuando se acometen para la gloria de Dios y el bien de otros; y la paz que brota de descubrir que, a pesar de lo mortificante que pueda resultar el fracaso, somos capaces de soportarlo; podemos permitirnos fracasar (como algunos atrevidos han expresado) porque todo el tiempo vivimos precisamente a base de perdón y no se nos exige en ninguna fase que lo hagamos de otra manera.

También hay esperanza, en el sentido de que nos sabemos destinados, tanto aquí como después, a ver más de la gloria de Dios en Cristo que la que hemos contemplado hasta la fecha. Esto forma parte de la santa integridad del creyente. Robert Louis Stevenson decía que es mejor el viaje esperanzado que la llegada,

---

2. Neill, *Christian Holiness*, p. 118.

como si esta última fuera siempre un anticlímax debido a que el destino decepciona. Sin embargo, el cristiano viaja esperanzadamente con la confianza de arribar a un destino que será, climática y permanentemente, maravilloso en todos los aspectos; de modo que por bueno que sea el viajar con optimismo, la llegada será aún mejor. Abrigar esta esperanza cuando el viaje resulta duro, tiene un efecto integrador y vigorizante sencillamente glorioso (no hay otra palabra para describirlo). En todas esas formas, la santidad se revela como la salud y la realización verdaderas del ser humano individual.

En uno de mis libros anteriores formulé siete principios acerca de la santidad:

1. Su naturaleza es de transformación mediante la consagración.
2. Su contexto, la justificación por medio de Jesucristo.
3. Su raíz, la crucifixión y la resurrección juntamente con Jesús.
4. Su agente, el Espíritu Santo.
5. Su experiencia, el conflicto.
6. Su regla, la ley de Dios revelada.
7. Su corazón, el espíritu de amor.[3]

Todas estas verdades han estado bailando ante nuestras mentes en lo que se ha dicho hasta ahora. Y este va a seguir siendo nuestro marco de referencia en adelante.

VIVIR UNA VIDA SANTA

A medida que el paisaje de la santidad se despliega ante nosotros, la cuestión práctica llega a ser más aguda y apremiante: ¿Qué hemos de hacer entonces? Sabemos que estamos justificados mediante la fe en Cristo, que hemos sido adoptados en la familia real de Dios, que estamos unidos a Jesús, regenerados, sellados y que somos morada del Espíritu Santo. Conocemos que Dios está obrando en nosotros para santificarnos, cambiarnos a la semejanza de Cristo de un grado de gloria (automanifestación

---

3. *Keep in Step with the Spirit*, pp. 93-115.

divina en nuestras vidas) a otro, y activándonos para obras de amor y de obediencia. Sabemos que somos llamados a cooperar con lo que el Dios nuestro está haciendo en nosotros. Aquello que desde una perspectiva constituye cooperación por nuestra parte con ese proceso, desde otra es parte del proceso mismo.

¿Qué forma debería, pues, adoptar nuestra cooperación? ¿Cómo hemos de «ocuparnos» en nuestra salvación (expresarla, exhibirla y fomentarla) con el «temor y temblor» (asombro y reverencia delante de Dios, *¡no* pánico e inquietud en nuestros corazones!) apropiados? ¿Cuán pertinente resulta la advertencia de que «Dios es quien en vosotros produce así el querer como el hacer, por su buena voluntad» (Flp 2.13)? «Sed santos», dice el Señor, y eso, como ya hemos visto, constituye un llamamiento a la obediencia, consagración al servicio de Dios en conformidad con sus criterios. ¿Pero qué significa en términos prácticos? ¿Qué debemos hacer?

Dos extremos. La Escritura y la experiencia nos advierten que aquí hemos de movernos entre dos extremos opuestos que llevan al desastre. Por un lado, está la hipocresía legalista del fariseo (acciones externas de servicio a Dios procedentes de motivos interiores egoístas); y por otro, la idiotez antinomiana, que no se cansa de hablar de amor y libertad olvidando que la ley dada por Dios sigue siendo la norma para una vida que lo honra a Él. Tanto el fariseísmo como el antinomianismo resultan funestos: la Escritura y la experiencia nos advierten que todos los cristianos son, en todo momento, más débiles, frágiles, necios, faltos de discernimiento y vulnerables a las tentaciones de lo que piensan. Ninguno de nosotros escapa a las atenciones del diablo, ese malicioso merodeador que manipula de continuo las seducciones del mundo y de la carne para hacernos caer tan bajo como pueda. ¿Cómo debería entonces concebirse, describirse y practicarse la vida santa a la vista de todo esto? Tenemos el alto y privilegiado llamamiento de hacer la voluntad de Dios en su poder y para su gloria. ¿Pero cómo lograrlo cuando la vida está tan llena de trampas, peligros y falsos senderos?

Para enfrentar esta pregunta, piense por un momento en los programas de dietas, esos intimidantes productos del conocimiento moderno acerca de las proteínas, las grasas, los carbohidratos, las vitaminas, las calorías, el colesterol, el metabolismo y no sé cuántas cosas más. El hecho notable acerca de estos programas es la cantidad que hay de ellas. El mundo occidental está lleno de programas de dietas, todos ellos ideados para regular nuestra ingestión de alimentos de tal manera que se produzca algún efecto físico deseado, como pérdida de peso, aumento del mismo o más energías. No sólo existen programas de dietas distintos para las diferentes necesidades corporales, sino que también los hay variados para una misma situación; como otras tantas alternativas que conducen a un mismo destino. Para perder peso, en particular, pueden probarse muchas dietas diferentes, y me atrevería a decir que todas ellas tienen algún mérito. Pero mucho más seguro estoy todavía de lo siguiente: que siendo como es la naturaleza humana, cada dieta tendrá un grupo de partidarios que la consideren como la única palabra de sabiduría para los candidatos a reducir peso. Darán por sentado que la dieta que ellos siguen resultará para todo el mundo, y que ninguna otra producirá tan buenos resultados; rechazando de este modo sin pensarlo siquiera todos los demás programas de régimen para promover el suyo.

Y esto porque es característico de la naturaleza humana ser exclusiva, tener aversión a las opciones, pretender que cualquier cosa que nos ha beneficiado a nosotros es la definitiva, y sentir recelo y reserva hacia otras formas recomendadas de producir el mismo resultado. No le pido que decida si esta mentalidad es virtuosa o perversa, sensata o estúpida (puede que tenga algo de cada cosa, pero eso no importa ahora). Simplemente le ruego que observe que se trata de un hecho, ahí están los celosos defensores de las diferentes rutinas dietéticas para corroborarlo, y también aquellos de los distintos métodos para vivir santamente (que es el asunto que nos interesa).

Dos viajes simultáneos. Durante la mayor parte de los últimos veinte siglos, los cristianos que saben lo que hacen (siempre ha habido algunos y en ocasiones muchos) han tratado de llevar vidas santas a las fuerzas y para la gloria de su Dios-Salvador, Uno y Trino, además han comprobado que la vida cristiana consiste en dos viajes, y no en uno solo. Han entendido que, juntamente con el viaje exterior que va desde la cuna hasta la tumba a través de lo que los filósofos llaman el mundo exterior, hay otro recorrido interno que deben hacer adentrándose en el conocimiento de Dios y de Cristo. Este segundo viaje lo han identificado como la primera etapa de una eternidad de amor y adoración, de servicio y de gozo. Ellos han captado asimismo que la vida externa del amor a su prójimo y la interna del que sienten por su Dios van juntas, en el sentido de que fracasar en cualquiera de ellas debilita ineludiblemente a la otra.

A lo largo de los siglos, estos creyentes nacidos de nuevo (porque eso es lo que eran, aun cuando no utilizasen tales términos o los detalles de sus creencias fueran defectuosos) han realizado el viaje interior de maneras que, aunque relacionadas en su raíz, diferían en cierta medida unas de otras. Ya que los individuos humanos son distintos entre sí, no hay dos matrimonios idénticos; del mismo modo no existen dos vidas en comunión con Dios exactamente iguales. Cada cristiano debe, en última instancia, encontrar su propia forma de entrar en esa relación con la ayuda que pueda obtener de amigos, pastores y aquellas personas que desde el siglo diecisiete han sido llamadas «directores espirituales» (y hoy en día se identifican con más frecuencia como «amigos del alma»).[4] Parte de la historia es, sin embargo, que las distintas formas existen como tradiciones que se han desarrollado relativamente aisladas unas de otras: las protestantes de las católicas, las occidentales de las orientales, las luteranas de las calvinistas, las wesleyanas de las reformadas, aquellas de orientación mística de esas otras que se caracterizan por un enfoque ético, las que son socialmente conscientes de aquellas cuyo carácter es individualista, las carismáticas de las históricas... Esto explica que haya cierto número de caminos de santidad prescritos los cuales, en sí, resultan complementarios y mutuamente enriquecedores (llámelos, si quiere, programas dietéticos y ejercicio espiritual), pero que se nos presentan como completos y autosuficientes, con la insinuación adicional de que ninguna de las fórmulas es realmente eficaz salvo aquella que está vendiendo en ese momento el orador. Esto da como resultado que los instructores en la vida espiritual omiten regularmente cosas que serían útiles para sus auditorios, simplemente porque tienen sus raíces en otra tradición. Se trata de un triste estado de cosas, que convierte en intolerantes a aquellos que se conforman con él y atormenta a los que no lo hacen.

---

4. Véanse Kenneth Leech, *Soul Friend: The Practice of Christian Spirituality* [Amistad: La práctica de espiritualidad cristiana], Sheldon Press, Londres, 1977; Harper & Row, San Francisco, 1980; Tilden H. Edwards, *Spiritual Friend: Reclaiming the Gift of Spiritual Direction* [Amistad espiritual: Afirme la instrucción de los dones espirituales], Paulist Press, Nueva York, 1980.

Como alguien perteneciente a este último grupo, paso ahora a enumerar seis caracterizaciones con distinto enfoque que se hacen de la vida santa: esa existencia de semejanza con Cristo, humilde, amorosa y paciente, en la que el pensamiento y el deseo, el corazón y la mano, el motivo y la acción, están conectados e integrados como es debido. Las caracterizaciones en cuestión proceden de diferentes fuentes según las épocas, y cada una de ellas ha sido considerada, de vez en cuando, como autosuficiente. Resultará obvio, por la manera como las presento, que para mí son cosas complementarias, ya que el énfasis de cada una de ellas forma parte de la verdad total. Juzgue el lector por sí mismo.

LA SANTIDAD COMO REORIENTACIÓN DEL DESEO

El deseo es ese estado de conciencia que se expresa por el «Yo quiero». Esta línea de enseñanza (que se remonta al menos hasta Orígenes en el siglo III, Agustín en el V y Gregorio el Grande en el VI), considera principalmente la santidad como la separación del deseo de las cosas creadas para asociarlo, por medio de Cristo, con el Creador, y expresarlo y satisfacerlo en y a través de la oración centrada en Dios. A pesar de lo importante que pueda ser la vida externa de justicia, integridad y amor al prójimo, se tiene por mucho más significativa (seguramente con razón) la experiencia interior de una oración nacida de corazón puro. Dios llama a sus hijos a que le entreguen a Él sus corazones. El descubrir la plenitud de vida, aquí y ahora, en esa relación de conocimiento, amor y disfrute de Dios supondrá para ellos un anticipo de la vida en el cielo. La oración es, por tanto, la prioridad suprema en la vida de santidad. Ciertamente, sólo en la medida que dicha oración sea el aliento, el palpitar y la fuente de energía del ser interior de la persona, podrá decirse que esta lleva una vida de santidad.

El conseguir y mantener una actitud de oración constante y centrada en Dios supone una lucha. Los cristianos se ven en conflicto permanente con el diablo y sus huestes, quienes, con el permiso divino, los tientan a pecar y los distraen de la obediencia, a fin de obstaculizar y destruir la santidad en su vida interior. La oración sincera procede únicamente de corazones sinceros, firmemente opuestos al pecado y que practican con regularidad el examen de sí mismos para no caer en el autoengaño. Así que la estrategia de Satanás consiste esencialmente en impedir que seamos sinceros de corazón. (A él no le importa si tenemos un comportamiento intachable a los ojos humanos, siempre que nuestro corazón sea falso para con Dios: el ensimismamiento orgulloso y la complacencia en nuestras fantasías y motivos son cuanto necesita el diablo para conseguir su efecto.) Dios permite que nos veamos así infiltrados y asaltados, por lo menos en parte, a fin de que obtengamos fortaleza, maduremos y echemos raíces más profundas en Él mediante la experiencia de defendernos en su fuerza. Se trata de una guerra espiritual en el verdadero sentido de la expresión (véase Ef 6.10-20).

El deseo de Dios. La enseñanza que estamos considerando da por sentado que la actividad más alta y más noble consiste en desear y contemplar a nuestro Dios-Salvador en la reciprocidad del amor. Al desarrollar esa idea, hace dos afirmaciones adicionales: primera, que los cristianos a menudo pierden el goce de esta relación a causa de su propia negligencia y preocupación con otras cosas; y segunda, que a veces Dios retiene la sensación de su presencia y amor, la cual en otras ocasiones nos imparte, para enseñarnos lecciones acerca de la paciencia y la pureza de corazón que no aprenderíamos de otro modo. Para formular estas verdades se han elaborado una diversidad de presentaciones, a las cuales echaremos ahora un vistazo.

La importancia de distanciarse de aquello que ha mantenido cautivo el corazón de uno, se ha expresado a menudo en términos de un apartarse al «desierto» de la soledad, donde el deseo se purifica. La misma idea ha sido enfatizada tanto en Occidente, donde se ha dirigido a los cristianos a un despojamiento (renuncia, dejar atrás) de todas las distracciones que cubren el «cono» o «vértice» de sus almas, como en Oriente, exigiéndose la *apatheia* (no la impasibilidad interior, sino el autodominio que reorienta las pasiones hacia una búsqueda de Dios). Agustín de Hipona, Bernardo y Tomás de Kempis; católicos romanos tales como Ignacio de Loyola y Francisco de Sales; y puritanos como Richard Sibbes, Richard Baxter, Thomas Goodwin y John Owen, así como muchos otros antes y después de ellos, han trazado sendas de pensamiento y acción para separar el deseo de la atracción magnética que ejerce este mundo y asociarlo de un modo más firme con Dios en Cristo.

La relación que hay entre meditación y petición verbal, por un lado, y contemplación y autoentrega posverbal o no verbal al Señor, a quien se conoce, en quien se confía y a quien se ama, por otro, ha sido explorada por algunos maestros del «desposorio espiritual». Estos han desarrollado la analogía del lenguaje amoroso y la comunión de amor entre los sexos aplicándola a la relación personal con Dios. Respecto a ello, también los cistercienses, los franciscanos y otros destacaron las conexiones existentes entre la contemplación amorosa de Dios y una acción compasiva entre hombres y mujeres; mientras que el *Treatise on Religious Affections* (Tratado sobre los afectos religiosos), de Jonathan Edwards, establece algunas *pruebas* para saber si los vigorosos sentimientos impulsores que se dan en un contexto devocional son auténticamente espirituales (proceden de la obra del Espíritu Santo en el corazón) o no lo son. Toda esta instrucción trata, de un modo u otro, de señalar la senda que lleva al disfrute de Dios, valor y gloria supremos de la vida.

El deseo insatisfecho. Ha habido otras presentaciones clásicas del uso que Dios hace de la disciplina de la sequedad y del deseo temporalmente insatisfecho de Él como medio para fortalecer la vida interior de sus siervos. Teresa de Ávila y Juan de la Cruz describieron distintas etapas o fases de la vida de oración, que incluían la «noche oscura del alma», la cual puede preceder al gozo de una unión realizada con Dios. La enseñanza puritana sobre el «abandono espiritual» fue sustancialmente la misma que aquella de los dos místicos españoles que acabamos de citar. Y John Wesley formuló una descripción en dos niveles de la vida interior, según la cual, mediante una búsqueda angustiosa de la bendición del «amor perfecto», posterior a la experiencia de la conversión, el corazón del cristiano queda completamente limpio del pecado e imbuido de una pasión consumidora de amor por Dios y por sus semejantes.

Las variaciones sobre este tema de la «segunda experiencia» (conceptos como la santificación completa, el corazón puro, el bautismo del Espíritu Santo, la plenitud del Espíritu y la erradicación del pecado) han gozado de gran influencia en el protestantismo popular, y más recientemente en el movimiento carismático mundial. No es necesario respaldar plenamente ninguna de estas opiniones[5] para reconocer que el modelo se repite: Dios trae la sequedad, con la consiguiente zozobra para el corazón, con el objeto de producir una nueva y más profunda apertura humilde y esperanzada hacia Él, la cual Él mismo corona luego con una afirmación de su amor que libera y alienta, y que va más allá de todo lo que se había experimentado anteriormente. Al igual que la humillación y la tristeza de Cristo en la cruz precedió a su exaltación al gozo de su trono celestial, así una y otra vez las experiencias humillantes de impotencia y frustración anteceden a la renovación interna, con su sensación de triunfo y gloria, en el corazón del creyente. De modo que, con una sabiduría que se adapta al temperamento, las circunstancias y las necesidades de cada cristiano, nuestro Padre celestial atrae más cerca de sí a sus hijos y los une más fuertemente consigo. Considere las palabras tanto de Pablo como del salmista a este respecto:

Pero cuantas cosas eran para mí ganancia, las he estimado como pérdida por amor a Cristo[...] Estimo todas las cosas como pérdida por la excelencia del conocimiento de Cristo Jesús, mi Señor, por amor del cual lo he perdido todo, y lo tengo por basura, para ganar a Cristo, y ser hallado en Él[...] a fin de conocerle. **Filipenses 3.7-10**

Fuera de ti nada deseo en la tierra[...] La roca de mi corazón y mi porción es Dios para siempre. **Salmo 73.25-26**

Estas declaraciones son transcripciones clásicas de unos corazones genuinamente santos. La reorientación del deseo para que se concentre en la comunión con el Padre y el Hijo, y el fortalecimiento de dicho deseo reorientado, son la verdadera esencia de la santidad. Todas las formas maduras de enseñanza sobre la santidad cristiana a lo largo de los siglos han comenzado por ahí, considerando esta idea como el auténtico fundamento de todo lo demás en la vida del creyente, e insistiendo en que la única gente verdaderamente santa es aquella que siente pasión por Dios. También nosotros hoy en día hemos de empezar por esto.

---

5. Mi propia crítica de dichas formulaciones está diseminada a lo largo de mi libro *Keep in Step with the Spirit*. Véanse especialmente pp. 132-45, 202-28.

LA SANTIDAD COMO CULTIVO DE VIRTUDES

La santidad no sólo significa un deseo de Dios, sino también ese amar y practicar la rectitud que es producto del constante ejercicio de la conciencia en el discernimiento del bien y del mal, así como un propósito ardiente de hacer cuanto está en nuestra mano por agradar a Dios. Una línea de enseñanza sobre la santidad, que por lo general no se imparte bajo ese título y proviene en particular de la escolástica medieval y de los anglicanos posteriores a la Reforma, considera a la misma primordialmente en términos éticos. El centro de atención es la práctica de esos loables patrones de conducta llamados virtudes, los cuales se entienden como buenos hábitos que expresan un buen carácter.

Tomás de Aquino esbozó la santidad como manifestación de las tres virtudes «teologales» (impartidas de manera sobrenatural por el Espíritu Santo sólo a los cristianos) dentro de un marco fijado por las cuatro virtudes «cardinales» (en el sentido de fundamentales, del término latino que significa bisagra) las cuales describiera Aristóteles, y que el mundo no cristiano conoce al menos en cierta medida. Las virtudes teologales son la fe, la esperanza y el amor, entre las cuales esta última es la más importante (1 Co 13.13). Las virtudes cardinales, por su parte, son la prudencia (sabiduría y sentido común), la templanza (dominio propio), la justicia (equidad, honestidad, veracidad, fiabilidad) y la fortaleza (valor y resistencia, o como traduce C.S. Lewis, «agallas»). Estas cuatro virtudes cardinales definen la manera y el espíritu en que la persona santa ejerce la fe, la esperanza y el amor. Así formulado, el esquema supone que la naturaleza y la gracia encajan perfectamente una con otra, la segunda aumentando y perfeccionando a la primera. El pecado se considera más una falta de vigor que una energía pervertida, por lo que los exponentes de la doctrina más radical se sentirían compelidos a hacer algunos ajustes sobre este punto. Sin embargo, lo acertado de insistir en que no hay santidad sin un comportamiento moral recto y escrupuloso, basado en un carácter estable, está sin duda fuera de toda discusión.

El concepto de la vida interior saludable que acompaña a este punto de vista, da regularmente más importancia a la firmeza ordenada, cuando se busca agradar a Dios, que a las experiencias que implican comunión y unión, o que a la guerra espiritual contra los ataques satánicos. Los maestros de esta tradición se concentran por lo general en sensibilizar y educar a las conciencias para que juzguen lo que es bueno y malo, despertar la compasión práctica que percibe las necesidades ajenas y trata de hacer algo al respecto, y moderar cualquier sugerencia de que la intensidad emotiva constituya una forma de medir la santidad.

La tensión surge con facilidad entre aquellos que maximizan y minimizan respectivamente el lugar de los sentimientos en la santidad, así como entre esos otros que dan mucha o poca importancia a las experiencias particulares con Dios que le acontecen al cristiano. Pero tratándose del cuadro global, que es lo que ahora nos ocupa, todo cuanto hay que decir es que el deseo de Dios, con el amor de Cristo, y el hacer bien, con el amor a la justicia, son ingredientes igualmente esenciales de una vida santa.

LA SANTIDAD COMO RESPUESTA A LOS APREMIOS DEL ESPÍRITU SANTO

Aquí entramos en el terreno de las impresiones, los impulsos, las presiones internas y los estímulos personales, un mundo en el que no es fácil mantenerse en pie y en el que se han cometido muchos errores terribles. Pero también hay verdad en este terreno, y verdad que es importante sacar a la luz: a saber, que existe una vida sobrenaturalizada en el nivel de las motivaciones.

Durante la Reforma y en el siglo siguiente a ella, se hizo justicia a esta verdad de un modo sobrio y profundo, porque el vínculo, fundamental para la teología protestante, entre el Espíritu y la Palabra (enseñanza bíblica), fue tenido concienzudamente en cuenta. Se reconoció de manera absoluta el peligro de seguir supuestos impulsos del Espíritu que no concordasen con la Escritura. No fue Calvino el único en subrayar la imposibilidad de que el Espíritu Santo contradijera dentro del corazón su propia instrucción en la Palabra, ni en llegar a la conclusión de que los impulsos que arrastraban a algunos individuos y grupos fervientes fuera de la corriente principal del cristianismo procedían del espíritu de iniquidad y no del Espíritu de Dios.[6]

---

6. Juan Calvino, *Institución de la religión cristiana*, I: xi.

Pero los reformadores magistrales, e incluso más todavía los puritanos del siglo siguiente, reconocieron que cuando Dios llama a los pecadores a la fe en Cristo por medio del Espíritu Santo, los corazones de estos son cambiados. A partir de entonces, ese Espíritu transformador de corazones *mora* en ellos (mantiene con los creyentes una constante relación vigorizante, capacitadora, generadora de oración e impartidora de Cristo en el mismo centro de su ser). Este morar del Espíritu en los cristianos produce el efecto, no sólo de convertir en realidad para ellos la presencia de Jesús, sino también de hacer que en su interior se desarrollen la mente y la motivación de Cristo. Según veían el asunto dichos reformadores y puritanos, esto significa que la única respuesta adecuada a la revelación bíblica del amor redentor de Dios y su voluntad moral es una respuesta sincera: agradecida, reverente, imaginativa y creativa. Esa clase de respuesta tiene explícitamente por objetivo agradar y glorificar a Dios en la propia situación vital de uno, que es algo que todo cristiano desea en lo más hondo de su ser. Este apremio sobrenatural al amor, al servicio y a complacer al Señor constituye una faceta de la realidad de la vida santa.

La enseñanza de Lutero. El énfasis mencionado surgió primeramente en la enseñanza de Martín Lutero, cuyo pensamiento irradiaba desde un único centro, como los muchos radios lo hacen desde el eje de una rueda. Lutero, por lo general, se refería a este centro como el conocimiento de Cristo, o en determinada etapa de su vida como la teología de la cruz. En una ocasión, al menos, lo llamó el maravilloso intercambio. Aunque nosotros hoy en día solemos denominarlo justificación por la fe, se trata de lo mismo, lleve la etiqueta que lleve. Puede formularse del modo siguiente: en virtud de que Jesucristo cargó con nuestros pecados en la cruz, (sustituyéndonos así) y mediante el don divino de la fe en Él y en su obra, Dios imparte el don adicional del perdón y la aceptación actuales, de manera que los pecadores creyentes se encuentran ahora reconciliados con Dios, el santo Juez, aunque en realidad dejen de alcanzar en cada momento la justicia perfecta. La famosa frase de Lutero para describir la posición cristiana, aquella con la cual anunció tantos cambios, es *simul justus et peccator* —justo: aceptado y tratado por Dios como alguien recto—, siendo aún pecador. Su enseñanza aquí es bíblicamente correcta y brillante, y ya la he incorporado en capítulos anteriores del presente libro.

Partiendo de esta base, Lutero siguió afirmando que el Espíritu Santo, el cual mora en nosotros y que en un principio hizo que nuestra fe floreciese (él concebía la fe como algo que cristaliza en la seguridad del pecador convicto de ser aceptado actualmente mediante la cruz de Cristo), mueve ahora a los cristianos, de manera espontánea, a una vida de servicio abnegado a Dios y a sus semejantes, motivada por el amor agradecido al Padre y al Hijo. Para Lutero, la realización en el hogar, la iglesia y la sociedad de «buenas obras» motivadas evangélicamente, era la esencia de una vida santa. La fe, afirmaba, se empeña incansable e interminablemente en tales obras. Esa fue su forma de decir que el testimonio del Espíritu en el corazón del cristiano en cuanto a la realidad de la misericordiosa aceptación divina por medio de Cristo, y la necesidad sustentada por dicho Espíritu de responder al amor de Dios amando a otros por su causa, eran para él la dinámica motivadora del creyente. No siempre se ha apreciado cuán vigorosamente afirmó Lutero este ministerio del Espíritu Santo en la vida del cristiano, como también los demás.[7]

Lutero estaba convencido de que la ley divina declara las normas de Dios y que una vida desenfrenada no puede agradarle a Él, sin embargo, tenía tantas ansias de evitar el legalismo y presentar la motivación cristiana como evangélica, que dejó sus flancos relativamente desprotegidos contra la idea de que las insinuaciones del Espíritu Santo hacen innecesario el acudir a la ley para saber lo que Dios pide de nosotros. No obstante, rechazaba esa idea sin ambages cuando se formulaba. Lutero no era ningún antinomiano, sino que se aferraba siempre a las normas bíblicas de moralidad como él las comprendía. Fue tan enérgico como Calvino en cuanto a insistir en que la motivación procedente del Espíritu que resulta fundamental para la santidad es una motivación de actuar sólo según la Palabra. Para él, hacer caso de supuestas insinuaciones del Espíritu Santo que no se relacionan con las normas y los requisitos bíblicos, e incluso que los contradicen abiertamente, no es santidad sino impiedad: una distorsión y ridiculización diabólica del ideal de Dios.

Debemos tener claro que, al enfatizar la gratitud hacia Dios por la salvación como motivación dominante de la persona santa,

---

7. Véanse Regin Prenter, *Spiritus Creator* [Espíritus creadores], Muhlenberg Press, Filadelfia, 1953; Paul Althaus, *The Theology of Martin Luther* [La teología de Martín Lutero], Fortress Press, Filadelfia, 1966, s.v. God the Holy Spirit [Dios el Espíritu Santo].

Lutero estaba expresando algo sumamente importante. Para emplear los términos de una controversia posterior, lo que afirmaba era que el sentido según el cual los cristianos trabajan *por* la vida (para ir al cielo) viene determinado por ese otro sentido de que trabajan *desde* la vida (para mostrar gratitud por la gracia que ya han obtenido). La gente santa practica buenas obras, no para ganar el favor presente o futuro de Dios, sino como forma de asir aquello para lo cual han sido ellos asidos por Cristo. El legalismo autojustificante, la falsa lógica de la justicia que se había propagado como pólvora a través del cristianismo popular en los siglos anteriores a la Reforma, quedaba así eliminado y desterrado para siempre como principio motivador.

Todas las empresas relacionadas con la santidad se corrompen hasta la médula cuando están motivadas, en la forma que sea, por el interés y no por la gratitud. La verdadera raíz principal de la santidad es siempre esa necesidad, estimulada por el Espíritu, de manifestar amor a Dios y a los demás, como lo entendía Lutero, haciendo lo bueno en agradecimiento al Padre por Jesucristo. Del mismo modo que aquello era cierto para su época, también lo es para la nuestra.

LA SANTIDAD COMO VICTORIA SOBRE LA ATRACCIÓN DEL PECADO

Esta perspectiva jamás ha sido más meticulosamente explorada que por los puritanos ingleses (algunos de los cuales, naturalmente, se reubicaron en Nueva Inglaterra durante el transcurso de su ministerio). Los puritanos, como grupo, constituyen una escuela reformada de pensamiento, y una escuela marcada por sus propios intereses (teológicos y pastorales), su propio estilo (claro y analítico) y su propio sabor característico.[8]

Al igual que Calvino, los puritanos analizaron la obra divina de santificación de los pecadores como, del lado negativo, una *mortificación*, matar progresivamente al pecado tal y como se

---

8. Véase J.I. Packer, *A Quest for Godliness* [Una búsqueda de piedad], Crossway Books, Wheaton, 1990; *Among God's Giants* (Kingsway, Eastbourne, 1991); Leland Ryken, *Worldly Saints* [Entre los gigantes de Dios], Zondervan, Grand Rapids, 1986.

manifiesta en cada hábito rebelde y desenfrenado, y del positivo, una *vivificación,* inculcar y fortalecer en nuestras vidas todos los hábitos característicos de Cristo («gracias»), y en particular de ese modelo de reacción ante las presiones de la vida compuesto de nueve aspectos: amor, gozo, paz, paciencia, benignidad, bondad, fe, mansedumbre y templanza; que Pablo llama el «fruto del Espíritu» en Gálatas 5.22 (cf Mt 12.33).

También juntamente con Calvino, los puritanos afirmaban que Dios justifica para santificar. Cada parte de la vida del cristiano, su relación con el Señor y con la creación divina; todos sus intercambios con otros en la familia, la iglesia y el mundo; y su relación consigo mismo, en sincera autodisciplina y autogestión, deben convertirse en «santidad al Señor». Al igual que Calvino, asimismo, aquellos puritanos calificaban de hipócrita a cualquiera que se dijese cristiano y no diera muestras de esa doble transformación mortificadora y vivificante. Y por último, como Calvino también, insistían en que la ley moral divina, declarada por Moisés, los profetas, Cristo y las cartas del Nuevo Testamento, era el código familiar de todo hijo de Dios en las distintas épocas. Sin embargo, su postura tenía un matiz diferente: mientras que Calvino se refería con regularidad a la santidad cristiana como a un progreso en la fe y la firmeza, los puritanos la describían de manera característica como una medida cada vez mayor de libertad del pecado.

La idea puritana del pecado. Los puritanos como grupo demostraban una percepción aguda de la santidad, la rectitud, el odio al pecado y la severidad judicial contra el mismo que caracterizan al magnífico, misericordioso, omnisciente y omnipresente Dios de la Biblia. Su profundo discernimiento de la capacidad de penetración de dicho pecado, así como del carácter repulsivo y mortífero que posee, arrancaba directamente de la honda comprensión que tenían de la santidad divina. Su sensibilidad al pecado como fuerza interior, pérfida y descarriada, que esclaviza al inconverso y atormenta a los santos, era extraordinaria. Los puritanos siguen siendo los expertos del cristianismo en esa área particular de conocimiento. Ellos consideraban al pecado como una energía pervertida en el interior de las personas, que encadena a estas a un comportamiento de desafío a Dios y de satisfacción de sus propios deseos; la cual, mediante la distracción, el engaño y la oposición directa, debilita y destruyen sus propósitos de justicia. Los puritanos concebían el pecado como el equivalente moral de un lobo con piel de oveja, que se presenta a nosotros una y otra vez como bueno, deseable y necesario para la vida, corrompiendo de este modo nuestro entendimiento para que perdamos la idea de su naturaleza culpable y lo apreciemos como si se tratase de un amigo en vez de un enemigo.

En *El gran divorcio*, C.S. Lewis pinta a un individuo que lleva sobre su hombro un lagarto, el cual representa la concupiscencia desaforada. Este le susurra al oído cuán esencial es él para su continuo bienestar. Y cuando el ángel pregunta: «¿Lo mato?», la primera respuesta del hombre es «No». (A uno le recuerda aquella oración de Agustín de Hipona: «Dame castidad; pero no todavía».)

Los puritanos hubieran aplaudido el lagarto de Lewis como una proyección perfecta de la manera en que el pecado afianza sus diversas formas de expresión en las vidas de los cristianos. La teología puritana afirmaba que, en los creyentes, el pecado ha sido destronado pero aún no está destruido. Por así decirlo, ahora ese pecado cobra vida propia y busca establecer de nuevo el control que ha perdido. Su poder aparece, tanto en forma de malos hábitos, que con frecuencia tienen raíces profundas y están relacionados con las debilidades temperamentales, como de incursiones y ataques frontales repentinos en momentos en los que uno se creía invulnerable. El pecado que mora en nosotros, de por sí, jamás pierde su fuerza; lo más que sucede es que con el avance de la edad, los altibajos de la salud y el cambio en nuestras circunstancias personales halla modos de expresión diferentes. Sin embargo, siempre que aparezca, en la forma que sea, los cristianos tienen el encargo, no sólo de resistirlo, sino de atacarlo y tratar de darle muerte; en otras palabras, de «hacerlo morir», en el sentido bíblico de la expresión (Ro 8.13; Col 3.5).

La enseñanza puritana acerca de la mortificación de las concupiscencias que nos tientan es sistemática y completa, e incluye las disciplinas de la humillación propia, el autoexamen, la resistencia decidida a todos los pecados presentes en el sistema espiritual de la persona (como acción preliminar para el fortalecimiento en contra de cualquiera de ellos en particular), el evitar aquellas situaciones que cargan la caldera del pecado, la vigilancia para no convertirnos en víctimas suyas antes de darnos cuenta de que estamos siendo abordados por él, y la petición específica en oración al Señor Jesucristo de que aplique el poder exterminador de su cruz a las ansias perversas particulares contra las que se dirige nuestro contraataque. «Pon a trabajar tu fe sobre Cristo para darle *muerte* a tu pecado, escribía John Owen, el más grande de los maestros puritanos. Su sangre es el grande y soberano remedio para las almas enfermas de pecar. Vive en ello y morirás como un vencedor; sí, por la bondadosa providencia de Dios, vivirás para contemplar tu concupiscencia muerta a tus pies».[9]

Los puritanos siempre han tenido mala fama. Su énfasis en la guerra de por vida que libra cada cristiano con «el pecado que nos asedia» (habitual) se ha rechazado a veces como un concepto maniqueo (que niega la bondad de la naturaleza humana creada), morboso (que excluye el gozo del comportamiento natural) y moralmente irreal (obsesionado con la autoflagelación en detrimento de todo lo demás). Pero esto no se corresponde con los hechos, y la idea de que lo único sobre lo que meditaron los puritanos fue la lucha contra el pecado resulta bastante equivocada. El amor a Dios, la seguridad gozosa, la mentalidad espiritual, la honradez y el civismo, la tranquila aceptación de la voluntad divina, la senda de la oración perseverante y el poder de la esperanza de gloria se cuentan entre los muchos temas magníficamente desarrollados en la enseñanza puritana sobre la santidad. No todo fue machacar sobre lo mismo, si bien es cierto que aparece por todos lados un énfasis clamoroso en la detección del tirón corruptor del pecado, la resistencia al mismo y la victoria sobre él. Este énfasis sobresaliente ha impedido en el pasado que mucha gente comprendiera que la santidad puritana es fundamentalmente una alegre cuestión de paz, gozo, adoración, comunión y crecimiento. Ese solemne asunto del autoescrutinio y del sufrimiento, interno y externo, mientras se lucha y se forcejea con el pecado, constituye sólo una cara de la moneda; pero en una época en la cual la ignorancia de uno mismo, la mentalidad secular, la laxitud moral y el pecado abierto son tan corrientes como hoy en día entre los cristianos, de donde más podemos aprender sin duda es del lado austero del puritanismo: su cara que nos obliga a ser realistas en cuanto a nuestra pecaminosidad y nuestros pecados.

---

9. John Owen, *Of the Mortification of Sin in Believers: Works* [De la mortificación del pecado en creyentes: Obras], ed. William H. Gould, Banner of Truth Trust, Londres, 1966, VI:79.

LA SANTIDAD COMO EJERCICIO DE LA FE
PARA UNA «SEGUNDA BENDICIÓN»

La santidad siempre requiere ejercitar la fe orando por beneficios particulares. En un sentido amplio, todas las formulaciones de la santidad cristiana salvo la pelagiana (que reduce la misma a una autodisciplina sin ayuda, es herética, y por lo tanto no la estudiaremos aquí) implican ese ejercicio de fe. Cada una de ellas considera la santificación como obra de Dios, y mantiene que una vida santa se logra invariable y únicamente por la gracia, el poder y la asistencia divina mediante el Espíritu Santo. Asimismo, todas están de acuerdo en que sólo los creyentes que oran disfrutan de esa ayuda. Sin embargo, los conceptos de fe en acción resultan a menudo inadecuados, ya que varían desde el formalismo católico mal concebido de un «confíe implícitamente en la Iglesia», hasta el no menos equivocado subjetivismo protestante del «enfréntese con intrepidez al futuro». Sólo cuando el Cristo vivo y las verdades de la Escritura constituyen el centro de atención de la fe, la confianza y la dependencia, puede llamarse a eso fe cristiana. El testimonio de la teología de la Reforma por casi medio milenio, ha sido que únicamente si la fe confía de un modo específico en las promesas de Dios es una fe como se debe.

Buscar que Dios cumpla sus «preciosas y grandísimas promesas» (2 P 1.4), y la confianza en que Él lo hará, constituye un ejercicio básico de fe según lo presenta la Escritura. (Vea lo que se dice de Abraham, modelo del hombre de fe, en Romanos 4.18-21; Gálatas 3.6-9, 16-18, cf 22,29; Hebreos 6.13-15; 11.1, 11,13,17-19, cf 33.) La fe enfocada en las promesas glorifica a Dios, al honrar su fidelidad, y forma en el alma esa actitud hacia Él de dependencia satisfecha y ansiosa expectación que se percibe en muchos de los Salmos. Eso en sí es una dimensión de la santidad, mediante la cual la confianza y la esperanza descansan sólo en Dios. De cierto no hay verdadera santidad sin el ejercicio constante del corazón en una oración centrada en el Señor y llena de fe.

La segunda bendición. La correlación entre fe y promesa ha sido característica de todo el protestantismo evangélico tradicional, pero tuvo un desarrollo particularmente llamativo en la formulación wesleyana histórica de la «santidad escritural» y sus muchas modificaciones posteriores. La tesis distintiva de toda esta escuela de pensamiento es que, por medio de una segunda «experiencia» (acontecimiento empírico provocado por Dios), aquellos que han llegado a ser creyentes a través de una primera «experiencia» (a saber, el nuevo nacimiento) pueden acceder a una calidad de vida cristiana superior. Mediante esta segunda experiencia, la percepción del amor de Dios se hace más vívida, el amor de uno por el Señor y la humanidad se robustece, y el pecado deja de controlar cualquier aspecto del comportamiento personal debido a que, por el poder del Espíritu Santo, la tentación, el desaliento, la apatía y el pesimismo son derrotados de manera habitual. La plena y auténtica santidad de vida (según se pretende) sólo llega a hacerse realidad después de que se ha producido esa segunda experiencia.

La forma original de dicha enseñanza fue la doctrina de Wesley de la completa santificación («perfección cristiana» o «perfecto amor»), ya mencionada en este capítulo, según la cual la segunda experiencia desarraiga el pecado del corazón de la persona nacida de nuevo, convirtiendo los deseos perversos y los motivos mezclados en algo del pasado. Ninguna pasión, propósito o poder actúa en la vida del individuo de ahí en adelante salvo, únicamente, el del amor. Esto, decía Wesley, es una parte de la bendición del cielo que aquellos que buscan encontrarán aquí en la tierra. Durante lo que se conoce como el «avivamiento de santidad», ocurrido entre mediados del siglo diecinueve y mediados del veinte, los maestros de «Keswick» y de la «vida superior» modificaron la idea wesleyana en cuanto a la erradicación del pecado, tranformándola en una mera neutralización del mismo y redefiniendo por tanto la segunda bendición («la plenitud del Espíritu» como ellos la llamaban) como el encontrar la forma de acceder a una perfección de hecho, mediante el poder de Dios, a pesar de una continua imperfección de motivos.

Sin embargo, ambas versiones de esta concepción en dos fases de la vida cristiana insistían en que la forma de entrar y mantener el estado de santificación es un ejercicio de fe en la oración: concentrado, expectante, importuno y que ruega por el cumplimiento de las promesas, mediante el cual se espera en Dios para que Él haga aquello que ha prometido hacer en su Palabra escrita. La acción que se requiere es más bien honrar a Dios «creyendo para recibir la bendición», y aferrarse a Él en las peticiones de uno hasta que Él las conceda, y no dejar de orar por incredulidad en su buena disposición para hacer aquello que ha prometido.

Los voceros de una y otra posturas reconocen que Dios puede hacernos esperar, una vez que nos ha estimulado a empezar a pedir de esta manera, debido a nuestra propia impiedad, pero insisten en que nadie entra nunca en esa verdadera santidad de la segunda etapa sin tal clase de oración: Sólo los que buscan hallan, expresan ellos.

Ambas versiones de esta comprensión en dos fases de la «santidad escritural» parecen equivocadas. Para empezar, en ninguna parte enseña la Escritura una necesidad universal de «segunda bendición», ni implica que sin ella no exista verdadera santidad. Por tanto, la idea de erradicación le atribuye a Dios demasiado (la cesación de la perversidad en el corazón humano), mientras que la de neutralización le adscribe demasiado poco (ninguna disminución de dicha perversidad del corazón). La enseñanza bíblica al respecto es más bien que toda la persona del cristiano se ve renovada y restaurada progresivamente mediante el proceso santificador: enfocada otra vez en Dios, reintegrada en torno a Él como centro, reconstruida en cuanto al carácter, los hábitos y los patrones de respuesta, sensibilizada a los valores divinos, reorientada hacia propósitos que glorifican a Dios, y consciente en mayor grado de las necesidades y desdichas ajenas. En ningún momento concluye este proceso en cristiano alguno, pero en todos los creyentes se inicia y avanza (véase 2 Co 3.18).

El que, por la misericordia de Dios, algunos cristianos tengan experiencias trascendentales después de la conversión, las cuales les proporcionan seguridad, libertad interior, nuevo gozo y energía espiritual, así como un poder renovado para la vida y el testimonio, está fuera de toda duda; sin embargo, estas cosas parecen más bien tratos discrecionales de un misericordioso Padre celestial con cada uno de sus hijos. No suponen requisitos universales, ni patrones de experiencia prescritos para todos; como tampoco son aros a través de los cuales cada cristiano deba intentar el salto. Aquellos que no han tenido ninguna «segunda experiencia» trascendental, no deberían considerarse por lo tanto necesariamente inferiores a los que han sido bendecidos de esa manera. La historia confirma que algunos de los mejores siervos de Dios se han visto enriquecidos de este modo, mientras que otros igualmente buenos no lo han sido.

De manera que cuando los portavoces wesleyanos o de Keswick definen la santidad como una segunda bendición, o como una calidad de vida que sólo aparece tras la misma, y cuando algunas personas del mundo pentecostal-carismático hablan de ella como de una vida que no puede vivirse sin un bautismo del Espíritu, posterior a la conversión (no todos dicen esto, pero algunos sí), yo lo refuto.[10] Sin embargo, cuando esas mismas personas sostienen que, de igual manera que uno entra en la vida de santidad mediante una oración verbal específica, concentrada, persistente, argumentativa y orientada hacia las promesas, cada beneficio que se precisa en ella deberá buscarse de la misma forma, estoy de acuerdo con ellos. Ciertamente esa clase de oración se halla ejemplificada y puede verse a lo largo de toda la Escritura como elemento integrante de la vida santa. Aunque creo que la formulación que hacen de la santidad es defectuosa e incorrecta, no podría estar más de acuerdo con lo que muchos de ellos dicen en cuanto a la oración en sí. No hay, en mi opinión, auténtica santidad que no tenga como esencia una oración constante y concentrada en la que se ejerce fe para la concesión de ciertos beneficios y la satisfacción de determinadas necesidades.

LA SANTIDAD COMO PRÁCTICA DE LAS DISCIPLINAS ESPIRITUALES

Verbalmente, esta es una perspectiva muy contemporánea; aunque la enseñanza en cuestión se remonta a los primeros años del cristianismo. No obstante, la recuperación de este énfasis histórico en este momento resulta tremendamente necesaria.

Los últimos años del siglo veinte han sido testigos de una oleada de hedonismo, y un enfoque irreflexivo de la vida inunda al Occidente, tanto fuera como dentro de la iglesia. El efecto negativo de la abundancia material, acerca de la cual la Biblia nos advierte incesantemente, es una despreocupada autocomplacencia en todos los ámbitos de la vida privada. Dicho efecto se percibe actualmente por todas partes. La despreocupación ha llegado a ser la marca de nuestra sociedad, y la generación más joven de cristianos, que culturalmente nunca han conocido otra cosa que la abundancia, demuestran, una y otra vez, ser las víctimas moralmente tullidas del materialismo, el consumismo y el hedonismo del mundo en que se criaron.

10. *Keep in Step with the Spirit, op.cit.*

No es extraño que el libro de Richard Foster *Alabanza a la disciplina* (Betania, 1986), primer desafío abierto a esta mentalidad moderna, encontrara eco' en tantas personas. El énfasis principal de Foster (a saber, que los cristianos deben aprender a realizar deliberadamente, y de un modo habitual, aquello que contribuye al bienestar de sus espíritus, usar los medios de gracia y adquirir dominio propio, como dirían las generaciones pasadas) no era nuevo, pero alcanzó su objetivo como una palabra de moda. Desde entonces, otros escritores lo han recogido.

Resulta interesante ver cómo tratan el tema sus diversos expositores. Foster mismo exploró doce disciplinas divididas en tres grupos: Las disciplinas *internas* (meditación, oración, ayuno y estudio); las *externas* (sencillez, retiro, sumisión y servicio); las *colectivas* (confesión [responsabilidad ante otros], adoración, búsqueda de asesoramiento y gozo.

Luego, en su libro *Dinero, sexo y poder* (Betania, 1989), presentó un modelo de disciplina para estas tres áreas particularmente enojosas.

Otros expositores más recientes del tema de la disciplina parecen apoyarse en lo dicho por Foster. El libro de Donald Whitney *Spiritual Disciplines for the Christian Life* [Disciplinas espirituales para la vida cristiana] (1991) se ocupa de más de la mitad de los temas del primero, y añade a la lista la mayordomía y el mantenimiento de un diario. Kent Hughes, en otro tiempo colega de Richard Foster, repasa en *Disciplines of a Godly Man* [Disciplina del hombre piadoso] (1991) [¡Hombre con el sentido de *varón!*] dieciséis disciplinas para los hombres bajo los epígrafes de pureza, matrimonio, paternidad, amistad, mente, devoción, oración, adoración, integridad, lengua, trabajo, iglesia, liderato, ofrenda, testimonio y ministerio. Elisabeth Elliot, por su parte, en *Discipline: The Glad Surrender* [Disciplina: La alegre sumisión] (1982), trata de la disciplina del cuerpo, la mente, el lugar (en el sentido de posición social), el tiempo, las posesiones, el trabajo y los sentimientos; mientras que Dallas Willard, en *The Spirit of the Disciplines* [El Espíritu de las disciplinas] (1988), desarrolla la idea de que llegaremos a ser semejantes a Cristo si vivimos como Él lo hizo: manteniendo un ritmo de soledad y silencio, oración, vida sencilla y sacrificial, meditación en la Escritura y servicio a otros.

Kent Hughes, después de observar que su estudio de las disciplinas pone sobre la conciencia de los varones «¡más de cien exigencias distintas!», se refiere sabiamente al efecto que un repaso así del llamamiento cristiano debería tener:

> ¿Cómo debemos responder entonces? Ciertamente no con la *pasividad* del «no hagas nada» que ha llegado a ser más y más característica del varón americano...
>
> Por otro lado, una respuesta igualmente fatal es la del *legalismo* autosuficiente. Hay que admitir que, estadísticamente hablando, se trata de un peligro menor que el de la pasividad... [¡Puede usted decirlo sin miedo, Dr. Hughes!] Dios nos salve del *reduccionismo* de un legalismo tal que encierra la espiritualidad en una serie de leyes inflexibles y luego dice: «Si puede usted hacer estas seis, dieciséis o sesenta y seis cosas, será una persona piadosa». El cristianismo, o la piedad, supone mucho más que llevar una lista. Estar «en Cristo» es una relación, y como todas las relaciones merece ser cuidada de un modo disciplinado, pero nunca objeto de un reduccionismo legalista.
>
> Dios nos salve del *criticismo* farisaico... Hay un mundo de diferencia entre las motivaciones del legalismo y las de la disciplina. El legalismo dice: «Voy a hacerlo para conseguir méritos delante de Dios»; mientras que la disciplina expresa: «Lo hago porque amo a Dios y quiero agradarle». El legalismo se centra en el hombre, la disciplina en Dios.[11]

La verdadera disciplina piadosa. Estos tratamientos de la disciplina nos confrontan con el hecho de que nuestro llamamiento de parte de Dios a desarrollar una comunión con Él frente a las presiones y limitaciones impuestas por nuestra condición, compañía y circunstancias, debilidades y puntos ciegos, y la multitud de trampas que nos tiende el diablo, hace imperioso un planteamiento ordenado y reflexivo del tema de la vida diaria. Sólo así podremos garantizar que en nuestras existencias haya sitio para todas las cosas que deberíamos estar haciendo; y sólo así aprenderemos a ser previsores y a prepararnos para lo que pueda venir, como también a calcular delante de Dios cuál debería ser nuestra reacción a esto o aquello.

---

11. R. Kent Hughes, *Disciplines of a Godly Man*, Crossway Books, Wheaton, 1991, p. 206.

Los cristianos que comprenden que esta clase de previsión equivale a ser sabios a la manera de Cristo son pocos, pero de todas formas así es. La experiencia confirma que aquellos que han aceptado en sus mentes que pueden venir dificultades, se muestran capaces de mantenerse en pie y de manejar sus sentimientos mejor cuando dichas dificultades llegan. Así como los hijos de este mundo, incitados por la ambición personal, se fijan metas profesionales y luego trabajan con ahínco para conseguirlas, los hijos de Dios deberían, estimulados por la grandeza del amor divino, proyectar el logro de una vida diaria disciplinada, y esforzarse del mismo modo planeando, orando y probando cosas, hasta convertirlo en realidad. La alternativa es vivir como un piloto que vuela a ciegas, viéndose sorprendido y esclavizado, siempre por lo inmediato, lo urgente y lo inesperado y experimentar la vida como una sucesión de emergencias para las cuales nunca estamos preparados.

La vida despreocupada e indisciplinada será, frenética, según uno se sienta amenazado o no, por el flujo de los acontecimientos. Pero esa no es una vida a semejanza de Cristo... ni gratificante para nosotros... ni que glorifique a Dios. La previsión santificada constituye un elemento primordial de la vida santa, ya que es por ella por donde comienza la verdadera disciplina.

FIN DE LA VISTA PANORÁMICA

Llegados a este punto, concluimos nuestro examen del panorama desde la cima del paso. Todavía no lo hemos visto todo, pero sí lo más importante. Hemos ejercitado nuestros prismáticos espirituales con las principales características del paisaje de la santidad; por tanto, de alguna manera, empezamos a enfocar todo ese panorama abrumador y nuestra noción de lo que estamos mirando se hace ahora más clara.

Lo que emerge es una especie de retrato de alguien...

- jamás puede amar a Dios bastante;
- lo adora sin cesar;
- siempre está tratando de vivir noble, amorosa y honorablemente para Dios;

- honra la presencia del Espíritu Santo en su vida;
- lucha constantemente contra el pecado que mora en él;
- implora las promesas de Dios y espera con expectación que se cumplan; y
- practica la autodisciplina de un modo maduro y reflexivo.

Pasión y compasión, oración y prudencia, mansedumbre y generosidad, todo ello forma parte del retrato. Los reflejos de Jesucristo, el apóstol Pablo, así como los de David y sus colegas en los Salmos (sin ir más lejos), son ciertamente demasiado claros para no verlos. Tal es el bosquejo de la santidad que se aprende en la escuela de Cristo.

Demos a este bosquejo otra cara más humana todavía: la santidad universal, como ellos la llamaban, fue la principal preocupación de los puritanos de la historia. Hace tres siglos y medio, cuando la descripción de caracteres constituía una técnica literaria muy admirada, el carácter de un viejo inglés puritano o no conformista fue expresado en *The Character of an Old English Puritane or Nonconformist* como sigue:

El viejo puritano inglés era alguien que honraba a Dios sobre todas las cosas, y que, en sumisión a Él, daba a cada cual lo que le correspondía. Su primera preocupación estaba en servir a Dios, y a ese respecto no hacía aquello que le parecía bien a él, sino al Señor, convirtiendo la palabra divina en la regla de su adoración[...] Ponía atención a todas las ordenanzas de Dios[...] Pasaba mucho tiempo en oración: con ella comenzaba y acababa el día; en ella se ejercitaba en su cámara, en su hogar y en la asamblea pública[...] Consideraba la lectura de la palabra, tanto en privado como en público, un mandamiento de Dios[...]

Tenía por mandato divino el día del Señor y el descansar en él como necesario por cuanto inducía a la santidad. Era muy meticuloso en la observancia de ese día como jornada de compra para el alma [es decir, el día en que uno consigue provisiones para la semana siguiente][...] Para él, la Santa Cena constituía parte del alimento de su alma, y se esforzaba en mantener el apetito por ella. La consideraba una ordenanza de comunión más íntima con Cristo, que requería, por tanto, la más rigurosa preparación[...]

Entendía la religión como un compromiso con el deber; así como que los mejores cristianos tenían que ser los mejores maridos, esposas, padres, hijos, amos, siervos, magistrados, súbditos... para que la doctrina de Dios fuese adornada y no blasfemada. Se esforzaba en hacer de su familia una iglesia[...] sin admitir en la misma [es decir, como servidores o huéspedes] a nadie que no fuera temeroso de Dios; y se afanaba porque aquellos que habían venido al mundo en ella pudiesen nacer de nuevo para Dios... Era un hombre de corazón sensible, no sólo respecto a su propio pecado sino también a la desdicha ajena, y no consideraba la misericordia como algo arbitrario sino como un deber; durante el cual, así como oraba pidiendo sabiduría para dirigirle, se aplicaba a la alegría y la generosidad de acción[...]

En su atavío evitaba la suntuosidad y vanidad... deseando expresar sobriedad en todo [un enfoque serio de la vida, en contraposición con la frivolidad irresponsable]. Consideraba toda su existencia como una guerra, en la que Cristo era su capitán, y sus armas las plegarias y las lágrimas. La cruz constituía su bandera, y su lema decía: *Vincit qui patitur* [vence quien sufre].[12]

Así era como concebían la santidad los más robustos cristianos de Inglaterra en tiempos de los puritanos. Resulta evidente, por supuesto, que no se necesita más que un pequeño ajuste para poner al día ese modelo.

Dejemos ahora atrás nuestra posición panorámica para acercarnos más a algunas de las realidades que hemos visto de lejos. Este será nuestro programa para los siguientes capítulos.

---

12. John Geree, *The Character of an Old English Puritane or Nonconformist* (1646); citado de Gordon Wakefield, *Puritan Devotion* [Devoción puritana], Epworth Press, Londres, 1957, x.

CAPÍTULO 5

La vida de arrepentimiento: Crecer menguando

Ahora me gozo, no porque hayáis sido contristados, sino porque fuisteis contristados para arrepentimiento; porque habéis sido contristados según Dios, para que ninguna pérdida padecieseis por nuestra parte. Porque la tristeza que es según Dios produce arrepentimiento para salvación, de que no hay que arrepentirse[...] ¡Qué solicitud produjo en vosotros, qué defensa, qué indignación, qué temor, qué ardiente afecto, qué celo, y qué vindicación! **2 Corintios 7.9-11**

Yo reprendo y castigo a todos los que amo; sé, pues, celoso, y arrepiéntete. **Apocalipsis 3.19**

CRECER Y MENGUAR

De vez en cuando, durante la adolescencia de nuestro hijo, este se ponía con la espalda contra la jamba de la puerta del comedor y consignábamos su altura con lápiz en la madera blanca. Estaba creciendo físicamente, haciéndose más alto con cada mes que pasaba, y tanto él como nosotros nos sentíamos emocionados. Después de todo es excitante ver cómo crecen nuestros hijos: no haber estado interesados en la forma en que él iba ganando altura hubiera sido una señal de que algo raro nos pasaba. Pero este capítulo no trata del crecer, sino del *menguar;* algo que debe aprender a hacer todo cristiano.

Ciertamente es este un verbo que suena extraño en una cultura como la nuestra. Nos alegramos por el hecho de *crecer* físicamente, e instamos a aquellos que han caído en la quisquillosidad infantil a *crecer* emocionalmente. También tenemos por costumbre hablar de *crecimiento* espiritual, y nuestra Biblia hace lo mismo. Efesios 4.15 expresa: «Crezcamos en todo en aquel que es la cabeza, esto es, Cristo»; y 1 Pedro 2.2 dice también: «Desead, como niños recién nacidos, la leche espiritual no adulterada, para que por ella crezcáis para salvación».

Sí, hablar de menguar con un trasfondo así parece verdaderamente raro, lo reconozco, pero ese verbo tiene el cometido de encender una chispa y destacar algo: que *crecemos* en Cristo *menguando,* descendiendo a lo más bajo (humildad viene de la palabra latina *humilis,* que significa bajo). Los cristianos, podríamos decir, son más grandes cuanto más pequeños se hacen.

Juan el Bautista declaró acerca de su propio ministerio respecto al Señor Jesús: «Es necesario que él crezca, pero que yo mengüe» (Jn 3.30). Y algo parecido hay que decir de nuestras vidas como creyentes. El orgullo nos infla como globos, pero la gracia «pincha» nuestra vanidad y deja que salga de nosotros ese aire caliente y soberbio. El resultado (muy beneficioso, por cierto) es que nos encogemos y acabamos viéndonos a nosotros mismos como menos: amables, capaces, sabios, buenos, fuertes, firmes, entregados e íntegros de lo que nunca creímos que fuésemos. Dejamos de engañarnos considerándonos personas de gran importancia para el mundo y para Dios, y nos conformamos con ser insignificantes y prescindibles.

Al descargar nuestras fantasías de omnicompetencia, empezamos a tratar de ser confiados, obedientes, dependientes, pacientes y dispuestos en nuestra relación con Dios. Abandonamos los sueños de conseguir gran admiración por lo maravillosamente bien que vamos, y comenzamos a enseñarnos a nosotros mismos, impasible y prosaicamente, a admitir que, con toda probabilidad, jamás pareceremos (o seremos) personas de éxito según los criterios del mundo. Nos inclinamos ante sucesos que frotan nuestras narices con la realidad de nuestras propias debilidades, y levantamos la vista hacia Dios buscando la fuerza para soportarlos en silencio. Esto es al menos parte de lo que significa responder al llamamiento de nuestro Señor a ser como niños.

El erudito escocés James Denney dijo en cierta ocasión que resulta imposible dar al mismo tiempo la impresión de que soy un gran predicador y Jesucristo un gran Salvador. Pues, del mismo modo, no es posible aparecer a la vez como un magnífico cristiano y que Jesús sea un magnífico Maestro. Así que el cristiano practicará el hacerse un ovillo pequeño, valga la expresión, para que a través de él, o de ella, el Salvador pueda mostrarse grande. A esto me refiero cuando digo crecer menguando.

Menguar para crecer. La vida de santidad consiste en un menguar constante para crecer. Cuando Pedro escribe: «Creced en la gracia y el conocimiento de nuestro Señor y Salvador Jesucristo» (2 P 3.18); y cuando Pablo habla de crecer en Cristo (Ef 4.15), y se regocija de que la fe de los tesalonicenses está creciendo (2 Ts 1.3), lo que ambos tienen en mente es un progreso en empequeñecimiento personal, el cual permite que aparezca la grandeza de la gracia de Cristo. La señal de esta clase de progreso es que ellos sienten y dicen cada vez más que, en sí mismos, no son nada, y que Dios en Cristo ha llegado a serlo todo para su vida actual. La tesis del presente capítulo encaja en el marco de esta mengua constante del yo carnal, si podemos llamarlo así.

Lo que me propongo argumentar es que los cristianos son llamados a una vida de arrepentimiento habitual, como disciplina integrante de la experiencia de santidad saludable. La primera de las noventa y cinco tesis de Lutero clavadas en la puerta de la iglesia de Wittenberg en 1517, declaraba: «Cuando nuestro Señor y Maestro Jesucristo dice: "Arrepentíos..." (Mt 4.17), quiere que toda la vida de los creyentes en la tierra sea de constante arrepentimiento». Y a Philip Henry, un puritano que murió en 1696, le sugirieron que ponía demasiado énfasis en el arrepentimiento al afirmar que esperaba llevar el suyo propio hasta la misma puerta del cielo. Estas dos citas indican cuál es la longitud de onda que ahora sintonizamos.

En la parte de la Columbia Británica donde vivo, cuando llueve mucho, las carreteras cuyos desagües no funcionan quedan pronto inundadas y se hacen inservibles. Del mismo modo, como más tarde veremos, el arrepentimiento constituye la rutina de drenaje del camino de santidad por el que Dios nos llama a transitar; es la forma que tenemos de superar aquello que ha resultado ser suciedad, basura y agua estancada en nuestras vidas. Esta rutina supone una vital necesidad, ya que cuando falla el arrepentimiento verdadero, deja de haber auténtico avance espiritual y cesa bruscamente el verdadero crecimiento en el Señor.

Al hablar de arrepentimiento habitual no quiero decir con ello que dicho arrepentimiento pueda convertirse alguna vez en automático y mecánico, del mismo modo que nuestra lista de buenas maneras o nuestros hábitos de conducir. Eso no es posible: cada acto de arrepentimiento supone una acción distinta y un esfuerzo moral diferenciado, tal vez importante y costoso. El arrepentimiento jamás constituye ningún placer; en más de un sentido, es siempre algo doloroso y seguirá siéndolo mientras dure la vida. No; cuando hablo de arrepentimiento habitual tengo en mente la adquisición y retención de un hábito consciente de arrepentirnos tan a menudo como sea necesario; aunque eso, naturalmente, signifique (admitámoslo) cada día de nuestras vidas. Las iglesias que utilizan una liturgia, tienen la sabiduría de proporcionar oraciones de arrepentimiento para ser usadas en todos los cultos, las cuales constituyen invariablemente palabras de moda. De igual manera, también en nuestros devocionales privados necesitaremos siempre la plegaria de arrepentimiento cotidiana.

Poco se habla en estos tiempos de la disciplina del arrepentimiento regular. Aquellos que escriben acerca de las disciplinas espirituales la han pasado por alto notoriamente, y el *Dictionary of Christian Spirituality* [Diccionario de la espiritualidad cristiana], publicado ahora en Estados Unidos bajo el título de *Westminster Dictionary* [Diccionario Westminster], no tiene ninguna entrada sobre el tema; sin embargo, se trata de una lección básica que hay que aprender en la escuela cristiana de la santidad. El arrepentimiento habitual es, como ya se ha dicho, un asunto de vital importancia para la salud del alma, de modo que vamos a tratar de comprenderlo bien.

¿QUÉ ES EL ARREPENTIMIENTO?

¿En qué consiste el arrepentimiento? ¿Qué significa arrepentirse?

La palabra tiene una vertiente personal y otra relacional. Significa volver sobre lo que antes se ha hecho y renunciar a la mala conducta por la que la vida o la relación de uno estaba siendo dañada. En la Biblia, arrepentimiento es un término teológico que indica un abandono de aquellas formas de actuar en las cuales hemos desafiado a Dios abrazando lo que Él aborrece y prohíbe. La palabra hebrea quiere decir darse la vuelta o volver, mientras que el término griego correspondiente tiene el sentido de cambiar de parecer, de tal modo que uno cambie también su comportamiento. Arrepentirse significa alterar los propios hábitos de pensamiento, las propias actitudes, la perspectiva, la práctica, la dirección y la conducta de un modo tan completo como si hubiera que sacar la vida de uno de un molde equivocado y meterla en otro. El arrepentimiento es una verdadera revolución espiritual. Ahora bien, esa y sólo esa, es la realidad humana que debemos explorar.

Arrepentirse, en el pleno sentido de la palabra, cambiar realmente como hemos descrito, sólo es posible para los cristianos: para aquellos creyentes que han sido libertados del dominio del pecado y hechos vivos para Dios. El arrepentimiento constituye, en este sentido, un fruto de la fe, y por tanto un don de Dios (cf. Hch 11.18). El proceso puede analizarse aliteradamente bajo los siguientes encabezamientos:

1. Reconocimiento real de que uno ha desobedecido y fallado a Dios, haciendo lo malo en vez de lo bueno. Esto parece más fácil de lo que es en la práctica. El escritor T.S. Eliot estaba en lo cierto al comentar: «La humanidad no puede soportar un alto grado de realidad». Nada como un sentimiento vago de culpabilidad en el corazón, es capaz de hacernos aparentar que algo jamás ocurrió o racionalizar para nosotros mismos acciones moralmente objetables. Así David, después de haber cometido adulterio con Betsabé y combinado el mismo con asesinato, obviamente se dijo a sí mismo que se trataba sólo de una prerrogativa regia y, por tanto, no tenía nada que ver con su vida espiritual; de modo que apartó el asunto de su mente, hasta que las palabras de Natán: «Tú eres aquel hombre» (2 S 12.7) le hicieron comprender, por fin, que había ofendido a Dios. Esta toma de conciencia, y ninguna otra cosa, fue, y es todavía, el plantel donde crece el arrepentimiento. El verdadero cambio sólo se inicia cuando salimos de lo que la Biblia considera *autoengaño* (cf. Stg 1.22-26; 1 Jn 1.8) y que los sicólogos modernos llaman *negación* y entramos en aquello que la Escritura denomina *convicción de pecado* (cf. Jn 16.8).

2. Pesaroso remordimiento por el deshonor que hemos causado a ese Dios al que estamos aprendiendo a amar y a quien deseamos servir. He aquí el rasgo distintivo de un corazón contrito (cf. Sal 51.17; Is 57.15). La Edad Media trazó una distinción muy útil entre *atrición* y *contrición* (respectivamente, pesar por el pecado que es estimulado por el miedo a lo que pueda pasarnos o por el amor a Dios; mientras que este último lleva al arrepentimiento verdadero, el anterior no lo hace). El creyente experimenta, no meramente atrición, sino contrición, como le sucedió a David (véanse Sal 51.1-4, 15-17). Un remordimiento contrito, procedente del sentimiento de haber afrentado a la bondad y el amor divinos, se describe y ejemplifica en el relato de Jesús acerca del hijo pródigo que vuelve a su padre (Lc 15.17-20).

3. Petición reverente a Dios de perdón, limpieza de conciencia y ayuda para no volver a caer del mismo modo. Un ejemplo clásico de ese tipo de petición lo tenemos en la oración penitente de David (Sal 51.7-12). El arrepentimiento de los creyentes incluye siempre, y necesariamente, el ejercicio de la fe en Dios para obtener esas bendiciones rastauradoras. Jesús mismo enseña a los hijos de Dios a orar: «Perdónanos nuestros pecados[...] Y no nos metas en tentación» (Lc 11.4).

4. Renuncia decidida a los pecados en cuestión, con una reflexión deliberada en cuanto a cómo mantenerse apartado de ellos y vivir de la forma correcta en el futuro. Cuando Juan el Bautista dijo a la élite religiosa oficial de Israel: «Haced frutos dignos de arrepentimiento» (Mt 3.8), estaba llamándolos a un cambio de dirección de este tipo.

5. Restitución imprescindible a cualquiera que haya sufrido alguna pérdida material por nuestros pecados. La ley del Antiguo Testamento exigía reparación en tales circunstancias. Cuando Zaqueo, el renegado cobrador de impuestos, se hizo discípulo de Jesús, tomó el compromiso de devolver cuatro veces lo obtenido con cada acto de extorsión, siguiendo evidentemente el modelo de aquella exigencia de Moisés de pagar cuatro ovejas por cada una robada y vendida o muerta posteriormente (Éx 22.1; cf. Éx 22.2-14; Lv 6.4; Nm 5.7).

Una aliteración alternativa (¡como si no bastase con una sola!) sería:

1. *discernir* la perversidad, la locura y la culpabilidad de lo que hemos hecho;
2. *desear* ser perdonados, abandonar el pecado y vivir en adelante una vida que agrade a Dios;
3. *determinar* pedir perdón y poder para cambiar;
4. *tratar* con Dios en consonancia;
5. *demostrar,* ya sea mediante testimonio y confesión, o con un cambio de comportamiento, o de ambas formas, que se ha dejado atrás el pecado personal.

Tal es el arrepentimiento, no sólo el inicial del adulto convertido, sino también aquel que lleva a cabo repetidamente el discípulo adulto, que constituye nuestro presente tema.

EL ARREPENTIMIENTO Y LA REFORMA

La época de la Reforma fue un tiempo en el pasado cristiano cuando la vida de arrepentimiento se comprendió bien. El redescubrimiento que hizo Lutero de la justificación actual mediante la fe, basada en la obra acabada de expiación sustitutoria de Cristo, lo guió a desafiar aquella idea corriente de que el arrepentimiento no suponía más que la formalidad de una confesión y absolución sacramentales acompañadas del cumplimiento de cualquier «penitencia» que el sacerdote pudiera imponer. Aunque jamás confirmadas oficialmente, estas nociones habían obtenido la aprobación de la costumbre y el consenso, por lo que el desafío de Martín Lutero era oportuno y muy necesario. Como ya hemos visto, Lutero sostenía que el arrepentimiento debía ser una actividad constante, de por vida, y argumentaba que, al igual que la fe, ha de suponer un ejercicio del corazón.

Alguien que recogió esta idea y corrió con ella fue John Bradford, quien en 1555, cuando contaba cuarenta y cinco años de edad, fue quemado en la hoguera en Londres como parte de la campaña de la reina María para limpiar a Inglaterra de protestantes. Bradford era cristiano en el sentido pleno del término desde hacía sólo seis años; no obstante, durante ese tiempo, había logrado distinguirse entre los reformadores ingleses, tanto en el papel de predicador como por su extraordinaria piedad, para él el arrepentimiento constituía, de un modo muy específico, una forma de vida. Thomas Sampson, el amigo que lo había guiado a la fe, escribió un prefacio a la segunda edición del *Sermon of Repentance* [Sermón de arrepentimiento] de Bradford en *Two Sermons*...[Dos sermones], 1574. Titulado «Al lector cristiano, Tho. Sampson le desea la felicidad de una conversión pronta y completa al Señor», este prefacio posee algo de la realidad y el secreto de la santidad de Bradford. «Tal modelo fue el maestro Bradford de este... arrepentimiento, escribe Sampson, que... enseña, que yo, habiéndolo conocido bien, tengo que darle a Dios esta alabanza por su vida: que entre los hombres apenas he conocido a otro como él».[1]

Y sigue explicando esto con palabras que merecen ser citadas de forma extensiva:

> ...agradó a Dios prepararlo y madurarlo con gran prontitud para el martirio, en el cual por medio de Cristo ha obtenido ahora la corona de la vida. Pero[...] le sirvió de mucha ayuda para avanzar mediante la meditación y la práctica continuada del arrepentimiento y la fe en Cristo, en la cual fue guardado por la gracia de Dios notablemente ejercitado todos los días de su vida.

> ...nuestro Bradford tenía sus prácticas y ejercicios diarios de arrepentimiento. Su manera consistía en hacer de sí mismo un catálogo de los pecados más groseros y enormes que había cometido en su vida de ignorancia, y extenderlos delante de sus ojos cuando oraba en privado, a fin de que, por la vista y el recuerdo de aquellos, pudiera ser estimulado a ofrecer a Dios el sacrificio de un corazón contrito, buscar la seguridad de salvación en Cristo por la fe, dar gracias al Señor por su llamamiento a dejar las sendas de iniquidad, y orar por un aumento de la gracia para ser conducido (es decir, guiado) en una vida santa aceptable y agradable a Dios...

> Tenía tal ejercicio continuo de la conciencia cuando oraba en privado, que no consideraba haberlo hecho a satisfacción a menos que hubiese sentido en su interior alguna compunción

---

1. *Writings of John Bradford: Sermons, etc.* [Escritos de John Bradford: Sermones, etc.], Parker Society, Cambridge, 1848, p. 30.

por el pecado, y una cierta sanidad de esa herida por la fe, experimentando la salud salvadora de Cristo, con algún cambio de parecer en cuanto al aborrecimiento del pecado y al amor por la obediencia de la buena voluntad divina...

...Aprendamos del ejemplo de Bradford a orar mejor, es decir, con el corazón, y no sólo de labios... Como decía Cipriano: *«Porque Dios es oidor del corazón y no de la voz»*; o sea, no de la voz únicamente sin el corazón, ya que esto constituye un mero trabajo de labios...

Otro de sus ejercicios era el siguiente: Solía hacer para sí una efémerides (es decir, un diario) o memoria donde escribía tantas cosas notables como había visto o escuchado durante cada día que pasaba. Pero... lo escribía de tal manera que un hombre pudiera ver en ese libro los signos de un corazón compungido; ya que si veía o escuchaba algo bueno en algún ser humano, al hacerlo descubría y apuntaba la falta de ello en sí mismo, y añadía una corta oración, suplicando misericordia y gracia para enmendarse. Y si escuchaba o veía cualquier calamidad, o desgracia, la anotaba como algo que hubiera sido producido por sus propios pecados, y aún (es decir, siempre) añadía... «Señor, ten misericordia de mí».

[Este parece ser el origen de la anécdota, posterior y no confirmada, de que cuando Bradford veía cómo los criminales eran llevados al patíbulo, decía: «A no ser por la gracia de Dios, allá iría John Bradford».]

Solía anotar en el mismo libro tantos malos pensamientos como le venían a la mente; tales como la envidia por el bien de otros hombres, ideas de ingratitud, de no considerar a Dios en sus obras, o de dureza o insensibilidad de corazón cuando veía a otros conmovidos o afectados. Y así se hacía de sí mismo y para sí un libro de prácticas diarias de arrepentimiento.[2]

Según dice Sampson, el tema principal de Bradford durante sus seis años de vida cristiana fue el arrepentimiento: lo predicaba (sus últimas palabras, nos cuenta, pronunciadas como «si las

---

2. *Writings of John Bradford: Sermons, etc.*, pp. 32-35.

llamas de fuego del infierno volaran cerca de sus oídos», fueron: «Inglaterra... arrepiéntete»[3]) y lo vivía. En cuanto a su participación como miembro del personal de Sir John Harrington en una acción fraudulenta «en perjuicio del rey» antes de que llegase a estar vivo para Dios, Bradford insistió en la restitución: «No pudo sentirse tranquilo hasta que, por consejo del maestro Latimer [Hugh Latimer, antiguo obispo de Worcester, cuyo sermón sobre la restitución había avivado la conciencia de Bradford en un principio], se reparó el agravio. Y para que esto sucediera [aunque el fraude lo había cometido Harrington y no él, y a la larga fue este último quien hizo el reintegro], renunció y se abstuvo voluntariamente de todo el patrimonio propio y seguro que tenía en la tierra».[4] Así, «su vida fue una práctica y un ejemplo: una provocación a arrepentirse».

También en su ministerio Bradford enfatizó la necesidad del arrepentimiento...

> no sólo en la predicación pública, sino también en las conversaciones y los encuentros privados. Ya que, estuviese en la compañía que estuviese, reprendía con libertad el pecado o la mala conducta que apareciera en cualquier persona; principalmente la blasfemia, las palabras obscenas... Y lo hacía con tanta gracia y majestuosidad cristiana que siempre cerraba la boca a quienes se oponían. Porque Bradford hablaba con poder, y al mismo tiempo con una gran dulzura, para que éstos pudiesen reconocer su maldad y verla como algo nocivo para sus propias vidas, así como comprender que en lo que él realmente se esforzaba en Dios era en llevarlos al bien.[5]

El perfil que Sampson hace de Bradford, escrito diecinueve años después de que el reformador fuese quemado, es fascinante en más de un aspecto. En primer lugar, narra lo que parece ser la primera aparición histórica de un diario espiritual particular. Muestra a Bradford como pionero de una práctica en la que, más

---

3. *Writings of John Bradford: Sermons, etc.*, p. 36. El martirólogo John Fox, escribiendo al parecer independientemente, dice que las últimas palabras audibles de Bradford cuando ocupaba su lugar en la hoguera fueron: «Oh Inglaterra, Inglaterra, arrepiéntete de tus pecados»: *Acts and Monuments*, Seeley & Burnside, Londres, 1836-47, VII: 194.
4. *Ibid.*, p. 33.
5. *Ibib.*, p. 36.

tarde, se especializarían los puritanos: a saber, aquella que convierte en efecto el mantenimiento de un diario en un confesionario privado designado para guardar a la persona sincera consigo misma y con Dios. (Como ya apuntamos anteriormente, la sinceridad en cuanto a los propios pecados y locuras es algo difícil de encontrar, y un diario llevado como lo hacía Bradford puede sernos muy útil aquí. Esto resultaba cierto en su época como también lo es en la nuestra.) Luego, en segundo lugar, la luz que las palabras de Sampson arrojan sobre el mismo Bradford y su vívido sentido de la santidad y la bondad divinas, tiene gran fascinación.

La sensibilidad de Bradford al pecado. Resulta evidente que la comprensión que John Bradford tenía de la santidad de Dios y del carácter odioso del pecado era ciertamente muy firme. Algunos hoy en día rechazan esa aguda sensibilidad a lo santo y lo pecaminoso (rara en sí, aunque típica de los líderes espirituales del siglo dieciséis), como la consecuencia de una cultura neurótica. Desde luego que el temor a la ira de Dios constituía una realidad potentísima en toda Europa por aquel entonces, pero considerar el sentido que Bradford tenía de la pureza divina y la impureza humana como algo meramente excéntrico es un prejuicio perverso. John Bradford no hacía sino reconocer la realidad de lo que Dios nos dice, una y otra vez, en las páginas de la Escritura; a saber, que Él odia el pecado en todas sus formas, y que la falta de arrepentimiento de parte de aquellos que han pecado provoca su «ira» (hostilidad judicial, rechazo y juicio retributivo).

Dejemos que sea Bradford quien nos lo explique a su propia manera con algunas citas de su «Oración sobre la ira de Dios contra el pecado».

> Oh Todopoderoso y eterno Dios y Señor, Padre querido de nuestro Salvador Jesucristo, «que hiciste el cielo y la tierra, el mar y todo lo que en ellos hay»; que eres el único soberano, gobernador, preservador y guardador de todas las cosas... Oh santo, justo y sabio; oh fuerte, terrible, poderoso y temible Señor y Dios, Juez de todos los hombres... cuyos ojos están sobre los caminos de cada ser humano, y son tan limpios que no pueden soportar la impiedad; tú «escudriñas los corazones»...

de todos los hombres. Tú odias el pecado y aborreces la iniquidad; a causa del pecado has castigado gravemente al género humano... como declaraste mediante el castigo de la muerte impuesto a todos los hijos de Adán; echando a éste y a sus descendientes del paraíso; maldiciendo la tierra; anegando el mundo; quemando Sodoma y Gomorra.

[Aquí Bradford añade otros varios ejemplos de la justicia punitiva de Dios tomados de la historia que se relata en la Biblia.]

Pero de todos los espectáculos de tu ira contra el pecado, el mayor y más notable es la muerte y la pasión sangrienta de... Jesucristo. Grande es tu enojo contra el pecado, cuando en los cielos y en la tierra no pudo hallarse ninguna otra cosa capaz de apaciguar tu ira que el derramamiento de la sangre de tu único y queridísimo Hijo, en quien tenías y tienes toda tu complacencia... Si en Cristo, en el cual no había pecado, tu ira fue tan feroz para con nuestras transgresiones que Jesús se vio constreñido a decir: «Dios mío, Dios mío, ¿por qué me has desamparado?», ¡cuán grande e inllevable (es decir, insoportable) será entonces esa ira contra nosotros, que no somos sino seres pecaminosos![6]

La admiración temerosa de Bradford, en su discurso al poderoso Creador que muestra tal energía de odio punitivo hacia todas las manifestaciones de la fuerza moralmente destructiva del pecado, no armoniza sin duda con las ideas más apacibles acerca de Dios, ni con las actitudes más serenas hacia Él, que se tienen en la actualidad. Sin embargo, no era exclusiva en modo alguno de la Inglaterra protestante de tiempos de Bradford.

Esa misma actitud tiene una expresión clásica en la oración de confesión de pecado que escribiera Thomas Cranmer, dos o tres años antes, para su Orden de Comunión (1548); una oración que ha aparecido, más o menos intacta, en todas las versiones del Libro de Oración Común anglicano desde los días de Cranmer hasta hoy. Con una intensidad semejante a la de Bradford, la confesión de Cranmer se expresa como sigue:

---

6. *Writings of John Bradford: Sermons, etc.*, p. 224.

Omnipotente Dios, Padre de nuestro Señor Jesucristo, Hacedor de todas las cosas, Juez de todos los hombres; nosotros reconocemos y lamentamos los muchos pecados y maldades, que en varias ocasiones hemos cometido gravemente, por pensamiento, palabra y obra, contra tu Divina Majestad, provocando muy justamente tu ira e indignación contra nosotros. Sinceramente nos arrepentimos, y de todo corazón nos dolemos de todas estas nuestras culpas; su memoria nos aflige; su peso es intolerable. Ten misericordia de nosotros, ten misericordia de nosotros, Padre misericordiosísimo; por amor de tu Hijo nuestro Señor Jesucristo, perdónanos todo lo pasado; y concede que podamos en adelante, servirte y agradarte con una vida nueva, para honra y gloria de tu Nombre; mediante Jesucristo nuestro Señor.[7]

Pensamientos de Otto sobre la santidad. En su obra precursora *The Idea of the Holy* [La idea del Santo] (1923), Rudolf Otto sostenía que la comprensión que tiene la persona religiosa de lo «numinous» (su palabra para referirse a la sensación de la santidad divina) implica algo de miedo (ese sentimiento de admiración y peligro que emana del saber que uno está en las manos de Dios, para bien o para mal, y que Él no es ni servil ni inocuo), pero un miedo unido a la fascinación (el sentimiento de verse atraído, incluso encantado, por la belleza, la bondad, la misericordia y el amor divinos). Ahora bien, hay que decir en seguida que la mayor parte de nuestra religión occidental moderna, particularmente de las líneas teosófica, Nueva Era, protestante liberal y católica modernista, es demasiado cultural en su enfoque, inmanentista, sentimental e insípida para producir alguna forma de experiencia numinosa, ya que presenta a la Deidad en

---

7. Compare la confesión congregacional de Cranmer que inicia sus cultos de «Oración Matutina y Vespertina»: «Hemos errado, y nos hemos extraviado de tus caminos como ovejas perdidas[...] en nosotros no hay salud. Mas tú, oh Señor, compadécete de nosotros, miserables pecadores. Libra, oh Dios, a los que confiesan sus culpas. Restaura a los que se arrepienten». Y compare, asimismo, su colecta para el «Miércoles de Ceniza»: «Crea y forma en nosotros corazones nuevos y contritos, para que confesando dignamente [es decir del modo adecuado] nuestros pecados, y reconociendo nuestra miseria, obtengamos de ti, oh Dios de toda misericordia, remisión y perdón perfectos».

el papel de un buen hombre o, en la teología feminista, de una buena mujer, y no tiene ningún sentido de que Dios reúna en sí mismo los dos aspectos de la trascendencia que destacó Otto. Pero el veredicto ha de ser, no que el análisis de Rudolf Otto está equivocado, sino que buena parte de la religión occidental moderna es, en ciertos aspectos básicos, irreligiosa.

Porque el análisis de Otto se ajusta a las Escrituras. Piense, por ejemplo, en cómo Moisés, Elías, Isaías y Ezequiel conocieron a Dios (véanse Éx 3; 1 R 19; Is 6; Ez 1), y de qué manera Pablo se encontró con Jesús en el camino de Damasco (véanse Hch 9; 22.6-21; 26.12-23). Observe, asimismo, cómo el sentimiento de la soberanía y la gloria trascendentes de Dios brilló durante todo el ministerio posterior de estos hombres.

El análisis de Otto se ve también validado por la percepción de Dios que se agudiza durante los avivamientos y los movimientos de renovación, cuando puede sentirse que Él se ha acercado una vez más y ya no se mantiene distante. Tales movimientos dependen siempre de una comprensión avivada del Señor, o más bien son provocados por esta, en la que se encuentran mezclados invariablemente su imponencia (Dios como todopoderoso distribuidor del destino) y su atractivo (Dios rico en amorosa misericordia). La misma Reforma fue uno de dichos movimientos de renovación, y el análisis que hace Otto resulta ciertamente correcto en lo referente a los reformadores magistrales: Lutero y Calvino, así como Bradford y Cranmer con ellos, y posteriormente los puritanos; como también lo es respecto a los grandes números de personas que se han visto arrebatadas en los sucesivos avivamientos evangélicos que han enriquecido al mundo protestante desde el siglo dieciocho hasta nuestros días.

Los cristianos fervientes siempre se han caracterizado por una doble percepción de lo numinous: por un lado, la gloria trascendente de la pureza y el amor divinos (como se presenta nítidamente en el plan de salvación) los fascina; por otro, la sobresaliente gloria de la soberanía de Dios (como se ve con claridad en su amenaza de juicio por la impiedad), los alarma. Este sentido característicamente cristiano de la misericordia y el terror del Señor es el vivero donde crece esa conciencia de que el arrepentimiento a perpetuidad resulta imprescindible para la vida santa. Tal percepción no se desarrollará bajo cualesquiera otras condiciones; y donde falte la misma, toda supuesta santidad aparecerá, al ser examinada, como defectuosa por la autocomplacencia y miope en cuanto al pecado. Muéstreme, por tanto, a un cristiano declarado que no vea e insista en la necesidad del arrepentimiento continuo y yo le mostraré a un alma enana para la cual Dios no es todavía el Santo en el pleno sentido bíblico del término. La verdadera santidad cristiana se encuentra en la actualidad fuera del alcance de tal persona.

El otro cimiento de Bradford. Pero todo esto sigue siendo únicamente la mitad de la historia. Como nos cuenta Sampson y confirma el legado literario de Bradford en cartas, sermones, meditaciones y oraciones, había otro fundamento sobre el que descansaba la comprensión que este último tenía del arrepentimiento como trabajo de por vida. Lo que despertó dicha comprensión, no fue sólo el sentido que poseía Bradford de la santidad de Dios según la fórmula de Otto, sino también sus propios motivos de gratitud por la gracia recibida, y su amor por el Dios de gracia que lo había redimido mediante la cruz y llamado a la fe en Cristo para salvación. Bradford era un ejemplo radiante de este aspecto de la santidad, acerca del cual Otto tenía menos que decir.

Como suele suceder a menudo con los santos de Dios, en el enfoque devocional de la vida de Bradford había una individualidad marcada, incluso una excentricidad según los criterios sociales corrientes. Esto no debería considerarse algo extraño, sino más bien natural: las personas santas que aman a Dios, como sucede con las parejas enamoradas que únicamente tienen ojos y pensamientos el uno para el otro, pueden actuar de un modo poco común en compañía de otra gente. Al perseguir la única relación que realmente les importa, pasarán por alto todo y a todos durante largos períodos, ya que su dueño es exclusivamente el amor. El corazón de Bradford pertenecía por completo a Dios, y su conducta reflejaba el amor que había en el mismo. Sampson describe cómo solía meditar en público:

…los que lo conocían podían ver cómo, estando él en su compañía, se sumía con frecuencia en una repentina y profunda meditación, durante la cual permanecía sentado con una expresión fija y un espíritu conmovido, empero sin proferir palabra durante largo rato. Y algunas veces, en este silencio, abundantes lágrimas le corrían por las mejillas. En ocasiones se instalaba en el mismo y salía de él con una expresión sonriente. Con frecuencia he comido y cenado con él... veces en que... se sumía en esas profundas meditaciones y, al final de las mismas, me contaba tales cosas de ellas que podía comprender cómo en ciertas ocasiones se le saltaban las lágrimas ya fuera de gozo o de tristeza.[8]

Y acerca de la vida de oración de Bradford mientras era preceptor en Cambridge, Sampson escribe:

por la mañana solía asistir a la oración común en el colegio donde estaba [Pembroke Hall], y después de ello orar un poco con sus alumnos en su despacho; pero no contento con esto, acudía a su propia oración secreta... como alguien que no hubiera orado todavía a su gusto, ya que tenía la costumbre de decir a sus allegados: «He orado con mis alumnos, pero aún no lo he hecho conmigo mismo».[9]

Para Bradford la oración era prioritaria: «La oración fiel, decía, es el único medio por el que, a través de Cristo, obtenemos al mismo tiempo todas las cosas necesarias... y retenemos y guardamos segura la gracia de Dios que nos ha sido dada».[10] Como hemos visto, el orar era siempre para John Bradford un ejercicio tremendamente humillante, escudriñador y exigente de arrepentimiento. Él mismo escribió al respecto:

...en tu oración desecha el propósito de pecar, porque quien ora con la intención de seguir en cualquier pecado no puede ser oído... Porque del mismo modo que alguien que tiene una herida desea en vano su curación mientras en la misma permanezca aquello que la ha causado un cuchillo, un perdigón, un dardo, una cabeza de flecha, etc., vana es también la oración del que retiene todavía el propósito de seguir pecando, puesto que con ello el alma no está menos herida que el cuerpo con una espada... Cuando te dispones a orar, di adiós... a tu codicia, a tu impureza, a tus juramentos, a tus mentiras, a tu malicia, a tus borracheras, a tu glotonería, a tu ociosidad,

8. *Writings of John Bradford: Sermons, etc.*, p. 35.
9. *Ibid.*, p. 34.
10. *Ibid.*, p. 14.

a tu orgullo, a tu envidia, a tu garrulidad [chismorreos], a tu pereza, a tu negligencia, etc. Si sientes que tu propia voluntad obstinada y perversa se muestra reacia a ello, quéjaselo *(sic)* sin más al Señor y pídele por amor de su Cristo que reforme tu malvado ánimo.[11]

¿POR QUÉ UN ARREPENTIMIENTO CONTINUO?

Ahora podemos ver claramente por qué para Bradford, al igual que para el resto de los creyentes, la vida cristiana debe ser (como dijo Lutero) un ejercicio de arrepentimiento continuo antes que ninguna otra cosa. Desarrollado, he aquí el razonamiento que lo explica: Dios es el Creador, quien hizo que todo existiese para su propio placer, y de quien depende la existencia de todo, momento a momento. Él tiene derecho a prescribir cómo deberían comportarse sus criaturas racionales. Y así lo ha hecho en su ley divina, la cual requiere de nosotros que seamos santos como Él lo es: semejantes a Él, en nuestro propio nivel humano, en cuanto a carácter y conducta, deseos, decisiones y deleites. Debemos invertir todas nuestras facultades en una vida de adoración agradecida y servicio leal: de fidelidad, rectitud, integridad y amor, tanto hacia Él como hacia nuestros semejantes; una vida moldeada por el propósito de glorificarle mediante la obediencia sabia y hábil a su verdad revelada. Expresado en términos del nuevo pacto, hemos de reconocer que en todas las circunstancias se nos exige que seamos personas sinceras, piadosas, resueltas, dinámicas y apasionadas, que se comportan siempre a semejanza de Jesús, con corazones ardientes, cabezas frías y en sus cinco sentidos. Se demanda de nosotros justicia completa, como expresión de devoción y compromiso totales, y se nos asegura que nada menos que eso bastará.

La pureza y la rectitud del propio carácter de Dios, y sus juicios de valor (lo que es bueno y vale la pena, y aquello que no lo es ni la vale) son fijos e inmutables. Él no puede sino mostrarse hostil hacia aquellos individuos y comunidades que se mofan de su ley, ni hacer otra cosa que, más tarde o más temprano, visitarlos con demostraciones de juicio retributivo para que todas sus criaturas racionales vean la gloria de su inflexibilidad moral.

11. *Ibid.*, p. 22.

A causa de la majestad de Dios como rey soberano del universo, el pecado (la rebeldía, el errar el blanco moral, el no practicar la justicia con toda el alma y todo el corazón) es un asunto importante. A la cultura secular occidental, que ha atrofiado deliberadamente el sentido de la majestad divina, le cuesta trabajo creerlo, pero así es. Algunos pecados son intrínsecamente mayores y peores que otros, pero no hay pecado pequeño contra un Dios grande.

El propósito divino al crearnos, al igual que al hacernos nuevas criaturas, es que seamos santos; por tanto, la ligereza y despreocupación moral en cuanto a si agradamos o no a Dios supone en sí algo sumamente perverso. Ninguna expresión de creatividad, heroísmo o comportamiento decente puede cancelar el desagrado de Dios al verse descuidado de esta manera.

Dios escudriña nuestros corazones al igual que pesa nuestros hechos; por esta razón, la culpabilidad del pecado se extiende a las deficiencias de nuestros motivos y propósitos tanto como a nuestra actuación. El escritor T. S. Eliot habló acerca de la «mayor traición de todas: hacer lo correcto por la razón indebida», y Dios observa y evalúa las razones que tenemos para la acción tan meticulosamente como las acciones mismas. En un sentido, cabe decir que Él enfoca más su atención en el corazón, el centro y la médula de nuestro ser en cuanto a los pensamientos, las reacciones, los deseos y la toma de decisiones, que en los hechos realizados; ya que Dios nos conoce de un modo más real por lo que pasa en el mismo.

Dios es bueno y misericordioso con todas sus criaturas, y ha amado tanto al mundo como para entregar a su único Hijo al sufrimiento en la cruz por nuestra salvación. La sola respuesta adecuada, y en realidad una de las demandas permanentes de Dios, es esa acción de gracias que expresa la gratitud del corazón activamente. La ingratitud y la falta de amor hacia Él son tan culpables a sus ojos como cualquier forma de infidelidad e injusticia en el trato con nuestros semejantes. El violar el primero y más grande de los mandamientos tiene que constituir el pecado mayor y principal (véase Mt 22.34-40).

Dios promete perdonar y restaurar a todos aquellos que se arrepienten de su pecado. Porque el pecado, tanto de omisión como de comisión, en cuanto a motivo, objeto, pensamiento, deseo, anhelo y fantasía, si no de acción externa, es un acontecimiento diario en las vidas de los cristianos (¿verdad que así sucede

134

en su caso?), el arrepentimiento supone una necesidad permanente.

Dicho arrepentimiento debe ser completo: algo del corazón, como lo fue el pecado. El arrepentimiento mediante el cual uno confiesa y abandona su transgresión con la confianza de que Dios, al igual que ha venido diciendo el Libro de Oración Anglicano desde que Cranmer lo redactara, «perdona y absuelve a todos los que se arrepienten de veras y creen sinceramente su santo evangelio», expresa de forma directa el deseo del corazón regenerado de aferrarse a Dios y amarle y agradarle a Él constantemente. Es este deseo lo que engendra el propósito de abandonar el pecado y volver contritamente al Señor.

Acariciar el pecado es un obstáculo. Las personas regeneradas saben que el pecado cuando es acariciado llega a ser un estorbo para gozar de la comunión con Dios; ello insta al Señor a quitarles la seguridad y hacer que sientan su desagrado mediante la disciplina tanto interna como externa. De modo que tales personas experimentan el impulso constante de orar como lo hacía el salmista: «Examíname, oh Dios, y conoce mi corazón; pruébame y conoce mis pensamientos; y ve si hay en mí camino de perversidad, y guíame en el camino eterno» (Sal 139.23). Esto ha sido expresado en verso de un modo conmovedor en cierto himno que empieza de la siguiente manera:

Pruébame, oh Dios, mis obras pesa;
   Y que mi vida entera se revele
Cual tus penetrantes ojos la contemplan;
   Y que a los míos nada oculto quede.

Mi íntegro sentido hoy escudriña
   Y mi corazón conoce por entero,
Pues parte alguna de ti queda escondida,
   Muéstrame Tú lo oculto de mi ser.

Arroja luz en las oscuras celdas
   En las cuales gobiernan las pasiones;
Aviva mi conciencia hasta que sienta
   Cuán repulsivas son las transgresiones.

Mis pensamientos todos examina,
   Y las fuentes secretas del motivo,

Las cámaras donde cosas corrompidas
Ejercen sobre el alma su dominio.

¡Ninguna persona regenerada en su sano juicio deseará que la descubran acariciando el pecado! Del mismo modo que el gran pez expulsó a Jonás de su interior vomitándolo a tierra seca, el creyente nacido de nuevo se esforzará porque el pecado salga de su organismo espiritual, reconociéndolo y renunciando a él arrepentido. En ocasiones, esto implica algunos gestos públicos espectaculares, tales como:

- El que Zaqueo anunciara que la mitad de su patrimonio lo entregaba a los pobres y todo el dinero defraudado lo devolvía cuadruplicado (Lc 19.8); o
- el que los magos efesios convertidos quemasen sus bibliotecas ocultistas (Hch 19.19); o
- el que los corintios se apresurasen a imponer por mandato congregacional la disciplina eclesiástica que antes habían descuidado (2 Co 7.9-11); o
- la confesión pública de pecado que se produce una y otra vez en tiempos de avivamiento. (Véanse Mt 3.6; Hch 19.18).

Sin embargo, siempre existirá el examen de conciencia en la presencia de Dios como disciplina del discípulo de Jesucristo, dependiendo de la ayuda del Espíritu Santo para detectar aquello que es necesario corregir. En lo más hondo de sí mismos, todos los cristianos desean arrepentirse de cuanto ensucia sus vidas y abandonarlo.

Aquí tenemos, nuevamente, una lección de profunda importancia que aprender de Bradford. Cuando este firmaba las cartas, como lo hacía, con las palabras: «un verdadero hipócrita maquillado, John Bradford», «un verdadero hipócrita», «el pecador más miserable, indiferente e ingrato», «el pecaminoso John Bradford»,[12] no estaba haciendo un paripé piadoso, sino realmente testificando de su intenso sentido de la imperfección terreno. Bradford anhelaba avanzar más en la senda del arrepentimiento sincero de lo que había sido capaz de hacerlo hasta esa fecha. En

---

12. Ibid., pp. 10,20,31,34.

realidad, es una ley de la vida espiritual el que, cuanto más lejos se llega, tanto más consciente es uno de la distancia que le queda aún por recorrer. Su creciente deseo de Dios hace que la persona perciba más, no tanto dónde se halla en su relación con Él, sino más bien en qué lugar no se encuentra todavía. Lo que pudiera parecernos exagerado en el lenguaje de Bradford, no es más, ni tampoco menos, que un indicio del fervor con el cual ansiaba convertirse en un mejor hombre en Cristo del que percibía ser. ¡Qué diferentes serían las cosas si nosotros tuviéramos tan sólo la mitad de dicho fervor!

Arrancar el pecado. Los jardineros libran una constante guerra contra las malas hierbas. Las peores son las que se extienden por debajo de la tierra formando una cuna de raíces entretejidas de la que brotan luego vástagos los cuales salen a la superficie por todas partes. El sistema de raíces del pecado produce las transgresiones particulares como brotes de esa misma forma. Un pecado refuerza al otro, conectado como está bajo la superficie: así, la envidia y la ambición se fortalecen mutuamente; y lo mismo sucede con la lujuria, el orgullo y la ira; la codicia y la pereza harán más fuertes las inclinaciones del individuo a tomar atajos morales, y estos, a su vez, reforzarán la codicia y la holgazanería; etcétera.

El conocimiento de uno mismo que se ensancha y extiende al caminar con Dios, escuchar la predicación y la enseñanza de su Palabra, y al vivir en una comunión sincera con sus santos, a menudo nos confronta con este tipo de conexiones en nuestro interior, y nos obliga a comprender, una vez tras otra, que como dijera en cierta ocasión un creyente veterano estando yo presente: «Veo que tengo que arrepentirme de algunas cosas». (Y salió durante una hora y lo hizo.) El desenmarañar las enredadas raíces e identificar los elementos oscuros de nuestras motivaciones se revela en la práctica como una tarea interminable.

Al igual que los que aprenden a tocar el piano deben seguir practicando una amplia gama de ejercicios ideados para vencer sus deficiencias particulares y dar nueva agilidad a sus dedos, también los que somos alumnos en la escuela de santidad de Cristo hemos de continuar arrepintiéndonos a medida que se nos hacen patentes, uno tras otro, los fallos y las faltas de nuestro sistema moral y espiritual. Lo que el Libro de Oración Anglicano llama «arrepentimiento sincero [es decir sentido]» es, como vimos anteriormente, ese aspecto de menguar que comprende el crecimiento en santidad. La santidad no puede seguir creciendo en nosotros si se ha detenido nuestro arrepentimiento de corazón.

Esta es una forma de decir que la conversión debe ser continua. Durante más de tres siglos, los protestantes han equiparado este concepto con lo que el *Catecismo Menor de Westminster* denomina «arrepentimiento para vida: una gracia salvadora, por la cual el pecador, con un verdadero sentimiento de su pecado, y comprendiendo la misericordia de Dios en Cristo, con dolor y aborrecimiento de su pecado, se aparta del mismo para ir a Dios, con pleno propósito y esfuerzo para una nueva obediencia».[13]

Para muchos cristianos existe un momento de conversión consciente, y tal experiencia «repentina» supone una gran bendición. Tiene que haber para todos nosotros alguna forma de entrada a ese estado de convertidos en el cual nadie se encuentra por naturaleza. Representa una alegría poder recordar cómo tuvo lugar nuestra entrada en dicho estado.

Pero aún hay más: dejando atrás «la hora en que creí», la conversión debe transformarse ahora en un proceso de por vida. Desde este punto de vista, se ha definido dicha conversión como un asunto de entregar tanto de uno mismo como se conoce a tanto como se sabe de Dios. Lo cual significa que, a medida que crece nuestro conocimiento del Señor y de nosotros mismos (y los dos se desarrollan juntos), nuestra conversión necesita repetirse y extenderse constantemente.

Pensar en estos términos es ponerse a la altura de Calvino, quien se refirió explícitamente a la «conversión repentina» *(subita conversio),* por la que Dios «subyugó e hizo dócil» su duro corazón

---

13. *Catecismo menor de Westminster,* respuesta 87. Compárese con la *Confesión de Westminster,* XV: «Del arrepentimiento para vida»: «El arrepentimiento para vida es una gracia evangélica, y la doctrina que a ella se refiere debe ser predicada por todo ministro del evangelio, tanto como la fe de Cristo. Al arrepentirse, un pecador se aflige por sus pecados y los aborrece, movido no sólo por su contemplación y el sentimiento de peligro, sino también por lo inmundos y odiosos que son, como contrarios a la santa naturaleza y a la justa ley de Dios. Y al comprender la misericordia de Dios en Cristo, para aquellos que se arrepienten, el pecador se aflige y aborrece sus pecados, de manera que se aparta de todos ellos y se vuelve hacia Dios... el arrepentimiento... es de tanta necesidad para todos los pecadores que ninguno puede esperar perdón sin arrepentimiento» (i-iii).

y le dio a él «cierto anticipo y conocimiento de la verdadera piedad»;[14] además, en su *Institución de la religión cristiana*, formuló un concepto de conversión como la práctica del arrepentimiento activo de por vida, que es fruto de la fe y brota de un corazón renovado:

> Bajo el nombre de «arrepentimiento» se comprende la totalidad de la conversión a Dios... La palabra para designar el «arrepentimiento» significa «conversión» o «vuelta»; el término griego indica un cambio de mentalidad e intención. Y, evidentemente, la realidad responde perfectamente a ambas etimologías, pues el arrepentimiento en definitiva consiste en alejarnos de nosotros mismos y convertirnos a Dios; en dejar nuestra vieja y propia voluntad y revestirnos de otra nueva. Por esto, a mi parecer, podríamos convenientemente definir el arrepentimiento diciendo que es una verdadera conversión de nuestra vida a Dios, la cual procede de un sincero y verdadero temor de Dios, y que consiste en la mortificación de nuestra carne y del hombre viejo y en la vivificación del Espíritu.[15]

¡Exacto!

MODELO DE ARREPENTIMIENTO

Hasta aquí hemos tratado del arrepentimiento en unos términos muy generales. Ahora, sin embargo, deberíamos tomar nota de que dicho arrepentimiento es, por su misma naturaleza, específico. Conocer con precisión de qué debe uno volverse, supone sólo parte de la realidad del mismo. El arrepentimiento vago no representa nada, o al menos casi nada: «Es deber de todo hombre procurar arrepentirse específicamente de sus pecados concretos».[16]

Así descubrimos que juntamente con los llamamientos generales al arrepentimiento registrados en la Biblia (véanse Mt 3.2; 4.7; Mr 6.2; Lc 5.2; 13.5; Hch 2.8; 3.19; 17.30), hay pasajes que

---

14. Prefacio, *Comentario a los Salmos*, 1557.
15. *Institución de la religión cristiana*, III, iii, 5.
16. *Confesión de Westminster*, XV. v.

mencionan algunos traspiés específicos de los cuales los culpables deben arrepentirse. Examinaremos ahora brevemente uno de los pasajes más llamativos de esa clase: las cartas que envía el Señor Jesucristo desde su trono a cinco de las siete iglesias a las cuales se dirige en Apocalipsis 2–3. De tal pasaje deberíamos destacar los siguientes puntos:

1. Después de la visión de Jesucristo en su gloria que le es dada al corresponsal (1.12), las cartas constituyen el verdadero núcleo de este libro. Las visiones del conflicto y el triunfo futuros para el Señor y su pueblo (caps. 4–22), son una especie de apéndice, o programa, adjunto a las misivas para dar solidez a la repetida promesa de que Cristo incluirá una bienaventuranza inimaginable con todo creyente que salga victorioso (véanse 2.7,11,17,26; 3.5,12,21).

2. Las cartas se dirigen a las iglesias, pero en realidad sus destinatarios son cada uno de los individuos que las componen: «El que tiene oído» (singular) debe oír; «el que venciere» (singular) será recompensado. Como siempre, la Palabra de Dios individualiza a sus receptores: cada oidor o lector debe comprender que la Palabra va dirigida a su corazón y espera una respuesta personal.

3. Se especifican los pecados de las iglesias colectivamente y de sus miembros como individuos. Éfeso ha abandonado su primer amor (2.4); Pérgamo tolera una enseñanza contra la santidad (2.14); Tiatira ha alentado a una maestra inmoral (2.20); Sardis ha caído en la inercia espiritual y en una ligereza de comportamiento subcristiana (3.1); Laodicea está tibia, satisfecha de sí misma y complacientemente falta de entusiasmo por las cosas espirituales (3.15,17). Expresándolo a la inversa, esas iglesias han fracasado en cuanto a mantener un espíritu de amor por su Señor, la justicia sin compromiso, la intolerancia de lo intolerable, el celo por la gloria de Dios y la disposición a esforzarse por Cristo. De esos fallos específicos, todos los cuales tienen que ver con la calidad de su discipulado y de la lealtad a su Rey, Jesús mismo les exige ahora que se arrepientan.

4. Al igual que expresa el amor de Jesús, y su propósito de bendecir, cuando desde su gloria el Señor dice a los suyos que reconozcan los pecados que han cometido y se

arrepientan de ellos, también muestra dicho amor al ponerse Él ante los creyentes para renovar la comunión de éstos consigo mismo (3.20). El arrepentimiento cristiano debería dirigirse a Jesús como Señor, del mismo modo que los arrepentidos deberían mirarlo a Él como Salvador para recibir su perdón y su restauración iniciales.

He aquí, por tanto, un modelo de arrepentimiento cristiano para hoy.

«Confesaos vuestras ofensas unos a otros, y orad unos por otros, para que seáis sanados», escribe Santiago (Stg 5.16), y no está hablando de las formalidades de la absolución institucionalizada, sino de esa íntima amistad cristiana que caracteriza a las relaciones que hoy en día se promueven de responsabilidad ante otros. En esta clase de relaciones, uno cuida de otra persona dentro de un marco de vidas libremente conjuntas: tanto en aquellas cosas tristes como en los fracasos y caídas, como en esas otras alegres de los triunfos y las liberaciones. La confesión de pecados dentro de una amistad pastoral de este tipo, es una expresión importante del arrepentimiento y no deberíamos permitir que la vergüenza nos impida hacerla.

Confesar nuestros pecados a otra persona que nos conoce como semejante y amigo es comprometerse a un esfuerzo redoblado para no caer nuevamente de esa manera. Pedir a nuestros amigos que oren por nosotros a fin de que seamos sanados (la sanidad que Santiago tiene en mente es moral y espiritual; en otras palabras, una curación personal del tipo más significativo), es hacernos responsable ante ellos de mantener ese compromiso de un modo permanente. Hay pocos de nosotros, creo yo, que conozcan realmente el valor que tienen, para un arrepentimiento sincero y una lucha entusiasta contra la tentación, las relaciones basadas en el rendir cuentas a otros.

El reconocimiento franco de los propios pecados ante los amigos en Cristo es parte del patrón bíblico para el arrepentimiento cristiano.

GUÍA PRÁCTICA EN CUANTO AL ARREPENTIMIENTO

Sin duda habrá usted oído hablar del irlandés que, cuando se le preguntó el camino para ir a Dublín, se rascó la cabeza y dijo:

«Desde luego, si yo tuviera que ir a Dublín no partiría desde aquí». Del mismo modo, debo confesar que cuando se trata de intentar ayudar a los cristianos a adquirir el hábito del arrepentimiento continuo, preferiría no arrancar desde este punto: es decir, del ambiente cultural que caracteriza al Occidente moderno. Todo, humanamente hablando, se opone a este propósito, quizá como nunca antes.

Sabemos que la cultura fluctúa entre el optimismo engreído que anima a la gente a tomarse demasiado en serio y a confiar demasiado en sí misma, y el frívolo pesimismo que la hace no considerarse a sí misma y a su propia vida todo lo seriamente que debiera. Alentado por los triunfos tecnológicos, el Occidente se encontraba en el primero de esos dos talantes, al comenzar el presente siglo. Desinflados luego por las guerras, las crisis y toda clase de vueltas sociales a la barbarie, nos hallamos ahora en el segundo de ellos cuando el siglo veinte toca a su fin. Nuestro sentido de la dignidad y de la gloria de ser humanos ha quedado erosionado, y hoy en día la vida se considera como algo meramente trivial, esa es una de las razones por las cuales nuestra cultura está tan dispuesta a sonreír al aborto y a la eutanasia.

El cristianismo ha perdido por completo su liderazgo cultural:

- el mundo de la educación está controlado por el relativismo secular;
- el materialismo consumista manda en el mercado;
- se ridiculiza la idea de que podamos conocer la verdad definitiva acerca de la vida;
- se exige tolerancia para todo lo que se aparte de la sabiduría del pasado; y
- cualquier apelación a normas absolutas en cuanto al bien y el mal se considera fanatismo.

En la práctica, el cristianismo ha dejado de ser la base aceptada por todos para la vida personal y comunitaria en Occidente, y ha sido rebajado a un mero pasatiempo para esa minoría a la que todavía interesa.

Al mismo tiempo, las iglesias occidentales presentan un espectáculo de confuso desorden tanto en lo referente a la fe como a la moral. En vista de cómo se genera y aplaude el pluralismo de creencias en los centros de estudio teológico, parece seguro que la confusión seguirá reinando. Es un hecho triste, pero innegable, que en la actualidad el arrepentimiento apenas se menciona en la evangelización, la enseñanza y el cuidado pastoral, ni siquiera entre los evangélicos y los tradicionalistas cristianos. La preocupación de estimular el entusiasmo congregacional, apoyar a los creyentes para que superen sus crisis, descubrir y pulir los diferentes dones y habilidades, proveer programas en función del interés de la gente, y aconsejar a las personas con problemas de relaciones, lo han desplazado. Como resultado de ello, a las iglesias mismas, tanto ortodoxas como heterodoxas, les falta realidad espiritual, y sus miembros son, con demasiada frecuencia, individuos superficiales sin hambre alguna de las cosas profundas de Dios.

No, la nuestra no es una buena época para tratar de promover la disciplina del arrepentimiento continuo; sin embargo, este énfasis siempre se necesita, y doblemente cuando el arrepentirse ha pasado de moda. De manera que continuaré con ello.

Mi tarea consiste ahora en atar cabos y resumir lo que ya hemos visto acerca del arrepentimiento, de modo que nos proporcione una guía práctica. Como a estas alturas resultará obvio, creo que así como los cristianos debemos alabar a Dios, darle gracias y pedirle cada día, deberíamos también arrepentirnos a diario. Esta disciplina es tan fundamental para la santidad como cualquier otra. Aunque hubiese otros aspectos erróneos en la vieja práctica de la penitencia, su exigencia de presentarse con regularidad en el confesionario mantenía al menos conscientes a los cristianos de que afrontar, abandonar y luchar contra los pecados es una tarea continua. Cuanto más avanza uno en la vida santa, tanto más pecado encuentra en las actitudes de su propio corazón el cual necesita ser tratado de esta manera. Así como la tenacidad de nuestra devoción interna es el indicio real de la calidad de nuestro discipulado, la minuciosidad del arrepentimiento diario en nuestra vida lo es de la calidad de nuestra devoción. No hay vuelta de hoja en cuanto a eso. Lo que necesitamos aprender, o reaprender, a este respecto puede resumirse como sigue:

La pureza de Dios. Primeramente, sólo por medio de un arrepentimiento constante y cada vez más profundo pueden los pecadores *honrar la pureza de Dios.*

El Dios al que pretendemos amar y servir se deleita en la justicia y odia el pecado. La Escritura: es muy clara en cuanto a eso.

Porque tú no eres un Dios que se complace en la maldad; el malo no habitará junto a ti. **Salmo 5.4**

Muy limpio eres de ojos para ver el mal, ni puedes ver el agravio. **Habacuc 1.13**

Abominación son a Jehová los perversos de corazón; mas los perfectos de camino le son agradables[...] Los labios mentirosos son abominación a Jehová; pero los que hacen verdad son su contentamiento. **Proverbios 11.20; 12.22**

aborrece Jehová[...] los ojos altivos, la lengua mentirosa, las manos derramadoras de sangre inocente, el corazón que maquina pensamientos inicuos, los pies presurosos para correr al mal, el testigo falso que habla mentiras, y el que siembra discordia entre hermanos. **Proverbios 6.16-19**

La pureza divina es simplemente otro nombre para designar ese odio. Debemos comprender que, al llamarnos como lo hace a la pureza (véanse Sal 24.4; Mt 5.8; 1 Ti 1.5; 5.22; 1 Jn 3.3), Dios está exigiéndonos que cultivemos el mismo aborrecimiento en nuestros propios corazones.

Por consiguiente, la Palabra de Dios para todo su pueblo es: «Aborreced el mal, y amad el bien» (Am 5.15); «Aborreced lo malo, seguid lo bueno» (Ro 12.9). Y la respuesta apropiada por nuestra parte: «¡Ojalá fuesen ordenados mis caminos![...] He aborrecido todo camino de mentira[...] Juré y ratifiqué que guardaré tus justos juicios[...] Apartaos de mí, malignos, pues yo guardaré los mandamientos de mi Dios» (Sal 119.5,104, cf. 128,106,115).

¿Pero cómo deberíamos abordar el hecho de que nuestra obediencia siempre resulta ser menos que perfecta?

Aquellos que descuidan la disciplina del arrepentimiento minucioso de sus fallos, junto con el examen regular de conciencia para discernir estos últimos, se comportan como si Dios simplemente cerrara los ojos a nuestras deficiencias morales, lo que equivale en realidad a insultarle, ya que tal indiferencia supondría en sí un defecto ético. Pero Dios no es indiferente a la moral, y nosotros no debemos actuar hacia Él como si lo fuese: la verdad es que la única forma de mostrar un auténtico respeto por la verdadera pureza divina es poniéndonos en contra del pecado de un modo auténtico. Esto significa, no sólo un propósito resuelto de agradar a Dios mediante el celo consagrado por guardar su ley, sino también arrepentimiento. Este no consiste en meras palabras rutinarias de pesar mientras pedimos perdón sin que nuestro corazón participe en ello, sino una confesión deliberada, una humillación explícita de nuestras personas, una sensación de vergüenza en la presencia de Dios al contemplar nuestros fallos. Porque la pureza de Dios, como ya hemos visto, le hace aborrecer el mal. Su exigencia de que seamos como Él requiere de nosotros que también lleguemos a odiarlo, comenzando por el mal que encontramos en nosotros mismos.

Aquí nos vendría bien examinar un pasaje bíblico clásico que perfila el arrepentimiento desde dentro. En el Salmo 51, según la tradición, David sale a la luz pública poniendo en verso la contrición que le había expresado a Dios después de ser convencido de su pecado en lo tocante a Betsabé y Urías. El rey había quebrantado el décimo mandamiento al codiciar la mujer de su prójimo; el octavo, robándosela; el séptimo, cometiendo adulterio con ella; el noveno, indirectamente, al intentar engañar a Urías para que tratase al niño que iba a nacer como suyo propio; y el sexto, de manera directa, matando a su oficial desde lejos. Luego, como ya señalamos anteriormente, David pasó un año negando importancia a lo que había hecho; hasta que Natán, en su papel de vocero de Dios, le mostró el desagrado divino por ello (véase 2 S 11-12). Sin embargo, en el Salmo 51, vemos a un David que ha vuelto en sí y expresa ahora un arrepentimiento muy completo, en seis etapas distintas, del modo siguiente:

1. Los versículos 1-2 son *una súplica de misericordia y perdón*. Se demuestra un verdadero conocimiento del pacto divino. En la Reina-Valera de 1960, David hace mención de la «multitud de tus piedades [de Dios]», pero en la traducción *New International Version* al inglés apela a «tu incansable amor»; o lo que es lo mismo, a la fidelidad de pacto del Señor hacia aquellos con quienes se ha comprometido. Dicho pacto, mediante el cual Dios y los seres humanos se obligan a pertenecerse mutuamente para siempre, es la base de toda religión bíblica. Cuando los siervos de Dios

tropiezan y caen, la fidelidad divina a ese pacto al cual han sido infieles constituye su única esperanza. Esta relación de acuerdo es enfáticamente un don de gracia de parte de Dios. Él la inicia y la sostiene, soportando todas las locuras y los vicios de sus compañeros de pacto. Porque los santos de Dios han sido, son y seguirán siendo criaturas estúpidas y pecaminosas que sólo pueden vivir delante de Él gracias al perdón constante de sus continuos fallos. Sin embargo, el arrepentimiento es el único camino para obtener dicho perdón.

2. Los versículos 3-6 son *un reconocimiento de culpa y del castigo que merecemos por nuestros pecados.* Demuestran una comprensión de lo que es el pecado como perversidad innata de nuestro corazón la cual se expresa mediante los pecados: actos específicos de maldad y perversidad a los ojos de Dios. Las verdades profundas aquí son: primeramente, que no somos pecadores porque pecamos, sino más bien que pecamos porque somos pecadores (vv. 5-6); en segundo lugar, que todos nuestros pecados y nuestras inhumanidades no menos que nuestras idolatrías van en contra de Dios (v. 4).

3. Los versículos 7-9 suponen *un clamor del corazón por la limpieza del pecado y la cancelación de la culpa.* Demuestran una comprensión de la salvación como obra de Dios que restaura el gozo en la comunión consigo mismo mediante la seguridad del perdón de los pecados. Los «huesos» de David (su yo consciente, la persona que sabe que es) están «abatidos» (incapaces de funcionar debidamente) a causa de su conciencia acusadora, y él pide literalmente que «bailen» (se «recreen» o se «regocijen», como dicen todas las versiones) mediante la concesión de esta seguridad (v. 8), una vívida metáfora de la revitalización de la vida interior que se produce al conocer que uno ha sido perdonado.

4. Los versículos 10-12 son *una petición de avivamiento y renovación en Dios.* Demuestran una comprensión de la vida espiritual esencialmente como respuesta estable y positiva del espíritu humano a Dios; una respuesta producida y mantenida por el ministerio regenerador del mismo Espíritu divino que mora en la persona. Dios actúa quitando al mismo tiempo nuestro demérito, nuestra corrupción y nuestro desvío; no nos salva en nuestros pecados, sino de

nuestros pecados. Aquel a quien Él justifica, también lo santifica. Cuando no hay indicios de un corazón puro (que aborrezca el pecado y refleje la pureza divina) o de un «espíritu recto ... noble» (la disposición de honrar y obedecer a Dios, resistiendo a las tentaciones), podemos muy bien dudar que la persona se halle en algún estado de gracia. Ciertamente, el buscar ser renovados en la justicia y guardados del pecado en el futuro constituye la esencia del arrepentimiento; sin ella, a uno le falta contrición y, no está arrepentido en absoluto.

5. Los versículos 13-17 son *una promesa de proclamar la misericordia perdonadora de Dios en testimonio y adoración.* Estos versículos demuestran una comprensión del ministerio tanto hacia Dios como hacia nuestros semejantes: para con el Dios santo, mediante la alabanza agradecida; y para con los seres humanos pecadores, anunciándoles la gracia salvadora. Los santos, debemos observar, son salvos para servir: celebrar y compartir aquello que Dios les ha dado. Una dedicación renovada a ello, además de a toda otra buena obra, es prueba de sinceridad en el arrepentimiento.

6. Los versículos 18-19 constituyen *una oración pidiendo la bendición de la iglesia,* la Jerusalén de Dios, el pueblo que en la tierra lleva su nombre. Demuestran una comprensión de lo que más deleita al Señor: pecadores salvados, personas penitentes que ahora disfrutan de perdón y prosperan espiritualmente, movidas por la gratitud y el gozo de ofrecer «sacrificios de justicia» (v. 19). (La idea aquí es regalos de amor a Dios, aunque los sacrificios de becerros que menciona David puede que no le sugieran esto de inmediato a la mente moderna.) La intercesión brota de manera natural de las experiencias del amor perdonador de Dios que trae consigo el arrepentimiento. El saber que uno es amado despertará amor hacia otros, el cual nos llevará a orar por ellos.

David honró la pureza divina por la forma en que se arrepintió de sus vergonzosos delitos. Al humillarse, reconoció la provocación que había cometido, buscó liberación tanto del poder como de la culpa de sus pecados, y se comprometió nuevamente a hacer la obra de Dios y adelantar su alabanza. El suyo fue un arrepentimiento verdadero, y como tal supone un ejemplo para nosotros.

También los cristianos, en sus sueños y deseos, cuando no en su conducta externa, caen a veces en la codicia, la lujuria, la avaricia, la malicia y la falsedad. Los creyentes, al igual que las demás personas, se ven tentados a la autoindulgencia, al abuso y la explotación de sus semejantes, a tratar el poder como justicia en el terreno de las relaciones y a veces a desear la muerte de otros. La cuestión no es si Dios en su providencia nos guarda o no de llevar a cabo esas acciones, sino que hemos tenido tales deseos desordenados y que, al haberlos aceptado, nuestros corazones han hecho mal. De eso es de lo que necesitamos arrepentirnos.

Algunas formas de supuesta enseñanza de santidad nos animan a ser insensibles a los pensamientos y motivos impíos que acechan en nuestro interior, o a no preocuparnos por ellos; pero una señal de la santidad verdadera es la toma de conciencia cada vez mayor de tales cosas, un odio creciente hacia ellas y un arrepentimiento más profundo por su causa cuando descubrimos que las estamos albergando en nuestros corazones. Hemos podido ver ese odio santo en John Bradford, y Dios quiere verlo en todos nosotros, ya que no hay otra forma de honrar su pureza.

Almas saludables. En segundo lugar, sólo por medio de un arrepentimiento continuo y cada vez más profundo podemos los pecadores *mantener saludables nuestras almas.*

La salud espiritual, al igual que la física, es don de Dios. Pero como el bienestar corporal, es un don que debe tratarse con delicadeza, ya que los hábitos descuidados pueden disiparlo. Cuando nos damos cuenta de que la hemos perdido, tal vez sea ya demasiado tarde para hacer algo al respecto. El foco de la salud del alma es la humildad, mientras que el orgullo constituye la raíz de la corrupción interior. En la vida espiritual nada permanece inmóvil: si no estamos constantemente menguando para crecer en humildad, nos engreiremos cada vez más y envejeceremos bajo la influencia del orgullo. La humildad descansa en el conocimiento propio; el orgullo refleja la ignorancia de uno mismo. La humildad se expresa en autodesconfianza y dependencia consciente de Dios; el orgullo confía en sí mismo y, aunque puede imitar la humildad a modo de cortina de humo (ya que se trata de un magnífico actor), es vanidoso, obstinado, despótico, insistente y porfiado: «Antes del quebrantamiento es la soberbia, y antes de la caída la altivez de espíritu» (Pr 16.18).

Así como el antídoto para la malaria es la quinina, la humildad lo es para el orgullo. En el sentido en el cual el Orsino de Shakespeare, en *La duodécima noche*, considera que la música es la comida del amor, el arrepentimiento debería verse como el alimento de la humildad. O cambiando de marco, el arrepentimiento tendría que estimarse como el ejercicio habitual que nos mantiene humildes, y a través de la humildad, da salud a nuestra alma. «Sin cruz no hay corona», expresó William Penn; y yo digo ahora: «Sin humildad no hay salud; sin arrepentimiento no hay humildad».

El conocimiento de uno mismo del que brota el arrepentimiento de los cristianos, procede de la ley. Se trata del resultado de vernos obligados a afrontar las normas morales prescritas por Dios para nosotros sus criaturas. En Romanos 7.7-25, Pablo nos cuenta, primeramente, cómo en su juventud la ley le enseñó a reconocer el pecado en sí mismo, activando los mismos motivos y deseos que prohibía. «Tampoco conociera la codicia, si la ley no dijera: No codiciarás. Mas el pecado, tomando ocasión por el mandamiento, produjo en mí toda codicia» (Ro 7.7, 8). Y luego nos explica de qué manera, en su vida cristiana presente, aunque «según el hombre interior, me deleito en la ley de Dios; pero veo otra ley en mis miembros [se refiere a todo lo que hace en realidad], que se rebela contra la ley de mi mente, y que me lleva cautivo a la ley del pecado que está en mis miembros» (Ro 7.22, 23).

La «ley del pecado» se refiere a este último actuando como fuerza motriz, irracionalmente anti-Dios en su impulso. La palabra «veo» nos muestra cómo se percibe Pablo cuando, mediante la luz de esa ley que él desea cumplir, se mira a sí mismo y mide su logro real; dicho de otro modo, cuando practica la disciplina del examen de conciencia. Cada vez que lo hace, ve que no ha alcanzado su objetivo; que nada de lo que ha dicho o hecho es tan bueno y recto como debería haber sido; y que sus actos más nobles, sabios, desinteresados, puros en intención, honrosos para Dios y generosos han tenido todos evidentes defectos. Mirando atrás, el apóstol siempre descubre que su conducta podría y debería haber sido más parecida a la de Cristo, y sus motivos menos mezclados; encuentra, invariablemente, que hubiese podido actuar mejor de lo que lo hizo.

Es incuestionable que este hallazgo, el cual exige siempre ese arrepentimiento continuamente renovado por el que yo abogo, resulta deprimente. De ahí el angustioso lamento de Pablo: «¡Miserable de mí! ¿quién me librará de este cuerpo de muerte?» Sin embargo, deberíamos observar que dicho lamento va seguido del grito triunfante de Romanos 7.25, al mirar el apóstol hacia la futura «redención de nuestro cuerpo» en el más allá (Ro 8.23): «Gracias doy a Dios [de que un día Él me rescatará de esta manera], por Jesucristo Señor nuestro». La actual liberación parcial del poder del pecado, que constituye la otra cara de esta experiencia (véase Ro 7.5-7), hace anhelar aún más a Pablo esa total liberación venidera que Dios ha prometido. Mientras tanto, sin embargo, el apóstol crece menguando en una humildad cada vez más profunda, al aumentar su conciencia de cómo el pecado que mora en él frustra todavía su objetivo de agradar a Dios de un modo perfecto. En esto Pablo constituye un modelo para todos nosotros.[17]

La lucha actual en la Iglesia. En el mundo cristiano moderno se está librando una batalla que es, según un punto de vista, una lucha por la ley, y según otro, una pelea por la conciencia. Una conciencia educada y sensible es el monitor que Dios tiene para advertirnos en cuanto a la calidad moral de lo que hacemos o planeamos, impedir la anarquía y la irresponsabilidad, y hacer que nos sintamos culpables, o que tengamos vergüenza y temor de la retribución futura la cual ella nos indica que merecemos, si nos permitimos desafiar sus limitaciones. La estrategia de Satanás consiste en corromper, insensibilizar y, de ser posible, matar nuestras conciencias. Para ello cuenta con la poderosa ayuda del relativismo, el materialismo, el narcisismo, el secularismo y el hedonismo del mundo occidental moderno. Su tarea se hace todavía más sencilla por la forma en que las debilidades morales del mundo han sido introducidas en la Iglesia de nuestros días.

La gente de iglesia que se llama a sí misma liberal, radical, moderna o modernista, al igual que progresista, se esfuerza, por principio, por bautizar en Cristo las ideas y los comportamientos de cada sociedad incrédula en la que dicha iglesia se encuentra anclada. En el Occidente, esto significa ética de situación (no hay nada prescrito salvo el motivo y el talante del amor), la cual da origen al sexo informal siempre que sea seguro, los matrimonios

---

17. Para un tratamiento más amplio de Romanos 7.7-25, véase *Keep in Step with the Spirit*, pp. 127, 159, 263.

en serie mediante sucesivos divorcios, el aborto libre y la legitimación del estilo de vida homosexual (puesto que hoy en día se considera la realización sexual, mediante las actividades genitales que uno prefiera, entre los valores más altos de la vida). En teoría, por lo general, los creyentes evangélicos, carismáticos y ortodoxos no aprueban esta laxitud sexual; sin embargo, tienden a caer en ella en la práctica, y en las cuestiones morales cotidianas pocas veces actúan mucho mejor que sus homólogos herejes.

Por miedo a la herejía, la heterodoxia, el legalismo, la frialdad y la inercia, dedicamos todo nuestro tiempo a enseñar la sana doctrina, alabar al Señor, defender la fe y evangelizar a los perdidos, mientras que muy raramente atendemos a la educación de nuestras conciencias en asuntos de moralidad básica. Hace un siglo, la cultura occidental enseñaba la moral cristiana por medio de las escuelas, la prensa y el peso de la opinión pública, pero ya no es así. Si la comunidad de la fe no enseña justicia hoy en día, nadie lo hará; pero los cristianos occidentales modernos apenas si pueden hacerlo, ya que casi no la han aprendido ellos mismos. Con nuestro descuido general de la educación ética para creyentes, además de nuestra constante exposición al lavado de cerebro que llevan a cabo los promotores del pensamiento positivo y la autoestima exaltada, los cuales desprecian todo sentimiento de culpa por considerarlo poco espiritual y contrario al propósito de Jesús, tal vez no resulte sorprendente que no se vea destacar a los cristianos conservadores en rectitud, integridad y compasión.

En realidad, es peor que eso. En los últimos años, un flujo constante de dirigentes conservadores se han desacreditado a sí mismos públicamente por su mal empleo del sexo, el dinero y el poder. No cabe duda de que los propios creyentes conservadores son en parte responsables de ello, por haber agasajado a sus líderes tratándolos como superestrellas, alimentando sus egos con dinero y aplausos, y erosionando así el sentido que estos tenían de su propia vulnerabilidad. Tampoco hay duda de que los dirigentes caídos son, ellos mismos, culpables directos de autoengaño. Alguien dijo en cierta ocasión: «¡Ay del hombre (o de la mujer) que cree todas las cosas maravillosas que la gente dice de él (o ella)!» Los halagos alimentan el orgullo. Un líder halagado puede fácilmente llegar a creer, no sólo que su experiencia, conocimiento y habilidades le hacen muy importante, ni tampoco que siendo el hombre que es no puede estar seriamente equivocado en cuanto a nada, sino también que se halla, en realidad, por encima de la ley, y que puede libremente violar las reglas.

Sin embargo, la culpable principal es esa decadencia colectiva de la iglesia conservadora que se concentra exclusivamente en defender la fe y omite la insistencia bíblica en que aquellos que sostienen las doctrinas de la gracia deben manifestar en sus vidas la gracia de dichas doctrinas. En otras palabras: que la ortodoxia (creencias correctas) debe conducir a la ortopraxis (comportamiento debido). En esta era de cristianismo decadente, cuando la amabilidad ha sustituido a la justicia como meta moral y el éxito se estima más que la santidad, la llamada a una ortopraxis pocas veces se hace o se escucha; algo que supone una pérdida para todos nosotros.

La realidad es que todos los cristianos actuales somos víctimas de nuestro decadente ethos de finales del siglo veinte, el cual separa violentamente la ortodoxia pública de la moralidad personal, implicando que esta última no es importante siempre que uno defienda valientemente la verdad. De modo que cuando los líderes caen, haríamos bien en pensar (como Bradford) que allá iríamos nosotros a no ser por la gracia de Dios. ¿Acaso han sido mejor educadas nuestras conciencias que las de esos santos que pecaron? ¿Funcionan tal vez mejor que las suyas? Probablemente no. Si con nuestro inadecuado bagaje moral hubiéramos sido expuestos a tales tentaciones (primero al orgullo y luego a la locura) en un mundo que, de todas formas, se burla de la moralidad, muy bien podríamos haber caído como les sucedió a ellos. Necesitamos reconocer con sinceridad que Satanás ha hecho grandes progresos en la batalla por tomar nuestras conciencias; a menos que no se restaure que la vida cristiana es para todos una vida de autoescrutinio, humillación propia y arrepentimiento diario por los pecados cotidianos, y hasta que eso se haga, el diablo seguirá ganando.

Si resulta cierto que, como hemos estado diciendo, la santidad es un honrar a Dios que trae salud a nuestras almas, y que la humildad forma parte de la esencia de dicha santidad (la humildad no como juego servil delante de Dios, sino como un encarar francamente las propias limitaciones, flaquezas y fallos, dependiendo de Él para todo lo bueno); y si es cierto, también, que esa humildad procede del realismo en cuanto a arrepentirnos de nuestros fallos, y se ve reforzada por él; y si, por último, es verdad igualmente que dicho realismo en el arrepentimiento brota del conocimiento de Dios y de nosotros mismos; entonces nuestra primera necesidad, como discípulos en la escuela de santidad de Cristo, debe ser exorcizar la complacencia de nuestras almas.

No deberíamos dar por sentado que, puesto que retenemos la fe que otros han abandonado, Dios tiene que estar contento con nosotros y, por ende, nosotros también deberíamos estarlo. Más bien debiéramos sospechar que somos como los laodicenses: con conciencias atrofiadas por la mundanalidad y la prosperidad, y sin oídos para las palabras de Aquel a quien llamamos nuestro Salvador y Señor.

¿Qué deberíamos hacer entonces? Se requieren dos líneas de acción: dentro de la iglesia, la predicación, el estudio y la comunión tienen que dirigirse hacia una elevación mutua de nuestra conciencia del odio que Dios siente por el pecado, su exigencia de justicia y cómo le ofendemos no tomando en serio dicha exigencia; y en nuestra peregrinación diaria, debemos aprender a escuchar a Dios por nosotros mismos. Si nos atrevemos a pedirle a Él que nos haga oír personalmente su palabra acerca de nuestras vidas, Él lo hará.

Normalmente, escuchamos la palabra divina para nosotros de las Escrituras, cuando estas son leídas, predicadas y aplicadas; por tanto, si estamos buscando sinceramente la santidad, será sabio que empapemos nuestras almas de la Biblia; y un plan útil de meditación aplicativa de cada pasaje consiste en preguntarnos a nosotros mismos lo siguiente:

¿Qué me dice este pasaje acerca de Dios? ¿Cómo describe la naturaleza y el poder del Señor, su plan y su propósito, sus gustos y aversiones, sus obras, caminos y voluntad para sus criaturas humanas?[18]

¿Qué me dice este pasaje acerca del vivir? ¿Qué enseña sobre la conducta propia, la impropia, la sabia, la necia... las diferentes situaciones en las cuales se encuentra la gente... el camino de la fe, con todas sus dificultades y delicias... los diversos estados emocionales y traumas temperamentales... las virtudes que debemos cultivar, los vicios que hay que eludir y los valores a los cuales tenemos que aferrarnos... las presiones provenientes del mundo, la carne y el diablo y qué debemos hacer en cuanto a ellas...? En

---

18. Ejemplos de tal meditación pueden encontrarse en mi libro *Hacia el conocimiento de Dios*, Logoi.

resumen: ¿Qué me dice de todas las realidades que implica pertenecer a una humanidad perdida en un mundo estropeado y tocado ahora por los poderes de la redención, y que participa de la contienda actual entre Cristo, el vencedor, y las derrotadas potestades de las tinieblas que tan desesperadamente resisten?

¿Qué tiene que ver todo esto con mi propia vida presente? ¿Qué indica acerca de las tareas, los problemas, las oportunidades, las trampas y las tentaciones a los que me enfrento día tras día? ¿Qué advertencias y estímulos me proporciona, y cuáles son los recursos y la sabiduría que me enseña?

Meditar en estas cosas significa pensarlas a fondo en la presencia de Dios. Y la meditación debería conducir a la oración, en la que le hablamos directamente a Él de las mismas. Esta es siempre la conclusión adecuada de nuestra lectura bíblica personal.

Si practica usted la meditación en la Escritura tal y como se ha descrito, pidiendo al comenzar la luz del Espíritu Santo y con la oración subsiguiente de que Dios escriba en su corazón lo que ha visto y aprendido, ciertamente escuchará la voz divina. Con toda seguridad se encontrará usted con el Salvador entronizado, y entre las garantías de gracia y ayuda con las cuales Él le deleitará el corazón, le demostrará una y otra vez la verdad de esa palabra suya que dice: «Yo reprendo y castigo a todos los que amo; sé, pues, celoso, y arrepiéntete» (Ap 3.19). ¡No diga que no se le advirtió acerca de esto! Pero tampoco piense que está andando en el camino de santidad, ni creciendo mientras mengua, como se exige de los cristianos, si no hay sitio en su vida para la represión y el arrepentimiento.

El finado obispo anglicano Stephen Neill dijo muchas cosas mejor que otros, y quiero redondear este capítulo citando algunas frases del perfil que él esboza de la santidad. Aquí Neill enfoca hábilmente lo más importante que este capítulo ha intentado expresar:

Con monótona regularidad todos los santos nos dicen que ellos son los principales pecadores. Para los no cristianos esto resulta a veces sumamente irritante; ya que parece sólo una afectación, una mera forma de hablar, el que los que son obviamente tan buenos se condenen a sí mismos de manera tan exagerada. Pero no hay duda de que, cuando esos santos, comenzando por el apóstol Pablo, han utilizado tales expresiones, lo han hecho porque no podían hablar de ninguna otra forma...

Resulta paradójico, pero cierto, que el progreso en la santidad signifique siempre, al mismo tiempo, un progreso en contrición.

No es difícil ver por qué sucede así. Hemos hablado de la iluminación de la conciencia por el Espíritu Santo. Sólo una conciencia iluminada puede tomar el pecado de un modo tan serio como debe tomarse... con el aumento del conocimiento, viene una sensibilidad cada vez más profunda a nuestro fracaso en sacar el mayor partido posible de las oportunidades que Dios nos da. Tal vez los pecados reales e identificables sean pocos, pero ¿qué habría hecho Jesús con dichas oportunidades si se le hubiesen presentado a Él? Porque ese es el meollo de la cuestión. Avanzar en el camino de santidad significa conocer mejor a Jesús. Siempre volvemos a Cristo. Y cuanto mejor le conocemos, tanto más claramente vemos lo poco que nos parecemos a Él...[19]

Sí, eso es lo que sucede precisamente.

---

19. *Christian Holiness* [Santidad cristiana] p. 128.

6 ‖ Crecer a la semejanza de Cristo: La experiencia espiritual sana

La gracia de Dios se ha manifestado para salvación a todos los hombres, enseñándonos que, renunciando a la impiedad y a los deseos mundanos, vivamos en este siglo sobria, justa y piadosamente, aguardando la esperanza bienaventurada y la manifestación gloriosa de nuestro gran Dios y Salvador Jesucristo, quien se dio a sí mismo por nosotros para redimirnos de toda iniquidad y purificar para sí un pueblo propio, celoso de buenas obras.

Tito 2.11-14

Creced en la gracia y el conocimiento de nuestro Señor y Salvador Jesucristo. **2 Pedro 3.18**

Nosotros todos, mirando a cara descubierta como en un espejo la gloria del Señor, somos transformados de gloria en gloria en la misma imagen, como por el Espíritu del Señor. **2 Corintios 3.18**

LA SALUD ESPIRITUAL Y EL CRECIMIENTO

«Espero que te encuentres bien...» «¡Que estés bien!» Leemos y escribimos constantemente versiones de este sentimiento en nuestras cartas. Del mismo modo que, habitualmente, en las fiestas, se nos desea y deseamos: «¡Que tengas salud!», sin dejar de beber la Coca Cola (o cualquier otra cosa) que estemos tomando. ¿A qué nos referimos? En primer lugar, desde luego, al bienestar corporal: esa condición física libre de dolor, elegante y eficiente que pretenden promover todas nuestras carreras a paso gimnástico, nuestros ejercicios de entrenamiento y los balnearios a los que estamos asociados. Porque damos mucha importancia a la salud. Lo que hacemos es desear generosamente a otros ese beneficio físico que ansiamos para nosotros mismos.

¿Y es eso innatural? Ni en lo más mínimo; aunque la preocupación obsesiva con la propia salud resulte intrínsecamente morbosa, al igual que cualquier otra obsesión. Pero querer estar sano constituye en sí meramente un signo de que somos humanos. Una preocupación moderada por la salud de nuestros familiares y amigos es apropiada y natural, y siempre se ha considerado como muestra de buena educación el expresarla. Así, los antiguos griegos y romanos comenzaban sus cartas deseando al destinatario buena salud. El Nuevo Testamento contiene un ejemplo de esto: «Amado, yo deseo que tú seas prosperado en todas las cosas, y que tengas salud [tal es el inicio de la carta del apóstol Juan a Gayo, que termina diciendo] así como prospera tu alma» (3 Jn 2).

Las palabras de Juan nos alertan sobre las verdades gemelas de que la salud personal es más que el bienestar físico, y que la salud del alma (mente y corazón) resulta en última instancia más importante que el bienestar del cuerpo. Esto es algo que jamás debemos olvidar. A veces, Dios nos envía personas cuya condición física nos recuerda que efectivamente así es: Joni Eareckson, por ejemplo, la tetraplégica con un ministerio maravilloso que pasa sus días en una silla de ruedas. En dos ocasiones he tenido el privilegio de presentar a Joni desde una plataforma, y cada una de esas veces me he aventurado a predecir que su mensaje demostraría que se trataba de la persona más sana que había en todo el edificio; una predicción que, por lo que yo pueda juzgar, se ha cumplido ambas veces.

Así como podemos ser personas enfermas aunque nuestro cuerpo funcione bien, alguien con un cuerpo muy estropeado, incluso una masa de dolor, puede gozar de buena salud. El secreto consiste en aceptar la propia falta de bienestar físico como algo de Dios, ofrecérsela de nuevo a Él para que haga con ella lo que pueda para su gloria, y pedirle que nos mantenga dulces, firmes y pacientes mientras vivimos con esa carencia.

Como señalábamos hace un momento, no es malo querer estar sano y robusto. Pero sí lo es convertirnos en amargados y resentidos por causa de las limitaciones físicas actuales. Como aquella bonita creyente californiana a quien se había practicado una colostomía, y que me dijo: «Aborrezco mi cuerpo»; cuyo rostro me decía mientras hablaba que así era realmente. En ese momento me dio la impresión de que estaba más enferma síquicamente que en el aspecto físico. Resulta destacable que, en la expresión novotestamentaria «sana doctrina» (véanse 1 Tim 1.10; 6.3; 2 Tim 1.13; 4.3; Tit 1.9; 2.1), el adjetivo «sana» signifique literalmente «saludable», en el sentido de impartir y mantener la salud. La idea es que aquellos que interioricen y digieran la sana doctrina, serán personas saludables delante del Señor de una forma distinta a los demás.

Así que, aunque el bienestar físico es importante, la salud del alma lo es todavía más. La salud personal tiene más que ver con la mentalidad de uno que con la forma en que funcionan, en determinado momento, sus órganos o extremidades.

La salud de los niños y los adolescentes está ligada a un patrón de crecimiento; en parte, lo que se quiere decir cuando se expresa que los jovencitos están saludables es que están creciendo más o menos como deberían hacerlo. Resulta importante comprender que lo mismo pasa con los cristianos. Como ya hemos visto, los creyentes están destinados a conformarse en todos los aspectos a la imagen de Cristo: ser como Él en perspectiva, propósito y actitud; así como en el modo físico de vivir. Esa transformación se perfeccionará en el más allá, cuando finalmente el pecado sea desarraigado de su constitución y se «vistan» de los cuerpos resucitados del mismo tipo que el del propio Cristo (2 Co 5.1-4). Entre tanto, aquí en la tierra un aspecto de la salud espiritual consiste en el crecimiento constante en las dimensiones morales y espirituales de la imagen de Cristo. Pedro escribe al respecto: «Desead, como niños recién nacidos, la leche espiritual no adulterada, para que por ella crezcáis para salvación... Creced en la gracia y el conocimiento de[...] Jesucristo» (1 P 2.2; 2 P 3.18). A través del servicio mutuo en el cuerpo de Cristo (explica Pablo), ya no seremos «niños[...] sino que siguiendo la verdad en amor, [creceremos] en todo en aquel que es la cabeza, esto es, Cristo» (Ef 4.14-15).

Dios quiere que todos los cristianos crezcan. Los padres de los recién nacidos disfrutan mucho de ellos, ¡pero imagínese la angustia que sentirían si al pasar los meses y los años sus bebés no dejaran de serlo, y siguieran sonriendo y pataleando en la cuna, sin jamás experimentar crecimiento! No debiéramos permitirnos olvidar que para Dios debe ser igual de angustioso el que sus hijos nacidos de nuevo dejen de crecer en la gracia.

La idea general de crecimiento abarca el cambio, el desarrollo, el ensanche amianto, el hacerse más fuerte y demostrar más energía, el progreso, la profundización, el perfeccionamiento y la maduración. ¿Y en qué consiste exactamente el crecimiento en la gracia? ¿Cómo podríamos describir el crecimiento que nos ocupa aquí?

En el capítulo 5 consideramos uno de sus aspectos: el de crecer menguando, mediante el arrepentimiento, en humildad. Pero el crecimiento espiritual es mucho más que eso, del mismo modo que el crecimiento físico implica muchas más cosas que las evacuaciones intestinales regulares. Dos párrafos del clásico victoriano que ya hemos mencionado, *Holiness* [Santidad] de J. C. Ryle, esbozan tanto en negativo como en positivo, lo que implica crecer en la gracia:

Cuando hablo del crecimiento en la gracia, no quiero decir ni por un momento que el interés de un creyente en Cristo pueda aumentar. Tampoco me refiero a que dicho creyente sea capaz de crecer en inmunidad, aceptación delante de Dios o seguridad. Ni que pueda llegar a estar más justificado, absuelto, perdonado o en paz con Dios de lo que lo está cuando cree en un principio. Sostengo firmemente que la justificación de un creyente es una obra acabada, perfecta y completa, y que el más débil de los santos, aunque no lo sepa o lo sienta así, está tan justificado como el más fuerte de ellos. Mantengo con igual firmeza que nuestra elección, nuestro llamamiento y nuestra posición en Cristo no admiten grados, aumento o disminución... Iría a la hoguera, con la ayuda de Dios, por la verdad gloriosa de que en el asunto de la justificación ante Él todo creyente está completo en Cristo (Col 2.10).

Cuando hablo de crecimiento en la gracia, sólo quiero decir un aumento en el nivel, el tamaño, la fuerza, el vigor y el poder de las gracias que el Espíritu Santo planta en el corazón de los cristianos. Sostengo que cada una de dichas gracias admite crecimiento, progreso e incremento. Afirmo que el arrepentimiento, la fe, la esperanza, el amor, la humildad, el celo, el valor y otras cosas parecidas pueden ser pequeñas o grandes, fuertes o débiles, y son susceptibles de variar bastante en un mismo hombre en diferentes períodos de su vida. Cuando hablo del crecimiento de un hombre en la gracia, me refiero simplemente a que su sentido del pecado se va haciendo más profundo, su fe más robusta, su esperanza más luminosa, su amor más general y su mentalidad espiritual más marcada. Ese hombre siente más el poder de la piedad en su propio corazón, manifiesta más de ella en su vida, y va de fortaleza en fortaleza, de fe en fe y de gracia en gracia.

Ryle tenía por lo visto que luchar contra alguna variante de esa idea, atribuida falsamente a Lutero y a los luteranos entre otros, de que no existe en este mundo tal cosa como la santificación que cambie el carácter; ya que ahora toma tiempo muerto para vindicar contra el escepticismo la realidad del crecimiento en las gracias que ha descrito. Y para ello despliega dos argumentos. El primero es del Nuevo Testamento, donde dicho crecimiento se presenta:

- como una posibilidad, prescrita (1 Ts 4.1, 10; 1 P 2.2) y pedida en oración (Fil 1.9; Col 1.10; 1 Ts 3.12);
- como una realidad, reconocida y celebrada (2 Ts 1.3; Col 2.19); y
- como una necesidad: el camino divinamente ordenado (2 P 3.18) y construido (Heb 12.5-14) que conduce a la gloria final.

El segundo argumento de J.C. Ryle procede del...

... hecho y la experiencia. Pregunto a todo lector sincero del Nuevo Testamento si no observa, tan claramente como el sol al mediodía, distintos niveles de gracia en los santos novotestamentarios cuyas historias se relatan; así como si no logra ver, en esas mismísimas personas, una diferencia tan grande entre su fe y su conocimiento en un momento dado y en otro o entre la fortaleza que existe en un mismo hombre cuando es bebé y siendo ya maduro. Le pregunto también si no reconoce esto claramente la Escritura por el lenguaje que emplea, cuando habla de fe «débil» y «fuerte», así como de los cristianos al llamarlos «niños recién nacidos», «jóvenes» y «padres» (1 P 2.2; 1 Jn 2.12-14). Le pido me diga, sobre todo, si su propia observación de los creyentes de hoy no le lleva a la misma conclusión. ¿Qué cristiano verdadero no confesaría que hay tanta diferencia entre el grado de su propia fe y su propio conocimiento cuando era recién convertido, y sus logros actuales, como entre un pimpollo y un árbol adulto? En principio sus gracias son las mismas, pero han crecido.[1]

Ryle tiene ciertamente razón en todo esto, y vamos a utilizar esa forma suya de entender el crecimiento en la gracia como crecimiento en las gracias, es decir, como transformación del carácter, a modo de plataforma de lanzamiento para todo el resto del contenido de este capítulo.

CONTEMPLE LA GLORIA DE LA SANTIDAD

Hace dos años mi esposa y yo pasamos algunos días cerca del pie de una de las montañas más altas de Nueva Zelanda: el monte Egmont. Allí nos dimos el lujo de asistir a algunos efectos nebulosos sorprendentes. Cierto día, sólo pudimos contemplar la mitad inferior del monte, ya que su cima estaba completamente cubierta por un dosel de base plana, de modo que lo que se veía del mismo parecía una enorme réplica del sombrero del fallecido Buster Keaton. Al día siguiente, lo que vimos fue su mitad superior, que parecía estar flotando en el aire, puesto que las nubes, esta vez planas por encima, hacían ahora invisible su parte inferior. Sólo al tercer día, cuando se disiparon todas las nubes, pudimos ver completo el monte Egmont, con su gloria tan real. Del mismo modo, somos incapaces de apreciar la gloria de la

---

1. Ryle, *Holiness,* pp. 82-84. Ryle confirma su argumento con palabras del puritano Thomas Watson: «La verdadera gracia es progresiva, tiene un carácter propagador y aumentativo. Sucede con ella lo mismo que con la luz: al principio es el alba, y luego va haciéndose más brillante hasta alcanzar el mediodía completo. No sólo se compara a los santos con estrellas debido a la luz que irradian, sino también con árboles por su crecimiento (Is 61.3; Os 14.5). Un buen cristiano no es como el sol de Ezequías que volvió atrás, ni como el de Josué, que se detuvo, sino que está siempre progresando en santidad y aumentando con el aumento de Dios.

santidad como senda de crecimiento saludable para el hijo de Dios hasta que no dejamos atrás las medias verdades y las informaciones incompletas y llegamos a verla como esa total semejanza de Cristo que es en realidad. Tal es la idea que quiero desarrollar ahora.

Las vistas parciales de la santidad (me refiero a esas medias verdades acerca de ella que se tratan como si fueran el todo) han sido abundantes. Eso lo vimos en el capítulo 4. E inevitablemente, cualquier estilo de vida basado en tales medias verdades terminará pareciendo grotesco en vez de glorioso; siempre pasa así con el desarrollo humano desequilibrado, sea cual fuere la forma que adopte dicho desequilibrio. Ahora bien, aquellos que anhelan de todo corazón ser santos constituyen ciertamente la sal de la tierra de Dios. Espero que usted, que me está leyendo, se cuente entre ese número. Sin embargo, con frecuencia, dicha gente demuestra la estrechez de una visión de túnel cuando se trata de los aspectos específicos de la santidad, y es fácil ver por qué.

La pasión toma prioridad sobre la concentración. Esto confina y limita el interés de uno a aquello que se ha apoderado de su corazón. Esto pasa de un modo notorio en los amores entre chico y chica; y ya que ser cristiano constituye una relación amorosa de cierto tipo, no deberíamos sorprendernos que también suceda aquí. El cristiano que tiene la pasión de agradar a Dios en santidad se aferrará tenazmente a cualquier receta que se le haya dado para lograr una vida santa, abrazándola como subjetivamente preciosa y desechando, por poco espiritual, la pregunta de si es objetivamente adecuada. Cualquier conjunto de instrucciones para lograr la santidad puede convertirse así en una vaca sagrada. Pero si la receta en cuestión es simplemente una media verdad, el obedecerla llevará con toda probabilidad a una vida desequilibrada y falta, y por lo tanto rara y poco convincente (del mismo modo que lo eran cada una de las dos mitades del monte Egmont por separado).

A riesgo de caricaturizar, debo ilustrar esta cuestión debido a su importancia.

Rapsodia sin realismo. Aquí, en un extremo, tenemos a aquellos para los cuales la vida santa significa lo que llamo una *rapsodia sin realismo*. Sus corazones se concentran por entero en ejercicios devocionales, experiencias del amor divino, éxtasis de afirmación, expresiones de su propio amor por Dios y el mantenimiento de un calor y una excitación emocionales en todas sus aproximaciones a Él y en su comunión con Él. A ellos les parece que la verdadera santidad consiste esencialmente en este ardor.

Pero no parece que les importen mucho las relaciones humanas, ni tampoco que las conozcan demasiado. No son personas sensiblemente prudentes, pacientes, ni solícitas, al menos cuando la solicitud requiere de ellas que pasen de las palabras a la acción (véanse Stg 2.14-16; 1 Jn 3.16-18). Se asemejan a la mitad superior del monte Egmont vista sin su parte de abajo. Sus pies están, si puedo decirlo así, firmemente despegados de la tierra. Aunque el rapsódico ardor de su amor y adoración a Dios es grande, se quedan cortos en cuanto a amar a sus semejantes, a veces, incluso, a sus propias familias. El problema con estas personas no es que sean insinceras, sino que su visión de túnel, producto de la pasión absorbente que sienten por conocer, amar y adorar al Señor, les impide ver que la santidad implica mostrarse como responsables reales en la situación vital en la cual Él los ha colocado.

Esa santidad requiere de nosotros que manifestemos nuestro amor a Dios mediante la calidad de nuestro amor hacia otros, a los cuales debemos suponer que Él ama como a nosotros mismos. La rapsodia sin realismo no lleva la imagen de Cristo, y supone un fracaso en la santidad en vez de una forma de ella.

Reglas sin relaciones. Y aquí, en el extremo opuesto, tenemos a aquellos para quienes la vida santa significa *observar las reglas sin relacionarse con otros*. Su corazón irradia amor por la ley de Dios, y consideran la santidad esencialmente como una cuestión de cumplir dicha ley. Son esmeradamente honrados en los negocios, cuidadosos en cuanto a la observancia de un patrón de liderazgo masculino en el hogar, y de la corrección constitucional en la iglesia, concienzudos en rehuir al mal y evitar las actividades clasificadas como mundanas (fumar, beber, bailar, apostar, usar maquillaje, etc.), insistentes en defender la verdad de Dios y señalar el error y el pecado allá donde se encuentren... y su pasión por mostrarse correctos según el código merecen una admiración y un aplauso verdaderos. Pero en lo referente a las relaciones, son personas frías y distantes, que consideran la rectitud legalista como la esencia de la santidad y se concentran en la corrección formal de conducta más que en la proximidad personal con Dios o con sus semejantes. Pablo distingue al justo (recto, íntegro, escrupuloso, correcto), por quien nadie en circunstancias normales estaría dispuesto a morir, del bueno (amante, solícito, comunicativo, generoso) por el cual, y debido al afecto que se le tiene, alguien podría incluso dar su vida, si fuera necesario salvar la de tal persona (véase Ro 5.7); es esa distinción entre justos e individuos buenos lo que quiero destacar aquí.

La gente así es como la mitad inferior del monte Egmont vista sin la cumbre. La corrección de lo que hacen resulta incuestionable, pero no se esfuerzan por ponerse al lado de otros compasivamente ni por tener comunión amistosa con el Padre y el Hijo. En otras palabras: se quedan cortos en el terreno de las relaciones. La ortodoxia verbal (creencias correctas) y la ortopraxis formal (comportamiento adecuado) están presentes, pero ahí acaba todo.

Su problema consiste en que la visión de túnel que les es propia les hace concebir su apasionado compromiso, el cual han recibido por gracia, con el cumplimiento de la ley, como el todo de la vida espiritual. Sin embargo, el obedecer las reglas sin mantener una proximidad relacional con Dios y con nuestros semejantes no guarda parecido con Cristo, y es una forma de errar la santidad en vez de lograrla.

Entre ambos extremos se encuentran diversos tipos inclasificables de personas morales y espirituales: discípulos, de alguna forma, pero no demasiado celosos en su devoción, ni meticulosos en su obediencia; mediocridades, en suma, que no se podrían describir en modo alguno como ejemplos de santidad, sino simplemente como gente que anda a duras penas con el Señor. Supongo que esa descripción nos incluye a la mayoría de nosotros. No me pararé a diagnosticar la falta de seriedad que se relaciona con esto, sólo diré que sospecho que la misma brota de nuestra insensatez al no considerar esta vida como preparación para el cielo. Concentrarnos en los extremos nos enseñará más de lo que podríamos esperar aprender mirando a cualquier clase de indiferencia convencional; por tanto, eso es lo que continuaré haciendo.

El clavo que quiero remachar es que la santidad supone el crecimiento saludable de los seres humanos, moralmente desfigurados, en la imagen moral de Jesucristo, el hombre perfecto. Este crecimiento es sobrenatural. Precisa de la obra santificadora del Espíritu Santo que mora en el individuo. Su resultado, a medida que va progresando, es una sanidad personal completa, centrada en Dios, que lo honra a Él, humilde, amante, orientada al servicio y abnegada, de un tipo que no habíamos conocido antes. El desequilibrio queda corregido, los aspectos no desarrollados o subdesarrollados de nuestra condición de persona se activan, y comienza a aparecer en nosotros la belleza moral del carácter de Cristo.

Esa belleza moral, como cualquier otra clase de belleza, es principalmente una cuestión de equilibrio entre las diferentes partes que forman el todo; en este caso las virtudes y los puntos fuertes del carácter. Así como el ideal marxista consiste en una nueva persona cuyas habilidades físicas y mentales se desarrollan equilibradamente entre sí, el arquetipo cristiano es el de un individuo renovado en quien el amor por Dios y por el prójimo, por la ley y la comunión divinas, por el Padre, el Hijo y el Espíritu Santo, por la adoración a Dios y el servicio a Él, por la justicia y el amor a los pecadores, se mezclan en las proporciones adecuadas. La desproporción y la falta de equilibrio en el establecimiento de nuestra identidad espiritual no son ningún modo de la santidad, sino una negación de ella.

Pablo escribía a Tito: «Pero tú habla lo que está de acuerdo con la sana doctrina» (Tit 2.1). El adjetivo «sana», cuando se aplica a la doctrina, significa, como ya hemos visto, saludable en el sentido de que proporciona salud. Estas palabras del apóstol inician un capítulo que se ocupa por entero de la formación del carácter cristiano en hombres mayores (v. 2), mujeres ancianas y jóvenes (vv. 3-5), hombres jóvenes (vv. 6-8), esclavos (v. 9) y en todos los cristianos en general (vv. 11-14), y que termina con una instrucción apostólica muy clara: «Esto habla» (v. 15). En el versículo 2 vuelve a aparecer la palabra en masculino plural. Pablo escribe: «Que los ancianos sean sobrios, serios, prudentes, sanos en la fe, en el amor, en la paciencia». En dicho versículo, «sanos» significa saludables en el sentido de funcionar de la forma para la que fueron destinados, naturales en términos de esa condición ideal de hombre que los poderes de la redención están restaurando.

Tal estado de salud es en realidad santidad, y tal santidad constituye la salud del alma. En efecto, lo que Pablo está diciendo es que la fe, el amor y la paciencia, dentro de un marco de sobriedad, dignidad y dominio propio, constituyen la salud espiritual. Cualquier distorsión de este modelo moral representaría un foco insalubre, como una úlcera o un cáncer en el alma.

Ya he comparado la vida de santidad cristiana con un taburete de tres patas, que eran: D (doctrina: verdad aceptada en la mente y el corazón para vivir de acuerdo con ella); E (experiencia: búsqueda concienzuda y disfrute consciente de la comunión con el Padre y el Hijo); y P (práctica: en el sentido de una respuesta específica y habitual de obediencia a la verdad doctrinal que uno ha recibido). La razón de este ejemplo era que un taburete no puede mantenerse sobre menos de tres patas, si falta alguna de ellas, caerá. Cuando una de dichas patas es más larga o más corta que las otras dos, se pierde la estabilidad y el taburete corre el riesgo de volcarse tan pronto como se le ponga encima cualquier peso. De modo que sólo si D, E y P están equilibradas en las debidas proporciones la vida espiritual es sólida y estable.

Crecimiento espiritual insano. Ahora utilizaré el mismo ejemplo para representar gráficamente tres tipos de desarrollo cristiano poco saludable; todos los cuales, por desgracia, encuentro corrientes hoy en día. Los tres pueden presentarse como santidad, pero ninguno de ellos merece ese nombre, ya que en realidad no son sino distorsiones.

Probablemente sepa usted qué proporciones debería tener el diagrama de un cuerpo humano (digamos un hermoso cuerpo californiano de varón o mujer). La santidad se representaría así: la dibujaría con una cabeza, un tronco y unas extremidades, cada una de esas cosas del tamaño correcto en relación con las demás y apta para desempeñar su papel en una vida realmente piadosa. Sin embargo, considere ahora lo siguiente:

Lo que puede ver aquí es una figura que tiene una cabeza enorme colocada sobre un cuerpo de palillo, y con miembros del mismo tipo. Dicha figura representa el desarrollo antinatural de los cristianos cuya pasión es sólo la doctrina, y cuyo discipulado gira en torno al estudio teológico. Ya sabe al tipo de persona que me refiero: la que siempre está leyendo, explorando asuntos relativos a la verdad, husmeando la mitad de las veces en aspectos esotéricos de tipología, profecías todavía por cumplir, el milenio, los capítulos simbólicos del Apocalipsis y el problema de la armonía bíblica. A ese hombre o esa mujer no le preocupa mucho la experiencia, ni es muy activo o activa en cuanto a obedecer y servir a los demás; como tampoco se distingue por una vida radicalmente cambiada. Sin embargo, tal persona tiene la cabeza siempre ocupada con cuestiones teológicas y despide doctrina por todos lados.

En una era antiintelectual como la nuestra, un amor así por la verdad y tal devoción por la tarea de determinarla son poco corrientes y altamente estimables; también, como vimos antes, el interés por la verdad acerca de Dios resulta natural para todo creyente nacido de nuevo. ¿Pero constituye dicho interés, en y de por sí, un signo de buena salud espiritual? No si va acompañado de tan pocas E y P.

Examine ahora esto:

Lo que aquí ve es una figura con cabeza de alfiler y un abdomen descomunal, soportado, como antes, por unas piernas de palillo. Dicha figura representa el desarrollo antinatural de los creyentes que saben muy poco de doctrina, y les preocupa mínimamente la misma (de ahí la cabeza de alfiler), pero que consideran el cristianismo como una cuestión de sentimientos constantemente agitados y de experiencias emocionantes (de ahí el enorme abdomen). Entusiastas de la experiencia, los creyentes de este tipo van constantemente de reunión en reunión esperando avivarse en ellas hasta el punto en el cual el glorioso sentimiento de hallarse en la presencia de Dios y verse abrumados por su amor se renueve. Para ellos el cristianismo es sólo experiencia, sentimiento y emoción. El cristiano que estoy describiendo no se destaca por su actividad en tratar de cambiar el mundo para el Señor (de ahí las piernecitas de palillo). Está demasiado ocupado persiguiendo experiencias como para tener mucho tiempo para aquello.

Ahora bien, es totalmente correcto y natural que los cristianos deseen experiencias de Dios. Joseph Hart dio en el clavo al escribir: «La verdadera religión es más que conceptos/Algo que debe conocerse y *sentirse*». ¿Pero constituye la predominancia de este deseo, en y de por sí, una muestra de buena salud espiritual? No, si va acompañada de tan pocas D y P.

Mire a continuación lo siguiente:

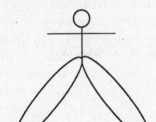

Aquí tiene usted la cabeza de alfiler y un cuerpo de palillo, pero acompañados de dos enormes piernas. Esta figura representa el desarrollo desproporcionado del activista cristiano: el incansable hacedor de bien cuyo interés no está en la verdad doctrinal, ni tampoco en las disciplinas devocionales de la vida del espíritu, sino en los programas, las organizaciones y las tareas de una clase u otra para cambiar el mundo. Al igual que sucedía con los creyentes de cabeza grande y un vientre enorme representados más arriba, pasa con los activistas de piernas desmesuradas: el interés que demuestran es en sí mismo plenamente cristiano, ¿pero constituye, en y de por sí, un signo de buena salud espiritual? No, si va acompañado de tan pocas D y E.

Lo que quiero destacar es simplemente que esa vida de consagración a Dios semejante a la de Cristo, que representa la santidad, salud del alma humana, exige de cada uno de nosotros que tengamos una triple preocupación equilibrada por la verdad, la experiencia y la acción. Cuando esta distribución del celo no se ha hecho todavía habitual, el desarrollo cristiano de la persona está desequilibrado, del mismo modo que cuando la vida de un creyente es un asunto de rapsodia sin realismo o de reglas sin relaciones. Si tal es el caso, por muy ardiente que se tenga el corazón respecto a aquello que a uno tanto le preocupa, no se estará logrando, ni la auténtica santidad cristiana, ni la salud personal del alma, en ningún grado significativo. Este es un asunto, no de temperamento ni de aptitud natural, sino de voluntad. No interesarse por las cosas que preocupaban a Jesús es un verdadero fallo moral, y la única forma de superarlo es mirándole más intensamente a Él: el testigo fiel, el hombre de oración, el hacedor de bien... y como tal, en la conjunción de los intereses D, E y P, el modelo de la humanidad santa.

Nosotros somos llamados a imitar a Cristo, tanto en el amor humilde con el cual Él se relacionaba con su Padre y sus semejantes, como en toda la gama de sus objetivos e intereses. Al igual que en el golf se dice «mantenga la vista fija en la pelota», en el cristianismo hemos de decir: «Mantenga la mirada puesta en el Salvador». Cualquier desemejanza con Jesús, siendo lo que Él no fue, no aquello que era, o por falta de interés en lo que a Él le preocupaba, no constituye santidad sino falta de ella. Confío en que el asunto habrá quedado lo bastante claro, por lo que sigo adelante.

SANTIDAD Y SANTIFICACIÓN

Acabamos de concluir una exposición cuyo objetivo era trazar verbalmente un cuadro amplio de la santidad que nos guardase de adoptar un concepto demasiado estrecho de lo que ésta es. La siguiente tarea consistirá, por así decirlo, en enmarcar dicho cuadro con teología, redefiniendo y circunscribiendo la gracia que, por medio de la obra santificadora del Espíritu Santo, produce el crecimiento en santidad. La doctrina de esa gracia se expresa en siete proposiciones que ya he citado anteriormente,[2] y que traté a fondo en mi libro *Keep in Step with the Spirit* (véase especialmente el capítulo 3). Aquí reproduciré las mencionadas

---

2. Ryle, *Holiness*, p. 199ss.

proposiciones con comentarios tan breves como pueda considerando la línea de pensamiento que estamos siguiendo.

La naturaleza de la santidad consiste en transformación mediante consagración. Esta es la fórmula, por así decirlo, «desde dentro».

¿Qué es la consagración? Pues la otra cara del arrepentimiento. En este último, uno se vuelve a Dios de lo malo; en la consagración, nos entregamos a Él para lo bueno. Ambos términos expresan el mismo «No» a esos cantos de sirena del pecado, y el mismo «Sí» a la llamada salvadora de Cristo.

¿En qué consiste esta transformación? Es el cambio a la semejanza de Cristo del que habla el apóstol Pablo en 2 Corintios 3.18. La *Biblia de las Américas* (BA) traduce muy acertadamente ese versículo: «Pero nosotros todos, con el rostro descubierto, contemplando como en un espejo la gloria del Señor, estamos siendo transformados en la misma imagen de gloria en gloria». Mediante la operación del Espíritu Santo, llegamos a ser como Aquel a quien miramos al absorber la palabra del evangelio. Cada etapa en este cambio de carácter (porque de lo que está hablando Pablo aquí es de una conformidad en el carácter) representa un nuevo nivel de gloria, es decir, de autorrevelación de Dios en nuestras vidas humanas.

¿Cómo se relacionan entre sí la consagración y la transformación? Pablo lo explica en Romanos 12.1-2, pasaje que la Nueva Versión Internacional (NVI) traduce debidamente:

> Los exhorto, pues [como forma de glorificar a Dios por su gracia: véase Ro 11.36], hermanos en vista de la misericordia de Dios [que ha puesto el fundamento para la gratitud que ahora nosotros debemos mostrar], a que ofrezcan sus cuerpos [no cuerpos en contraposición a almas, sino sus personas enteras (cuerpo y alma) como en Flp 1.20] como sacrificios vivos, santos [consagrados], y agradables [un deleite] a Dios; que es su culto espiritual a Dios. Y no se amolden más a los modelos del mundo actual, sino dejen que Dios los vaya transformando mediante la renovación de su mentalidad [su corazón, sus deseos, sus pensamientos y propósitos, su vida interior completa].

El pensamiento de Pablo es que, mediante la ofrenda de nosotros mismos, nos abrimos a Dios, y por tanto ponemos fin a cualquier resistencia que hubiera podido haber antes en nuestro ser al Espíritu Santo que mora en nosotros. Como resultado de ello, la sobrenaturalización planeada y prometida de nuestra vida interior, mediante la participación en la vida resucitada de Cristo, proseguirá sin impedimentos: «A fin de que en cada circunstancia puedan descubrir la agradable y perfecta buena voluntad de Dios» (v.2). «Descubrir» es la traducción de un verbo griego que significa discernir mediante el examen de las alternativas. La mente renovada, iluminada por el Espíritu y sintonizada mediante la regeneración para buscar la gloria de Dios, comparará las diferentes opciones percibiendo así el curso de acción que más agrade a Dios.

El contexto de la santidad es la justificación mediante la fe en Cristo. La santificación no es en sentido alguno la base de la justificación; por el contrario, una vida santa presupone que se ha sido justificado, y constituye la respuesta a ese hecho de un amor agradecido.

Lo único que tenemos que hacer para establecer este punto es recordarnos a nosotros mismos el orden de cosas de la epístola a los Romanos, donde la justificación de los pecadores mediante la fe en Jesucristo, aparte de las obras, llena los capítulos 3, 4 y 5, y el don de la nueva vida en Cristo para los justificados precede al llamamiento a la vida consagrada. (Véase Romanos 6, especialmente los versículos 12-14, 19-22; así como el 12.1, que acabamos de citar.)

La raíz de la santidad es la crucifixión y resurrección juntamente con Cristo. La enemistad de corazón hacia Dios, natural en todos aquellos que no han sido regenerados, hace imposible para ellos la santidad (Ro. 8.7-8). La raíz primaria de esa santidad es el amor por Dios y por su ley, que el Espíritu Santo nos imparte al unirnos a Cristo en su muerte y resurrección.

Esta es una transacción decisiva, que cambia para siempre nuestro corazón y acaba con el dominio del pecado sobre nosotros de una vez por todas; de modo que ya no seguimos, ni de hecho podemos seguir viviendo bajo su imperio como antes (Ro 6.1-10, 17; Ef 2.1-10). Después de que esto ha ocurrido, nuestra regeneración y el nacimiento de nuestra fe personal, el Espíritu mora en nosotros permanentemente (1 Co 6.19; 2 Co 1.22; 5.5; Ef 1.13) para ayudarnos a realizar aquello que ahora queremos y pensamos hacer; a saber, agradar a Dios (Flp 2.13).

El agente de la santidad es el Espíritu Santo que mora en nosotros. Como ya hemos visto, los puritanos, siguiendo a Calvino, analizaron la santidad como una mortificación del pecado (la destrucción de este en sus innumerables formas) y una vivificación de las gracias (el fortalecimiento de los hábitos santos). Pablo nos dice que «por el Espíritu» (Ro 8.13) hacemos morir el pecado y que nuestras costumbres santas son el «fruto» del Espíritu (Gl 5.22).

Piense en un niño que desea ayudar a su padre a pintar una valla. El padre sostiene y guía la mano con la cual el pequeño sujeta la brocha, y ambos actúan en cada brochazo. Cuando nos dedicamos con esmero y oración, a mortificar los pecados y practicar las virtudes, el Espíritu obra juntamente con nosotros, por así decirlo, guiando nuestra mano. Todo logro real debe atribuírsele a Él, por mucha abnegación y sudor que nos haya costado. Sin su actividad controladora y capacitadora, jamás seríamos capaces de obtener ninguna victoria sobre el pecado, ni reforma alguna de nuestras vidas en justicia.

Una formulación clásica de cómo actúa el Espíritu en nuestra santidad, redactada hace casi tres siglos y medio, es la *Confesión de Westminster,* capítulo 13, «De la santificación».

I. Aquellos que son llamados eficazmente y regenerados, habiendo sido creado en ellos un nuevo corazón y un nuevo espíritu, son además santificados de un modo real y personal, por virtud de la muerte y resurrección de Cristo, por su Palabra y Espíritu que mora en ellos. El dominio del pecado sobre el cuerpo entero es destruido, y las diversas concupiscencias del mismo son debilitadas y mortificadas más y más, y los llamados son cada vez más fortalecidos y vivificados en todas las gracias salvadoras, para la práctica de la verdadera santidad, sin la cual ningún hombre verá al Señor.

II. Esta santificación se efectúa en toda la persona aunque es incompleta en esta vida; todavía quedan algunos remanentes de corrupción en todas partes, de donde surge una continua e irreconciliable batalla: la carne lucha contra el Espíritu, y el Espíritu contra la carne.

III. En dicha batalla, aunque la corrupción que aún queda puede prevalecer mucho por algún tiempo, la parte regenerada triunfa a través del continuo suministro de fuerza de parte del Espíritu santificador de Cristo; y así crecen en gracia los santos, perfeccionando la santidad en el temor de Dios.

Experimentar la santidad requiere esfuerzo y conflicto. La santidad implica, entre otras cosas, adquirir nuevos hábitos, romper con las malas costumbres, resistir a las tentaciones y controlarse cuando uno es provocado. Nadie ha logrado nunca hacer ninguna de estas cosas sin esfuerzo ni conflicto.

¿Cómo adquirimos esos hábitos a semejanza de Cristo que Pablo llama el fruto del Espíritu? Poniéndonos a hacer deliberadamente lo que Jesús haría en cada situación: «El que siembra actos recoge hábitos, y el que siembra hábitos recoge carácter». Esto puede parecer muy sencillo, pero en la práctica no resulta así: la prueba, naturalmente, surge cuando una situación nos provoca a saltar con algún impío golpe por golpe.

Deberíamos elaborar nuestra estrategia de comportamiento teniendo en cuenta específicamente tales situaciones. Así, deberíamos pensar en:

- *el amor* como la reacción según Cristo a la malicia de la gente;
- *el gozo* como la reacción según Cristo para las circunstancias deprimentes;
- *la paz* como la reacción según Cristo ante las dificultades, amenazas e invitaciones a la ansiedad;
- *la paciencia* como la reacción según Cristo para todo lo que resulta irritante;
- *la benignidad* como la reacción según Cristo a todos aquellos que son rudos;
- *la bondad* como la reacción según Cristo a toda mala gente y todo mal comportamiento;
- *la fidelidad* y *la mansedumbre* como las reacciones según Cristo ante las mentiras y la furia; y
- *el dominio propio* como la reacción según Cristo para cada situación que nos incita a perder la serenidad y a repartir golpes.

El principio está claro: el Espíritu se halla a nuestro lado para capacitarnos, y nosotros sabemos que la conducta según Cristo nos resulta ahora natural en el más profundo de los sentidos. Aun así, el mantener la semejanza con Jesús bajo la clase de presiones que he descrito es difícil.

¿Cómo conseguimos «por el Espíritu [hacer] morir las obras de la carne»? (Ro 8.13). Esto también es difícil. Se trata de negar, desear la muerte y esforzarse por frustrar ciertas inclinaciones, anhelos y hábitos que han estado en usted (si puedo expresarlo de este modo) durante largo tiempo. Ello implicará seguramente dolor y tristeza, gemidos y lamentos, porque su pecado no quiere morir, ni disfrutará del proceso de ejecución. Jesús nos explicó, de una manera muy gráfica, que mortificar un pecado podía ser algo así como sacarse un ojo o cortarse una mano o un pie, en otras palabras, automutilarse. Sentirá que le está diciendo adiós a algo que forma de tal modo parte de usted mismo que sin ello no puede vivir.

Tanto Pablo como Jesús nos aseguran, sin embargo, que, por doloroso que ese ejercicio resulte, es algo vital y debemos acometerlo (Mt 5.29; 18.8; Ro 8.13). ¿Cómo lo hacemos? Los actos externos de pecado proceden de impulsos pecaminosos internos, de modo que tendremos que aprender a privar a tales impulsos de aquello que los estimula (las revistas pornográficas, por ejemplo, si el impulso es a la lujuria; las visitas a los restaurantes de buffet libre, si se trata de glotonería; las apuestas y las loterías, si nos sentimos impulsados a la codicia; etc.). Y cuando nos sobreviene el deseo, debemos, por así decirlo, aprender a acudir de inmediato a nuestro Señor y suplicar su ayuda, pidiéndole que haga más profundo nuestro sentimiento de su presencia santa y de su amor redentor, y nos conceda la fuerza de decir «No» a aquello que sólo puede desagradarle. Es el Espíritu quien nos mueve a actuar de esta forma, quien hace vívido nuestro sentido del santo amor de Cristo, nos imparte la fortaleza por la que oramos y, en realidad, extrae la vida de los pecados a los cuales nosotros matamos de hambre.

De este modo pueden romperse los hábitos de autoindulgencia, idolatría espiritual y abuso de otros. Pero, aunque entregar ciertos pecados en los cuales uno ha caído casualmente no resulta tan difícil, mortificar aquello que los puritanos denominaban pecados «que nos asedian», pecados a los cuales somos propensos por nuestro temperamento, tales como la cobardía o la irreflexión, y pecados habituales que han llegado a ser adictivos y desafiantes para nosotros, constituye regularmente una lucha interminable y que inflige magulladuras. Nadie que sea realista en el terreno espiritual pretenderá nunca otra cosa.

La regla de santidad es la ley divina. La santidad pone la mira en las normas morales absolutas y en los ideales éticos inmutables establecidos por Dios mismo, y la ley divina define cuál es la justicia que Él exige de los creyentes.

¿Qué es la ley de Dios? La palabra hebrea *torah*, que constituye el término básico, significa no unas reglas legisladas como tales (que es el sentido de «ley» en el estado moderno), sino una instrucción familiar, la cual el padre; en este caso el Padre celestial, imparte a sus hijos. Todas las ordenanzas que Dios dio a través de sus voceros en los tiempos del Antiguo Testamento para vivir correctamente: las máximas de los libros de sabiduría no menos que las obligaciones sociopolíticas y litúrgicas establecidas por medio de Moisés y que las exhortaciones diagnósticas a la justicia expresadas por los profetas, eran esencialmente amonestaciones del Padre a su familia, Israel (véase Éx 4.22) y giraban en torno a los Diez Mandamientos.

Las leyes sociopolíticas y litúrgicas, dadas únicamente para el Israel del Antiguo Testamento, han prescrito. Pero el Decálogo, interpretado por el resumen que Jesús hizo en dos mandamientos («amarás a Dios» y «amarás a tu prójimo», véase Mt 22.37-40), permanece como expresión intemporal de la voluntad de Dios para su pueblo en el terreno de la moralidad.

¿Cuál es entonces esa ley en su edición del Reino? El reino de Dios (la nueva vida celestial sobre la tierra por medio del Espíritu Santo) entró en el mundo con Jesús, y ahora libera un nuevo poder y una nueva energía moral en las vidas de los creyentes, a quienes Cristo llamó «hijos del reino» (Mt 13.38). A lo que me refiero cuando digo edición del Reino, es a la exposición que Jesús y los apóstoles hicieron de la amplitud y profundidad de los requisitos de Dios.

Tal exposición destaca los motivos, las actitudes y las virtudes propias de aquellos que disfrutan conscientemente de la salvación divina; y refleja también la esperanza de que el Espíritu Santo transforme a las personas en gente que cumple la ley de corazón, de modo que sus «buenas obras» no sean ya teatro, sino la realización anhelante de aquello que ahora desean de veras hacer. Por eso se concentra en el carácter moral de una forma que supera a la del Antiguo Testamento.

De manera que la ley de Dios, la «ley real», como la llama Santiago (Stg 2.8) queriendo decir la ley del Rey para su casa y su dominio, es ante todo un código familiar: se requiere de los hijos de Dios, nacidos de nuevo, los cuales integran la familia real, que vivan según esas normas.

Hoy en día las familias de los reyes viven como en peceras, constantemente vigilados por reporteros listos para convertir sus deslices en titulares. Del mismo modo, los hijos de Dios se desenvuelven bajo la mirada atenta de un mundo que disfruta con los lapsus de las personas supuestamente piadosas. Así como no es ningún honor para la reina de Inglaterra el que sus hijos vivan como unos libertinos, los cristianos que desprecian el código familiar de Dios le deshonran a Él, le fallan y lo defraudan. No nos atrevamos a olvidar que, mientras la santidad honra y glorifica a Dios, la impiedad hace lo contrario.

La esencia de la santidad es el espíritu de amor. La Biblia considera el amor, ya sea que esté motivado por la afinidad, la gratitud o ambas cosas, como el propósito de engrandecer de algún modo al ser amado. Los sentimientos afectivos que malcrían a sus objetos humanos, como sucede con los padres que miman a sus hijos, no constituyen precisamente amor en el sentido bíblico, aunque el mundo insista en darles ese nombre. El amor, bien a Dios bien a otras personas, es el compromiso responsable de prestar un servicio perseverante, inteligente y abnegado según los términos de la propia Palabra de Dios. El amor sabe que es ciego, y que necesita los ojos de la ley. Jesús personifica el amor a Dios y a los demás podríamos decir que Él era la encarnación del amor. Observándolo a Él nos es posible conocer la naturaleza de dicho amor.

Un amor que cumple la ley es el epítome de la santidad, aunque en cualquier otro sentido el amor la niegue. Esta clase de amor constituye la receta de Dios para la realización de nuestra humanidad, y cualquier alternativa al mismo nos saca, más o menos, de nuestra propia forma humana. La gracia restaura y perfecciona la naturaleza enseñándonos a amar de veras. No nos permitamos ninguna vaguedad o confusión acerca de esto.

El Nuevo Testamento presenta a menudo la vida santa como la práctica de «buenas obras». ¿Y qué hace que esas obras sean buenas? Dos cosas: el hecho de que son actos de obediencia a la ley de Dios y el que constituyen obras de amor, dirigidas a exaltar a ese Dios a quien amamos por afinidad y gratitud, y a enriquecer a los seres humanos a quienes amamos movidos por la compasión y el compañerismo. El amor a nuestro prójimo, y el amor al Padre y al Hijo, se mezclan en realidad, ya que el primero es la expresión necesaria del segundo (véanse Jn 13.34; 14.15,23; 15.10-14,17; 1 Jn 3.11,16-18,23; 4.7-11; cf. Mt 5.43-48; Lc 10.25-37).

En lo externo, la santidad es obediencia; interiormente es amor en acción. El amor a Dios, que estimula esa obediencia la cual se expresa en amor hacia nuestros semejantes, es el verdadero corazón y el verdadero latido de la santidad: corazón en el sentido de esencia, núcleo y fuente; y latido en cuanto a centro de energía y fuerza propulsora. Del mismo modo que el amor de Dios es lo que hace al mundo girar (¡desde luego que sí!), ese amor determina también que la persona santa funcione, se interese y sirva. La santidad es, en último análisis, el amor enseñado por el evangelio, obrado por Dios y otorgado por la gracia.

EL CRECIMIENTO CONTINUO EN LA GRACIA

En este capítulo estamos explorando la santidad como proceso continuo de crecimiento en las gracias, necesario para la salud espiritual de la persona. Hemos enmarcado nuestro cuadro de desarrollo saludable con algunas de las mayores verdades acerca de la gracia de Dios en acción, las cuales nos muestran cómo se lleva a cabo dicho proceso de crecimiento. El siguiente paso consiste, por así decirlo, en lograr la iluminación correcta: proteger nuestro cuadro de falsas luces cuyo brillo superponga al mismo formas molestas y oscurezca ciertos rasgos suyos que están realmente presentes, y disponer un alumbrado que nos ayude a ver aquello que estamos mirando cuando fijamos nuestros ojos en ello. De modo que esta sección la dedicaremos a detectar algunos errores corrientes en cuanto al crecimiento espiritual.

El crecimiento en la gracia es visible. El primero de dichos errores consiste en *pensar que el crecimiento en la gracia siempre resulta claramente visible.*

Como señalamos anteriormente, es muy fácil medir el crecimiento corporal: no hay problema para comprobar la altura y el peso que una persona ha ganado. Sin embargo, el desarrollo espiritual constituye un misterio, en el sentido que dan a esta palabra los teólogos: una realidad que implica mucho más de lo que nunca podemos llegar a comprender u observar. En ese sentido, realidades como la Trinidad, la creación, la providencia, la encarnación del Hijo y nuestra propia regeneración, son todas misterios. De hecho, todo aquello que supone la interacción de Dios con su mundo constituye un misterio según dicha definición, y el crecimiento en la gracia es uno de tales casos.

Sabemos bastante acerca de todos estos misterios por la propia enseñanza de Dios en las Escrituras, pero se trata sólo del tipo de conocimiento que nos capacita para identificarlos, concebirlos y circunscribirlos. No es una comprensión exhaustiva de ellos, ni tampoco de esa clase que hace posible para nosotros controlarlos. Por muy completo que sea nuestro dominio de la revelación de la Biblia acerca de la verdad divina, los misterios de Dios de los cuales testifica dicha verdad siguen siendo misterios.

El crecimiento en la gracia constituye un proceso forjado por el Espíritu Santo que se centra en el corazón humano, en el sentido no fisiológico de esta palabra. El corazón, como ya hemos visto, es el núcleo disposicional y dinámico de nuestra personalidad, la fuente de la que brotan nuestros pensamientos y palabras, nuestros deseos, nuestras decisiones y hechos, todo ello. Podemos adivinar el estado del corazón, el nuestro o el de otros, observando lo que sale del mismo; pero no tenemos la posibilidad de inspeccionarlo directamente para ver lo que sucede dentro de él.

La Escritura destaca la inaccesibilidad del corazón salvo para Dios mismo: «Engañoso es el corazón más que todas las cosas, y perverso; ¿quién lo conocerá? Yo, Jehová, que escudriño la mente, que pruebo el corazón» (Jer 17.9-10). «Porque sólo tú conoces el corazón de todos los hijos de los hombres» (1 R 8.39). Los procesos del corazón superan la capacidad de averiguación humana.

Esto no significa, sin embargo, que sea siempre imposible decir cuándo ha estado ocurriendo el crecimiento espiritual. La calidad de la respuesta de una persona a cierta crisis, conmoción o a las exigencias de cualquier situación nueva, puede indicarnos toda clase de cosas acerca de ella que no conocíamos antes y una de esas cosas puede muy bien ser su estatura espiritual.

Así sucedió, para poner simplemente un ejemplo, con la señora Manoa, cuyo nombre desconocemos y acerca de la cual podemos leer en Jueces 13. El ángel del Señor (Dios actuando como su propio mensajero; aparentemente una manifestación preencarnada del Hijo de Dios) le había dicho que iba a tener un hijo especial (Sansón), el cual se convertiría en el libertador de Israel. El ángel mensajero le dio instrucciones especiales sobre cómo prepararse para el nacimiento. Cuando ella se lo contó a Manoa (al parecer un varón pomposamente piadoso y chauvinista), este oró pidiendo que el mensajero volviera y les diese a ambos más instrucciones. Era muy consciente, se ve, de su liderato espiritual; e igual de claro está que no confiaba en que su esposa hubiese comprendido bien el mensaje. El mensajero, benévolamente, reapareció y les repitió las instrucciones. Luego llegó el momento traumático en el que Manoa comprendió que su visitante había sido el Señor mismo. A la pomposidad siguió el pánico. El hombre que hasta entonces había dado por sentada su propia superioridad espiritual, ahora pierde completamente la cabeza y le farfulla a su esposa: «Ciertamente moriremos, porque a Dios hemos visto» (v. 22). Él sabía, de un modo general, que nadie es apto para la comunión con Dios, por lo cual cayó en picada en la desesperación.

Felizmente su esposa, que hasta ese momento del relato no parece alguien muy notable, se manifiesta ahora como una mujer sabia al ministrar fielmente a su marido algunos pensamientos sensatos acerca de la fidelidad de Dios a sus propios propósitos. «Si Jehová nos quisiera matar, le dice, no aceptaría de nuestras manos el holocausto y la ofrenda, ni nos hubiera mostrado todas estas cosas, ni ahora nos habría anunciado esto» (Jue 13.23). Como escribiera Rudyard Kipling: «Si puedes conservar la calma cuando todos a tu alrededor la pierden y te culpan a ti de ello... ¡entonces serás todo un hombre, hijo mío!» Aquí, la señora Manoa se muestra como «todo un hombre», en el sentido que le da Kipling, tanto humana como espiritualmente, mientras su esposo se comporta según su propia idea de una mujer irracional, es más, como un niño asustado. De modo que la reacción al impacto de la señora Manoa la revela como una mujer que había estado creciendo espiritualmente de una forma que su marido, a pesar de toda su cuidadosa y esforzada religiosidad, no lo había hecho. Los hijos de Dios no nacen con estatura, sino que la consiguen mediante el crecimiento. En este relato es la mujer quien posee estatura.

Repetimos que un momento crítico de prueba puede suscitar una respuesta que demuestre que determinada persona ha crecido espiritualmente de una manera especial desde la prueba anterior. Así sucedió con Abraham, a quien Dios quiso exhibir como modelo de hombre de fe para todos los tiempos (véase Ro 4; especialmente Ro 4.11, 16-25; Gl 3.6-9,14; Heb 6.13-15). La fe, que produce la justificación, la comunión con Dios y hace heredar los beneficios prometidos, es cuestión de confianza obediente y de obediencia confiada. Dios mantiene bajo un constante escrutinio tanto nuestra confianza como nuestra obediencia, y en este caso ambas cosas fueron desafiadas juntamente.

Dios sometió la fe de Abraham a la prueba suprema cuando le dijo que matara al adolescente Isaac, hijo de la promesa divina y heredero de las promesas del Señor, como sacrificio humano. Es difícil imaginar el tumulto de confusión, angustia y desesperación que habría en la mente del patriarca mientras subía penosamente el monte Moriah, con Isaac a su lado y su cuchillo listo. Pero Abraham pasó la prueba maravillosamente, hasta el punto de que cuando en el último momento el ángel del Señor (otra vez Dios actuando como su propio mensajero) intervino para detener el sacrificio, pudo declarar: «Ya conozco que temes a Dios, por cuanto no me rehusaste tu hijo, tu único» (Gn 22.12).

Tres décadas antes, sin embargo, las cosas habían sido distintas. Al prometérsele un hijo cuando contaba setenta y cinco años de edad, Abraham había engendrado a Ismael de Agar, creyendo obviamente, al igual que Sara, que esta última no tenía ya ninguna esperanza de quedar embarazada, a pesar de lo que hubiera podido decir Dios once años antes (Gn 16). Aquella fue una patente falta de fe.

¿Qué había sucedido entonces durante los años transcurridos entre el nacimiento de Ismael y el sacrificio de Isaac? En pocas palabras, Abraham había crecido. Cuando trece años después del nacimiento de Ismael, Dios había renovado con el patriarca y con Sara la promesa de un hijo (Gn 17.15-19), Abraham era un hombre distinto. Esta vez confió de manera absoluta en la palabra divina. Pablo se pone elocuente acerca de cómo el patriarca «no se debilitó en la fe al considerar su cuerpo, que estaba ya como muerto (siendo de casi cien años), o la esterilidad de la matriz de

Sara. Tampoco dudó, por incredulidad, de la promesa de Dios, sino que se fortaleció en fe, dando gloria a Dios, plenamente convencido de que era también poderoso para hacer todo lo que había prometido» (Ro 4.19-21). A lo largo de esos trece años, Abraham había crecido en fe.

Indudablemente fue el recuerdo del milagroso nacimiento de Isaac lo que sostuvo al patriarca en el monte Moriah, de modo que pudo decirse de él: «Por la fe Abraham, cuando fue probado, ofreció a Isaac; y el que había recibido las promesas ofrecía su unigénito, habiéndosele dicho: en Isaac te será llamada descendencia; pensando que Dios es poderoso para levantar aun de los muertos, de donde, en sentido figurado, también le volvió a recibir» (Heb 11.17-19).

Las acciones de Abraham al ser sometido a las sucesivas pruebas revelan su crecimiento en esa gracia específica de la fe; y de un modo semejante, el contraste entre la pusilánime cobardía de Pedro al negar a Cristo y su posterior coraje provocativo negándose a guardar silencio acerca de Él (véase Mt 26.69-75; y también Hch 4.13-20,29; 5.17-32) demuestra crecimiento después de Pentecostés en la gracia particular del denuedo (la cual, según J. C. Ryle, no es sino «la fe cumpliendo sinceramente con su deber»[3]).

La obra interna de Dios que produce el crecimiento permanece oculta de nosotros, pero las ocasiones de prueba suscitan respuestas que dan fe de que dicho crecimiento existe. Esto, sin embargo, es cuanto puede decirse acerca de la observación del proceso de maduración, y no nos lleva muy lejos. Los momentos de presión y las decisiones sacarán a la luz lo que hay dentro de las personas, tanto espiritualmente como en otros aspectos. Pero en otras ocasiones, su crecimiento en la gracia, si lo hay, la intensidad de su celo, y su potencial presente en dones y ministerio, que por lo general resulta de su crecimiento en la gracia y de su aumento de fervor, están lejos de poder verse con claridad. Esperar tal cosa supone un error. Nuestros juicios en cuanto a quién ha crecido en la gracia y quién no, y en qué medida lo han hecho si hay crecimiento, sólo puede resultar provisional. Todos esos juicios son arriesgados, y la siguiente ronda de acontecimientos puede desmentirlos; de modo que sería mejor y más sabio no emitirlos en absoluto.

---

3. Ryle, *Holiness*, p. 144.

El crecimiento en la gracia es uniforme. Una segunda equivocación consiste en *pensar que el crecimiento en la gracia es siempre un proceso uniforme,* bien en sí mismo, a lo largo de las diferentes etapas de la vida del creyente, bien comparándolo con lo que Dios está haciendo en las vidas de otros. Dicho crecimiento no resulta uniforme en ninguno de los dos sentidos.

Este error guarda relación con el primero, pero lo trato por separado a causa de lo corriente que es y lo fácil que resulta caer en él. La superficialidad nos traiciona: pensamos que el crecimiento físico constituye un proceso ininterrumpido, y que es igual para todos los seres humanos. Luego, de manera simplista, proyectamos esas ideas a la esfera de la gracia. Sin embargo, la verdad es que al igual que el crecimiento físico supone realmente un asunto más bien irregular, y que la gente es, en verdad, bastante distinta entre sí, los cambios y los fenómenos que implica el crecimiento santificador en los individuos varían de una persona a otra en velocidad, grado y, podríamos decir, proporciones internas.

El fanfarrón, impetuoso, simpático, irreflexivo e inestable Simón, con sólo pasar por Pentecostés, se convirtió en un Pedro racional, firme, resuelto, juicioso y con dotes de líder: el coordinador de la iglesia primitiva, Cefas, aquella roca en que Jesús había dicho que se convertiría (Jn 1.42). También el fogoso, rudo y buscapleitos de Juan, a quien el Señor apodó «hijo del trueno» (Mc 3.17 [en cuanto a su rudeza bravucona, véase Lucas 9.49,54]), pasó por Pentecostés. Sin embargo, no hay indicación alguna de que ese proceso que lo convirtió a él, sin cambiar un ápice su mentalidad antagónica de blanco y negro, conmigo o contra mí, en el apóstol del amor considerado, la sencillez profunda y la moderación paciente que descubrimos en sus cartas, fuera igualmente repentino. Pero, ¿y qué si el cambio de Simón ocurrió con rapidez mientras que Juan fue cambiando poco a poco? Se trataba de dos hombres distintos, y la gracia santificadora operó de manera diferente en cada uno de ellos, sacando el mayor partido posible de su individualidad (a Dios le gusta la variedad, no está por la repetición) y dando prominencia en el producto elaborado a facetas distintas de la gloriosa semejanza de Cristo, la cual ninguna persona, ni siquiera un apóstol, puede llegar a encarnar por entero.

La calidad precisa del cambio implicado en el crecimiento de las personas en la gracia está siempre condicionada por la constitución natural de éstas. Es fácil infravalorar lo conseguido por el Espíritu Santo en las vidas de aquellos que, además del sesgo de oposición a Dios y de autoendiosamiento que supone el pecado original, soportan temperamentos y caracteres terriblemente defectuosos. La tambaleante y fácilmente atemorizada fe de aquella nidada de memorables personajes depresivos de *El progreso del peregrino,* de Bunyan: Temerosa, Flaca-Mente, Próximo-a-cojear, Desaliento y su hija Mucho-Temor, los cuales seguían luchando como cristianos aunque atormentados por el espantoso sentimiento de que jamás llegarían al cielo, refleja una obra de gracia más profunda que esa fe y fortaleza mejor asentadas de alguien naturalmente equilibrado.

La moderación parcial en los arrebatos furiosos de algún colérico, el deshielo fragmentario de la fría reserva de ciertos flemáticos, la cura en parte de esa irresponsabilidad estrafalaria del sanguíneo, o la liberación relativa de su obsesión paralizante de abatimiento en un melancólico, puede muy bien testificar de una mayor medida de crecimiento en la gracia —desarrollo en las gracias por medio de la gracia de Dios en Cristo, como lo estamos analizando ahora— que la presente en otros santos más vigorosos, afables, prácticos y dinámicos los cuales jamás han necesitado enfrentarse a esos defectos particulares en sí mismos. Tener que combatir el propio temperamento para lograr las virtudes cristianas le hace a uno sentir que su progreso es mucho más lento que el de otros, pero tal cosa puede no ser cierta.

Cristo nos encuentra en distintas situaciones en términos de nuestro carácter e historia personal, y obra en nosotros por su Espíritu en donde estemos. Aunque alguno de nosotros pueda ser por naturaleza amable de un modo que otro no lo es, espiritualmente hablando todos somos, en el nivel más profundo, barcos naufragados que necesitan una operación de salvamento divino dirigida a los aspectos particulares de nuestra condición. No resulta extraño, por tanto, que la obra divina de santificación, la cual trae salud y produce crecimiento, adopte una forma distinta en cuanto a los detalles y parezca desarrollarse a diferente velocidad en cada vida.

Puesto que una parte tan importante de esta obra, tanto en los demás como en nosotros mismos, tiene lugar en el corazón, por debajo del nivel consciente, no podemos medir lo lejos que dicha obra ha llegado o debe continuar avanzando en cada caso particular. Cualquier comparación que realicemos entre su avance en un individuo y en otro estará abocada a la ignorancia y a la falacia; de modo que sería mejor que aprendiéramos a no hacerla. Las únicas generalizaciones que ofrecen seguridad son:

- en todos los casos la meta es la semejanza moral y espiritual con Jesús;
- todos los cristianos pueden testificar de que el conocer a Dios por medio de Jesucristo los capacita para vivir y actuar ahora de formas que antes estaban sencillamente fuera de su alcance; y
- un presunto cristiano que no tenga ese testimonio, difícilmente podrá ser auténtico y desde luego no estará creciendo en la gracia.

El crecimiento en la gracia es automático. Un tercer error consiste en *pensar que el crecimiento en la gracia resulta automático para los profesionales de la religión;* ya sean éstos pastores, misioneros, obreros a tiempo completo, teleevangelistas, frailes o monjas. En realidad, tal crecimiento en las gracias nunca es automático, y los profesionales cristianos tienen más dificultad, no menos, para crecer espiritualmente.

¿Y esto por qué? La razón es que al esperarse de ellos, por así decirlo, que actúen, interpreten ciertos papeles y nada más, la tentación de conformarse con una interpretación teatral adecuada, en la que la propia personalidad se mantiene oculta, resulta muy fuerte. La identidad profesional absorbe de este modo a la personal, de forma que uno ya no está relacionado a nivel íntimo con nadie: ni con la gente, ni con Dios. Así que nos volvemos solitarios. Y lo que es peor todavía: puesto que la vida consiste en relaciones, y al ponernos nuestra propia careta nos hemos distanciado de ellas, en vez de crecer como personas, menguamos. Y no es posible crecer en la gracia mientras encogemos a nivel general.

Cuando mi esposa me decía: «No quiero a tu ministerio, te quiero a ti», estaba expresándome su temor de que esta tentación pudiera estarme absorbiendo. Cuando ese intérprete extraordinario que fue el fallecido actor cinematográfico Peter Sellers, rechazó la invitación a dejarse filmar leyendo la Biblia, la razón que dio fue que uno sólo puede leer la Biblia en voz alta de modo convincente si sabe quién es, y él no lo sabía. Todos los creyentes necesitan la ayuda de Dios para saber quiénes son, y para vivir con Él y con sus allegados humanos de una forma sincera, íntegra y vulnerable; pero los que más precisan de dicha ayuda son los profesionales cristianos.

El crecimiento en la gracia es protección. Un cuarto error: *pensar que el crecimiento en la gracia le protege a uno de tensiones, dolores y presiones en su vida cristiana.* Persiste la idea de que dicho crecimiento produce una especie de paz interior que nos aísla emocionalmente y no deja que seamos desgarrados como otros lo son; pero, en realidad, sucede exactamente lo contrario.

Hay, sin duda, estados mentales letárgicos en los que los individuos se insensibilizan, de una u otra forma, a los sentimientos de dolor y de pena personal. Los hay también de ensimismamiento, en los cuales imponemos silencio a toda preocupación por los que nos rodean, y permanecemos impasibles ante la miseria ajena. Pero dichos estados mentales no tienen nada que ver con la gracia de Dios, aun cuando el escapismo y la dureza de corazón que expresan lleven ropas religiosas.

La verdad puede formularse en dos proposiciones: Primeramente, los cristianos no están más exentos de las tensiones, los dolores y las presiones que lo estuvieron Jesús o Pablo. (Imagínese a Jesús en Getsemaní y en la cruz, y a Pablo con su aguijón en la carne, alguna incapacidad dolorosa, no sabemos lo que era, y su vida de continuas persecuciones, prisiones y naufragios.) En segundo lugar, los cristianos pueden soportar y soportan aflicciones personales en el poder de Dios; regocijándose, al igual que Pablo, de que ese poder se perfeccione en su debilidad (2 Co 12.10). Sin embargo, a medida que ellos crecen en la gracia, se sienten cada vez más acongojados por las penas y las locuras de otros (piense en Jesús llorando sobre Jerusalén [Lc 19.41-44] y en Pablo angustiándose por la incredulidad de los judíos [Ro 9.1-4; 10.11]). La compasión produce más angustia a los creyentes que están madurando de lo que otros seres humanos jamás llegan a saber.

Es cierto que los cristianos que crecen disfrutan cada vez más del don de la paz, sin embargo esa paz es relacional:

- paz con Dios mismo, mediante la sangre reconciliadora de Cristo;

- paz con las circunstancias, las cuales, aunque desgarradoras, Dios ha prometido disponer para nuestro bien (es decir, para nuestro crecimiento en la gracia);
- paz con nosotros mismos; puesto que el hecho de que Cristo nos haya perdonado y aceptado nos exige que también lo hagamos nosotros, por difícil que ello pueda resultar en un principio; y
- paz con aquellos que nos rodean, a los cuales vamos, a instancias de Jesús, como pacificadores (Mt 5.9).

Esa paz no es la tranquilidad indiferente del Olimpo, lograda y mantenida pasando por alto la angustia de los demás.

Los cristianos que crecen lo hacen en paz, pero su crecimiento en la gracia a menudo los lleva a gemir en esa gracia mientras la compasión a semejanza de Cristo se va apoderando más y más de sus corazones. Dios no ha querido que las vidas de sus hijos en este mundo trágicamente deteriorado estuvieran libres de aflicciones, y podemos decir con confianza que cualquiera que no tenga penas, por ciertas que puedan ser otras cosas acerca de él o de ella, en verdad no está creciendo en la gracia.

El crecimiento en la gracia es una retirada. Un quinto y último error es *pensar que se puede fomentar el crecimiento en la gracia retirándose de las situaciones difíciles, las cargas pesadas y las relaciones dolorosas de la vida.* Hace siglos, la gente abandonaba la confusión y la violencia del mundo en general por la vida de recogimiento del monasterio, a fin de salvar sus almas. Aún nos topamos con la idea de que el camino correcto para lograr un verdadero desarrollo espiritual consiste en eso. Pero no es así. Pueden existir razones válidas para que algunos cristianos escojan llevar vidas relativamente apartadas, pero la creencia de que sólo de ese modo conseguirán crecer no es una de ellas.

Cierta mujer cristiana de edad mediana y destacada en su profesión vivía con sus padres. Ellos aún la trataban como a una pequeñita cuya tarea principal consistía en cuidarlos a ellos. Sintiéndose incapaz de sobrevivir en tal situación, y más aún de crecer espiritualmente en ella, planeó marcharse. Sin embargo, el ministerio centrado en el quinto mandamiento y en Romanos 8.28 transformó su punto de vista. De modo que pudo volver en paz a una relación mortificante, sabiendo que estaba donde debía estar. Así aquella mujer creció en la gracia.

Los cristianos maduran cuando aceptan que están destinados a negarse a sí mismos y a llevar la cruz (Lc 9.23). Al contrario que las orquídeas, ellas no crecen como plantas de invernadero; Jesús no vivió como una de esas plantas, evitando lo abrasivo de la existencia, ni quiere que sus discípulos lo hagan tampoco.

La sabiduría nos lleva, por tanto, a apartar nuestros ojos del brillo inútil de esas falsas luces y a buscar una iluminación mejor para que todo lo que contiene nuestro cuadro de crecimiento en la gracia se manifieste. He aquí, ahora, cinco luces verdaderas para sustituir a las falsas.

Cuando el crecimiento espiritual, ese crecimiento en las gracias del carácter cristiano y en la intimidad con Dios, está ocurriendo, cabe esperar que se vean al menos estas señales del mismo:

1. *La primera señal* es un deleite creciente en alabar a Dios, junto con una aversión cada vez mayor a ser alabado uno mismo. Hay un propósito de alabanza a lo largo de toda la Biblia. Este se arraiga en el corazón de cada cristiano, haciéndose, si no necesariamente más exuberante, sí más enfático a medida que el santo madura. Y cuanto más se eleva uno alabando a Dios, tanto más bajo se ve a sus propios ojos, y con más pasión exclama su corazón como el salmista: «No a nosotros, oh Jehová, no a nosotros, sino a tu nombre da gloria, por tu misericordia, por tu verdad» (Sal 115.1). Cuando los cristianos sienten esto cada vez con más fuerza, se diría que están creciendo en gracia.

2. *La segunda señal* un creciente instinto de preocupación por los demás y de desprendimiento, acompañado de una aversión más pronunciada hacia ese ensimismamiento que no hace otra cosa que recibir sin llevar a cabo lo primero ni lo segundo. El amor, como ya hemos visto, forma parte de la esencia de la semejanza con Cristo, y es por entero un asunto de preocupación por los demás y de dar. Jesús estuvo interesándose por otros y dando sin restricciones a lo largo de todo su ministerio. Incluso en la agonía de su crucifixión le vemos preocupado y orando por sus verdugos para que estos sean perdonados (Lc 23.34), atendiendo a las necesidades de su madre y encargándole a Juan que se ocupe de ella (Jn 19.26-27), e interesándose por el ladrón arrepentido a quien le promete salvación (Lc 23.43). Cuando

los cristianos se consagran más y más al amor y aborrecen en mayor medida el desamor en sus diversas formas, se diría que están creciendo en gracia.

3. *La tercera señal* es una pasión en aumento por la justicia personal, acompañada de una gran congoja por la impiedad e inmoralidad del mundo que nos rodea, y un discernimiento más agudo de la estrategia de oposición, distracción y engaño de Satanás para garantizar que la gente ni crea ni viva de la manera correcta. «No ignoramos sus maquinaciones», dijo Pablo con cierto tono sombrío (2 Co 2.11). Cada cristiano debería poder decir lo mismo. Cuando los creyentes muestran más pesar por el hecho de que Dios sea deshonrado y provocado por la conducta que Él aborrece, y más realismo en cuanto a la guerra espiritual que implica el hacer retroceder la ola de maldad, poniendo más cuidado en no ser arrastrados ellos mismos al pecado, se diría que están creciendo en gracia.

4. *La cuarta señal* es un celo creciente por la causa de Dios, acompañado de una mayor disposición a actuar de manera impopular para adelantarla. Esto no significa defender algunos gestos estúpidos que ciertamente serán y merecerán ser impopulares. Para cualquier acción pública se requiere una sabiduría estratégica y táctica, así como una comprensión madura de las cuestiones involucradas. «Bendito sea Jehová, mi roca, quien adiestra mis manos para la batalla», escribió David (Sal 144.1). De manera semejante, los cristianos que se disponen a pelear las batallas del Señor en pro de la verdad y de la vida necesitan que Dios adiestre, en este caso, sus mentes. Cuando tales creyentes permiten con humildad que la sabiduría temple su celo y, a pesar de ello, permanecen preparados (e incluso más que antes) para ocupar sus puestos en lo que inequívocamente es la causa de Dios, se diría que están creciendo en gracia.

5. *La quinta señal* es una mayor paciencia y disposición a esperar en Dios y someterse a su voluntad, acompañada de un aborrecimiento más profundo por aquello que se disfraza de fe osada pero que no es otra cosa que inmadurez pueril la cual intenta forzar la mano divina. Como los niños que lo quieren todo enseguida, y dicen y piensan, del modo más apasionado, tanto que no pueden seguir esperando ni pasar sin ello. Pero la forma adulta de pedir es aquella de

la sumisión, ejemplificada por Jesús en Getsemaní: «Padre mío, si es posible... pero no sea como yo quiero, sino como tú» (Mt 26.39). Está bien decirle a Dios lo que anhelamos y quisiéramos que Él hiciese, pero también lo es recordarnos a nosotros mismos, y reconocer en su presencia, que Él sabe lo que más conviene. Si los cristianos están aprendiendo a someterse con impávido realismo y humildad a la forma en que Dios dispone los acontecimientos, se diría que están creciendo en gracia.

APLICACIÓN PERSONAL DE ESTOS PRINCIPIOS

Ahora sólo nos queda atar cabos y decir de qué manera se aplica todo esto al cristiano individual. Puesto que el propósito de la enseñanza de Dios en la Escritura acerca del crecimiento santo es medirme, guiarme y dirigirme a mí tanto como a cualquier otro, sería apropiado (y también honrado) por mi parte que formulase su aplicación en términos personales.

Así que, en primer lugar: ¿Es tan grande mi interés por el crecimiento en la gracia como debiera ser?

¿Me preocupa el crecimiento? En 2 Pedro 3.18 se presenta el crecimiento en la gracia como una necesidad y no como una opción; no es algo que se sugiere, sino que se ordena. El verbo que emplea el apóstol está en imperativo: «Creced en la gracia y el conocimiento de nuestro Señor y Salvador Jesucristo». Esta es la última amonestación de Pedro, expresada en el postrer versículo de su última epístola, cuando sabe que su muerte es inminente (2 P 1.14). De modo que tiene ese peso y esa solemnidad especiales de las últimas palabras. Pedro parece estarnos diciendo: «Aunque olvidéis las otras cosas que os he dicho, esta recordadla, porque es la más importante de todas». Y así es ciertamente, ya que el pensamiento que el apóstol estaba expresando tenía en realidad una magnitud y una riqueza mayores de las que hemos visto hasta ahora.

Al igual que Ryle, quien en este punto sigue a los puritanos, hemos tomado hasta aquí la expresión «crecer en la gracia» en el sentido de «crecer en las gracias» (virtudes y facetas del carácter cristiano). Pero aunque esto forme parte, desde luego, del significado que le da Pedro, hay mucho más en esa expresión del apóstol.

Crecer en la gracia y en el conocimiento de Cristo significa:

- afirmar la comprensión que uno tiene de toda la doctrina de la gracia que repasamos en los capítulos 2 y 3;
- profundizar nuestra relación de fe con Cristo, y por medio de Él con el Padre y el Espíritu, implicando consciente y directamente a la santa Trinidad en nuestra forma de vivir y
- llegar a ser más como Cristo, a medida que el Espíritu nos asemeja con Aquel a quien contemplamos y nos guía a pedir en oración la conformidad con Él, a actuar imitándole y a manifestar nuestra transformación progresiva a su imagen moral.

Obedecer este mandamiento de una forma continua (que es lo que Pedro quiere decir, ya que «creced» está en el tiempo presente y significa «seguid creciendo») es cuestión de ser concienzudamente cristiano, e intentar serlo, en todo momento y cada vez más, en la totalidad de las áreas de nuestra vida. Por tanto, el crecimiento en la gracia constituye el verdadero trabajo de nuestra existencia: una tarea ingente y sin fin. Y puesto que se trata de un mandamiento, estamos obligados a acometer dicho trabajo y a esforzarnos por llegar lo más lejos posible en el mismo. En esto consiste el verdadero discipulado. Así es como demostramos ser creyentes. Por tanto el crecimiento en la gracia supone la prueba de fuego para todos nosotros.

Muchos cristianos, sin embargo, parecen no crecer en gracia ni preocuparse por el asunto. Aparentemente se conforman con acumular tiempo espiritual e incluso retroceder, lo cual es trágico. ¿Por qué sucede así? Existen varias razones posibles.

Tal vez esos creyentes nunca han leído las palabras de Pedro, ni se les ha dicho que Dios exige de ellos el crecimiento en la gracia. La gente no es consciente de aquello que ignora.

Por otra parte, quizá los retenga el miedo de que un compromiso serio de crecer en la gracia pueda producir cierto desbaratamiento o cataclismo importante en sus vidas, como probablemente sucedería. W.H. Auden da testimonio del efecto paralizante de este miedo en su estremecedora línea que dice: «Preferimos arruinarnos antes que cambiar».

Quizás estén tomando ejemplo de otros cristianos a su alrededor los cuales no sienten ninguna preocupación por crecer en la gracia. Y han inferido de eso que ellos tampoco necesitan hacerlo a pesar de lo que diga la Biblia. O tal vez hayan perdido su primer amor por Cristo y su apetito de las cosas divinas, «seducido[s] por el amor a este mundo», como le pasó a Demas, el que en otro tiempo fuera compañero de Pablo (2 Ti 4.10, NVI).

Pero sea cual sea la razón, su falta de interés es desobediente, errónea, irresponsable e indefendible. Todos los cristianos tienen el encargo de crecer en la gracia y en el conocimiento de Cristo.

Al principio de su epístola, Pedro había explicado en forma vívida, aunque demasiado minuciosa y sutil, los detalles de un compromiso real con el crecimiento en la gracia. «Poniendo toda diligencia por esto mismo, añadid a vuestra fe virtud; a la virtud, conocimiento; al conocimiento, dominio propio; al dominio propio, paciencia; a la paciencia, piedad; a la piedad, afecto fraternal; y al afecto fraternal, amor. Porque si estas cosas están en vosotros, y abundan, no os dejarán estar ociosos ni sin fruto en cuanto al conocimiento de nuestro Señor Jesucristo» (2 P 1.5-8). ¡Observe cuán nítidamente se ensamblan aquí D, E y P! Esta es una fórmula que se aplica a todos. Debo, por tanto, hacer frente al hecho de que ese es el tipo de vida al que soy llamado, y de que en el momento que deje de esforzarme de esta manera por crecer, caeré en un estado de corazón impío y peligroso. Y lo que vale para mí, vale también para cada uno de mis lectores.

¿Practico yo estos principios? En segundo lugar, entonces: *¿Es mi práctica de los principios de crecimiento en la gracia la que debería ser?*

¿Cuáles son esos principios?, nos preguntamos. Si dijésemos simplemente: hacer uso de los medios de gracia (lectura bíblica, oración, culto congregacional y comunión cristiana, por citar los cuatro clásicos), no nos equivocaríamos. Sin embargo, conviene añadir algo más a esto. De modo que aquí tenemos tres máximas (principios para cumplir ese principio del crecimiento exigido; axiomas intermedios, como los llamarían los éticos) y cuatro disciplinas, todas ellas expuestas para que nos sirvan de guía.

1. Ocupaos en vuestra salvación. Esta expresión de Filipenses 2.12 es la forma que tiene Pablo de explicar lo que va a suponer en realidad la obediencia de sus lectores al llamamiento de manifestar el sentir (o la actitud) de Cristo (Flp 2.5-11). Dicha obediencia consistirá en un expresar mediante la acción, y por tanto en un perfeccionar y un cumplir (todas estas ideas parecen estar presentes) la salvación que ya han obtenido. Y deben ocuparse en su salvación «con temor y temblor» es decir, con admiración y reverencia por la obra que Dios hace en ellos. Ya que la habilidad que su obediencia demuestra no es natural, sino fruto de la capacitación divina. Resulta imponente la idea de que «Dios es el que en vosotros produce así el querer como el hacer» (Flp 2.13), sin embargo se trata de la solemne verdad. A medida que expresamos nuestra salvación mediante la obediencia divinamente capacitada, Dios Espíritu Santo transforma nuestra naturaleza moral y nos hace más como ese Cristo sobre el cual nos modelamos.

Esto indica el procedimiento adecuado cada vez que se requiere un nuevo acto de obediencia. Primeramente, preséntelo a Dios en oración, reconociendo su propia falta de fuerza para realizarlo y pidiendo ser capacitado por el cielo. Luego, pase a la acción esperando ser ayudado, y descubrirá que lo es. A continuación, déle gracias a Dios por la ayuda recibida. Es mediante este modelo de actuación humilde y dependiente como nos ocupamos en nuestra salvación y crecemos en la gracia.

2. *Permaneced (quedaos, no os mováis) en Cristo.* Esta máxima refuerza la primera y procede de los propios labios de Cristo: «Como el pámpano no puede llevar fruto por sí mismo, si no permanece en la vid, así tampoco vosotros, si no permanecéis en mí. Yo soy la vid, vosotros los pámpanos; el que permanece en mí, y yo en él, éste lleva mucho fruto; porque separados de mí nada podéis hacer... Permaneced en mi amor. Si guardareis mis mandamientos, permaneceréis en mi amor» (Jn 15.4-5, 9-10). La enseñanza de Jesús es que Él mismo debe ser el centro de atención en las vidas de sus seguidores. Por la fe en Él, estos se encuentran ya unidos con su Persona, de tal manera que la vida del Señor fluye a través de ellos verdadera aunque misteriosamente (son pámpanos de esa vid que es Cristo). Ahora deben considerarlo a Él como su fuente de poder para servir; escucharle para saber la forma que ese servicio debería adoptar; cultivar su compañía mientras realizan el trabajo; y complacerse en la certeza de su constante amor.

Ellos deben «permanecer» (no moverse y estar firmes) en esta relación global con Él. Este es su secreto para ser fecundos. El fruto que llevarán, «fruto [que] permanezca» (Jn 15.16), será de justicia en sus propias vidas cambiadas y de influencia espiritual para cambiar las vidas de otros. Para esa fecundidad que incluye la santidad, la salud y el crecimiento como los hemos venido definiendo, resulta absolutamente esencial una vida cristocéntrica del tipo descrito. Así fue para los apóstoles, a los cuales Jesús impartió esta enseñanza, y sigue siendo para nosotros, a quienes Juan la transmite en su evangelio.

Bien podía, por tanto, decir al Señor el escritor del himno:

Crece, oh Jesús, en mí
Y lo demás remitas;
Más cerca mi alma esté de ti,
Y mi pecado quita.

Que día a día tu poder
Sostenga mi flaqueza;
Tu luz radiante me haga ver
La vida verdadera.

Tus rayos de oro sobre mí
Disipen todo yerro;
Y aprenda cada día de ti
A depender sin miedo.

Más de tu gloria muéstrame,
Oh santo, fiel y sabio,
Quisiera más tu imagen ser
En honra o en agravio.

De tu alegría dame, oh Dios,
Y cíñame tu fuerza;
Que el brillo de tu resplandor
Refleje mi alma entera.

Mi pobre yo no crezca más,
Objeto y vida mía;
Y por tu gracia así me harás
Más digno cada día.

Es por tanto mediante nuestro menguar y su crecer en la manera descrita como maduramos en la gracia.

3. *Velad y orad.* Estas son palabras de Jesús, con las cuales amonestó a los tres discípulos a quienes había pedido que velasen (estuvieran despiertos y vigilantes, apoyándole con su presencia e interés) mientras Él oraba en Getsemaní. La exhortación completa del Señor fue: «Velad y orad, para que no entréis en tentación; el espíritu a la verdad está dispuesto, pero la carne es débil» (Mt 26.41).

Esta advertencia se debía a que la malicia y el engaño de Satanás, el enemigo de las almas, no tiene fin. Todos los que sirven a Dios han de pasar por el peligro de las inoportunas tentaciones del diablo durante toda su vida. Si Satanás no puede impedirnos que lleguemos a creer, desde luego echará mano de todos sus recursos para que no crezcamos en la gracia; asegurándose de que Dios sea deshonrado, de un modo u otro, por la manera cómo vivimos. «Entrar en tentación» significa convertirse en víctima de alguno de los ardides de Satanás para deshonrar a Dios dañando a aquellos que le pertenecen. Las incitaciones a caer de esta forma son constantes en la vida cristiana.

Pedro, a quien primeramente fue dirigida la advertencia de Jesús (y al que pocas horas más tarde Satanás atrapaba en una negación pública de Cristo por tres veces consecutivas), habría luego de hacer una conmovedora exposición de lo que significa velar: «Sed sobrios, y velad; porque vuestro adversario el diablo, como león rugiente, anda alrededor buscando a quien devorar; al cual resistid firmes en la fe» (1 P 5.8-9).

Y en cuanto a la oración, la propia lucha de Jesús en Getsemaní por orar sinceramente «hágase tu voluntad» nos enseña lo que debemos saber acerca de la plegaria capaz de rechazar las tentaciones satánicas. Mientras nuestros corazones se hagan eco de la oración de Jesús: «No sea como yo quiero, sino como tú», y se valgan de la preciosa verdad de que «en cuanto él mismo [Jesús] padeció siendo tentado, es poderoso para socorrer a los que son tentados» (Heb 2.18, cf. 4.15), saldremos victoriosos. La esencia de la guerra espiritual en la que están envueltos los cristianos es esa lucha por decir «No» cuando el mundo, la carne y el diablo nos instan a que digamos que sí, y «Sí» cuando el hastío, el endurecimiento y la incredulidad nos mueven a decir «No». En estas batallas, aquellos que han aprendido a velar, orar, luchar y vencer crecen en la gracia. Y es precisamente a través de esa clase de experiencias como nosotros también debemos crecer en gracia.

Eric Liddell, el legendario y veloz escocés de la película *Carrozas de fuego,* escribió: «La vida cristiana debe manifestarse en su crecimiento. Yo creo que el secreto del crecimiento está en el desarrollo de la vida devocional».[4] Sin duda Liddell tenía razón; pero la vida devocional puede verse socavada por la insensatez y la negligencia, e impedir así que nos desarrollemos de una forma verdaderamente saludable. Así que concluyo este capítulo llamando la atención sobre cuatro disciplinas que tienen que ver con la manera de despejar el camino para un crecimiento sano. Todas ellas están inspiradas en el texto de 2 Pedro, y particularmente en su capítulo 3, cuya conclusión culminante es el llamamiento divino a crecer en la gracia.

Primera disciplina: Aceptar los hechos. Ser real es una virtud cristiana que reconoce la soberanía de Dios sobre su mundo e interpreta los desengaños y los aplazamientos inesperados de la esperanza como actos de la sabiduría y la bondad divinas, según su promesa. Ningún desaliento, amargura o cinismo (las enfermedades que debilitan el alma) encuentran apoyo en los corazones sinceros. Pedro dice a sus lectores, quienes al parecer estaban acobardados y perplejos ante el hecho de que el Señor no hubiese vuelto todavía, que la aparente tardanza de Cristo para poner fin a la historia era en realidad misericordia paciente, y contribuía a la salvación de algunos que de otro modo se hubieran perdido (2 P 3.3-9,15). Aceptar esto, con la confianza de que Dios todo lo hace bien, era necesario para su crecimiento devocional continuo. Guardar rencor al Señor, por esa o cualquier otra causa, bloquearía por completo dicho crecimiento.

Segunda disciplina: Evitar la insensatez. La justicia es una obligación cristiana, y eso que Pedro llama «el error de los inicuos» (2 P 3.17), es decir, la falta de principios morales y la despreocupación altiva por la santidad que se describe en el capítulo 2 de esa misma epístola, es insensatez que se opone abiertamente a las exigencias de Dios y se hace acreedora de juicio. Para el crecimiento devocional continuado es necesario rechazar dicha insensatez. Ceder a ella, conformándose con

---

4. Eric Liddell, *Manual de discipulado cristiano*, CLIE, Barcelona, 1992, p. 15.

algún tipo de relajamiento moral, y por tanto desagradar a Dios, bloquearía por completo el crecimiento.

Tercera disciplina: Asimilar el alimento. La verdad bíblica, la Palabra de Dios, es el verdadero alimento del alma. En su primera carta, Pedro dijo a sus lectores que debían anhelarla (2.2). En la segunda, los exhorta a prestar atención a las Escrituras de los profetas (1.19-21; 3.2) y a asegurarse de que no interpreten incorrectamente las epístolas de Pablo (3.5). Para el crecimiento continuo en la gracia, se precisan la confianza en la veracidad divina de la enseñanza bíblica y una ingestión constante y meditada de la misma. La duda en cuanto a las Escrituras, en cambio, bloquearía por completo el crecimiento.

Cuarta disciplina: Afirmar la comunión. Dios no ha creado ni redime a nadie para que sea un lobo solitario en este mundo. Estamos hechos, y somos salvos, para el compañerismo afectuoso y la ayuda mutua. Pedro ejemplifica esto: primero llama a sus lectores «hermanos» (2 P 1.10, cf. 2 P 1.7), y luego, por cuatro veces en esa misma epístola, se refiere a ellos como «amados» (2 P 3.1,8,14,15,17). El carácter único del papel y la autoridad de los apóstoles no limita o impide nunca su comunión con sus propios convertidos como hermanos que aman y son amados en la familia de Dios. Para el continuo crecimiento en la gracia es preciso que ocupemos nuestro sitio en la fraternidad interdependiente de la comunión cristiana. Aislarse voluntariamente de esta, por cualquier motivo, bloquearía por completo el crecimiento.

CÓMO EVITAR EL SÍNDROME DE PETER PAN

Una perturbadora creación literaria del siglo veinte, perturbadora en cuanto a que refleja mucha verdad desagradable acerca de nosotros mismos, es *Peter Pan*, «el niño que no quería crecer», como subtitula la obra su autor, J.M. Barrie. Durante las dos últimas generaciones, *Peter Pan* ha sido aplaudida y disfrutada como un gran espectáculo para niños. Otras generaciones la percibieron simplemente como la narración de Peter y los piratas, con la participación de Wendy, y fue tenida en gran estima.

Cuando era niño, leía a menudo la obra, en realidad era uno de mis libros favoritos, y eso era lo que sacaba de ella. No cabe duda de que la película de Steven Spielberg *Hook* (Garfio) volverá a la vida la parte del relato que hace referencia a los piratas, como tampoco que *Peter Pan* seguirá considerándose como un clásico infantil en el siglo veintiuno.

Sin embargo, Peter no es alguien con quien ningún niño, o, si vamos a ello, ningún adulto inteligente se identificará. Esa declaración que repite por dos veces de «sólo quiero seguir siendo un niño para siempre y pasarlo bien»[5] es verdaderamente una mala señal. Peter representa la fijación de una fase que atraviesan, y si todo va bien superan, los niños. Su elección (porque de eso se trata), consiste en detener su propio desarrollo, le deja tan imperfecto que hemos de describirlo como un antihéroe: un personaje verdaderamente antipático e incluso repelente. A pesar de su valentía, ingenio y capacidad de liderato, Peter es también un engreído, ensimismado, cruel y alguien incapaz de amar o de recibir amor de otros. Después de atravesar grandes capas de ambivalencia sentimental (unas veces divertida y otras tristes, ya que esa es la especialidad de Barrie), la obra deja claro que, tras su estancia en el país de Nunca Jamás, Wendy y sus hermanos salen ganando con volver a una familia comprometida con el estado adulto como destino normal de la niñez. Para Peter, el volver la espalda al mundo de las relaciones y el trabajo a fin de seguir tocando perpetuamente su flauta de Pan entre las hadas, constituye una tragedia a escala reducida. Se espera que así lo consideren también las personas mayores que hay en el auditorio.

El actual abandono por parte de Occidente de la seguridad de sus principios cristianos a cambio del materialismo secular, ha dado origen a lo que sólo puede denominarse cultura de Peter Pan. En ella se estimula la aparición y el afianzamiento de todas las facetas de ese egoísmo pueril presentes en Peter, y cuando eso sucede se las trata como virtudes. En una cultura semejante resulta difícil llegar a ser un adulto responsable, particularmente en el terreno de las emociones. Se ha dicho con razón que el mayor problema social del mundo moderno es la inmadurez emocional extrema disfrazada de estilo de vida adulto. En el orden divino de cosas, la familia humana debe funcionar como

---

5. J. M. Barrie, *Peter Pan*, Hodder & Stoughton, Londres, 1928, pp. 111, 155.

una cadena de relaciones donde se aprendan a fondo la lección del amor responsable y la estrategia vital. Sin embargo, con el debilitamiento de la vida familiar en casi todas partes, esto no está sucediendo. El mundo de hoy se encuentra atestado de personas cuyos cuerpos de adultos albergan una constitución emocional juvenil e incluso infantil; gente que, dicho de otro modo, quieren seguir siendo siempre niños o niñas y pasárselo bien. La abundancia material hace posible que, a partir de la adolescencia, la autoindulgencia pueril se convierta en un estilo de vida cuyos resultados en los años tardíos son dolorosos.

Los cristianos, como el resto de la gente, se ven condicionados y moldeados por la cultura de la que forman parte. Están siendo contagiados por el síndrome de Peter Pan. Las máximas y las disciplinas devocionales no pueden ayudarnos si no tenemos la disposición de dejarnos cambiar llegado el momento. ¿Estoy dispuesto a saber si preciso o no un crecimiento emocional? ¿Lo está usted?

Una vez más es Jesús, «el autor y consumador de la fe» (Heb 12.2), quien se yergue ante nosotros como modelo de esa madurez emocional y actitudinal a la que nuestro crecimiento en la gracia debe conducirnos. Es sobre todo al medirnos por Él, mientras le descubrimos en las páginas de los evangelios, como llegamos a ver cuáles son nuestras verdaderas necesidades en esa área, y lo que el crecimiento hacia su estatura va a exigir de nosotros.

Quiera Dios capacitarnos a usted y a mí para crecer en la gracia en el momento presente, «perfeccionando la santidad en el temor de Dios» (2 Co 7.1).

7 | La vida cristiana vigorosa: Un crecimiento fuerte

Doblo mis rodillas ante el Padre... para que os dé, conforme a las riquezas de su gloria, el ser fortalecidos con poder en el hombre interior por su Espíritu; para que habite Cristo por la fe en vuestros corazones, a fin de que, arraigados y cimentados en amor, seáis plenamente capaces de comprender con todos los santos cuál sea la anchura, la longitud, la profundidad y la altura, y de conocer el amor de Cristo, que excede a todo conocimiento, para que seáis llenos de toda la plenitud de Dios. Y a Aquel que es poderoso para hacer todas las cosas mucho más abundantemente de lo que pedimos o entendemos, según el poder que actúa en nosotros, a Él sea gloria en la iglesia en Cristo Jesús por todas las edades, por los siglos de los siglos. Amén. **Efesios 3.14-21**

Antes bien, nos recomendamos en todo como ministros de Dios, en mucha paciencia, en tribulaciones, en necesidades, en angustias; en azotes, en cárceles, en tumultos, en trabajos, en desvelos, en ayunos; en pureza, en ciencia, en longanimidad, en bondad, en el Espíritu Santo, en amor sincero, en palabra de verdad, en poder de Dios, con armas de justicia a diestra y a siniestra.

2 Corintios 6.4-7

PODER: ¿UN TÉRMINO GASTADO?

Con el comienzo de cada año, la revista *Time* mira hacia atrás y hacia delante, y hace los comentarios que considera oportunos. Su primer número de 1990 presentaba una lista de «Palabras de moda más aptas para una pronta jubilación», en la cual, después de una serie de términos temporales en el mundo de los negocios, aparecían expresiones con el vocablo «poder»: *poder del jugador, poder del desayuno, poder de la corbata...*

Cuando hoy en día miro mi biblioteca descubro títulos tales como *Sanidad de poder, Evangelismo de poder, Poder sanador, Confrontaciones de poder, Cuando el Espíritu viene con poder, Cristianismo con poder...* todos ellos de libros publicados a partir de 1985; algo que hace girar inmediatamente la rueda del pensamiento. ¿Conque palabras de moda, no? ¿Una simple jerga vaga y tediosa? ¿Términos utilizados en demasía por los cristianos, al igual que sucede en el mundo comercial? ¿Aptos para la jubilación?... Puede que esos sean nuestros pensamientos iniciales; sin embargo, el pensarlo mejor debería hacernos reflexionar. La palabra «poder» tiene gran importancia en el Nuevo Testamento. ¿Dónde acabaría yo si me impusiera a mí mismo el deber abnegado de no seguir utilizando ese término? ¿A dónde iría a parar la Iglesia si todos actuásemos de ese modo? En caso de que dejáramos de hablar del poder, pronto dejaríamos también de pensar en él. Y si eso sucediera, nos empobreceríamos de veras. Por tanto, ¡pisemos el freno y dejemos de ser sarcásticos! Al menos para el cristianismo la palabra «poder» es muy valiosa. Puede que se trate de un término de moda, pero lo necesitamos para concentrarnos en aquello a lo cual hace referencia. Espero que este capítulo deje clara la importancia de esto.

El poder de Dios. El poder que ahora nos interesa es el divino: esa energía ejercida por Dios en la creación, la providencia y la gracia. La palabra corriente para indicar tal poder en el Nuevo Testamento griego es *dunamis,* de donde procede el término «dinamita». Aquí trataremos simplemente de un fragmento de este formidable tema, a saber: el poder de Dios que regenera, santifica y actúa a través de nosotros los pecadores.

Sin embargo, ocuparnos de este asunto significará afrontar un problema: la reiterada dificultad de las palabras de moda planteadas por una miopía apasionadamente comprometida. Podemos analizar el problema de la siguiente manera: las palabras activan en nosotros ciertos mecanismos de interés, entusiasmo y deseo de estar al día y no quedarnos atrás; de modo que la gente recoge los términos y los proyecta como una especie de distintivo verbal, para demostrar que están perfectamente al corriente y conocen la última cosa de importancia. No obstante, ese uso de los términos refleja poca o ninguna reflexión acerca de la cosas importantes en sí. De modo que cuanto más se utiliza una palabra de esta manera, tanto más vago llega a ser su significado y más corta la vista de sus celosos usuarios.

Actualmente cada vez hay más personas preguntándose con ansiedad, a sí mismas y unas a otras, si tienen el poder de Dios en sus vidas; con menos y menos certeza de lo que ello pueda significar. Lo único de lo que están seguras es que quieren identificarse con los que pretenden conocer dicho poder, puesto que no desean verse excluidas de ninguna cosa buena que esté sucediendo. Como en otros casos, el problema de las palabras de moda desemboca por tanto en una neurosis de rebaño: una inclinación a seguir ciegamente las modas siempre que se forme parte de una confiada multitud. Cuando se susurran esas palabras de moda se obtiene pelusa conceptual. Para hablar con sentido acerca del poder de Dios tendremos que atravesar por buena parte de ella.

Como un primer paso para llegar a la debida claridad sobre el tema que nos ocupa, necesitamos entender desde el mismo comienzo que Dios no nos da su poder como posesión nuestra, un recurso que podamos usar a nuestro antojo. No debiera ser necesario decir esto, pero tanto como se habla hoy en día de utilizar el poder divino demuestra que este concepto erróneo es bastante corriente. Dios nos utiliza, haciendo que entren en juego las facultades que Él nos ha dado, como conductos a través de los cuales fluye su propio poder; pero no somos acumuladores de fuerza como las pilas, ni receptáculos semejantes a cubos en los que pueda guardarse, hasta que se necesite, el potencial de energía activa. Tampoco utilizamos a Dios o su poder igual que hacemos con la electricidad, encendiéndolo o apagándolo a nuestro gusto.

El pecado de Simón el mago consistió en querer ser dueño del poder divino para usarlo a su discreción (Hch 8.18-24), su pecado se relata como advertencia y no como ejemplo a seguir. En todo momento el deseo correcto es el de ser «instrumento para honra, santificado, útil al Señor, y dispuesto para toda buena obra» (2 Ti 2.21).

Si algún cristiano nos habla de utilizar el poder de Dios, en nuestra mente debiera encenderse una luz roja. En cambio, si de lo que se habla es de cómo podemos ser usados por el Señor y útiles para Él, nuestra reacción tendría que ser la de asentir con la cabeza. Procuremos no equivocarnos en esto.

EL PODER SOBRENATURAL DE DIOS

Durante el siglo pasado, los cristianos evangélicos (y algunos otros también) han sentido gran preocupación por el poder en la vida cristiana. ¿Es malo eso? En absoluto. Un periódico fundado en la década de 1870 se llamaba *The Christian's Pathway of Power* [La senda de poder del cristiano]. Su tema era la capacitación divina de los creyentes para cumplir con nuestro deber, ejecutar las tareas que nos impone la vida, y vencer las tentaciones que de otro modo nos impedirían agradar a Dios. Durante mis años de crianza por parte de un movimiento estudiantil evangélico, todo un regimiento de oradores devocionales fruncían el ceño y nos apremiaban con la pregunta «¿Tienes poder en tu vida?», queriendo decir lo mismo. ¿Era malo desear un mayor dominio propio y una práctica de la justicia más completa y fructífera mediante el poder divino? Naturalmente que no.

A la vez, y entre esa misma gente, el interés se centraba en ser capaces de influir en otros a través del testimonio personal (y si uno era predicador, por su predicación), mediante el poder de Dios y para Él. Mucho se decía de la diferencia entre los cristianos con testimonio poderoso y aquellos otros para quienes no era así. ¿Estaba bien preocuparse porque el testimonio de uno fuera poderoso? ¿Y sentir miedo de que resultara ser impotente? Desde luego que sí; y también debería preocuparnos a nosotros.

Más recientemente, aquellos cristianos que han sido tocados por los movimientos conocidos como pentecostalismo, renovación carismática o Tercera Ola, han empezado a buscar (y algunos afirman haber encontrado) la capacidad de canalizar, mediante la oración, demostraciones sobrenaturales del poder divino en todo tipo de sanidades: curación del cuerpo, sanidad interna del corazón y exorcismos, cuando aparece alguna actividad demoníaca en la vida de las personas.

De nuevo me pregunto a mí mismo: ¿Es malo que los cristianos se preocupen por tales cosas? Aunque veo algunas trampas peligrosas en ello,[1] no puedo decir con el corazón que se trate de algo malo. En mi Nuevo Testamento leo mucho acerca de esas manifestaciones del poder de Dios entendido como «los poderes del siglo venidero» (Heb 6.5), en otras palabras, el Espíritu Santo en acción.

Es cierto que el Nuevo Testamento considera habitualmente las «señales y prodigios» como una autenticación por parte del Padre del ministerio de Jesús y de sus apóstoles (Hch 2.43; 5.12; 14.3; cf. 10.38; 19.11; Ro 15.19; 2 Co. 12.12; Heb 2.3). Aunque no hay ninguna promesa clara acerca de que tales manifestaciones continuaran una vez terminado el ministerio apostólico,[2] tampoco se niega que pudieran seguir. El Nuevo Testamento deja abierta esa posibilidad.

En cualquier caso, se dice de la manera más enfática que todos los cristianos, como nuevas criaturas en Cristo, ya han sido tocados por lo sobrenatural (2 Co 5.17; Ef 2.4-10; 1 Jn 3.9). La expectativa coherente es que ahora ellos vivan de un modo visiblemente distinto al resto del mundo. La señal y la maravilla suprema que da mayor credibilidad al cristianismo será siempre, por lo tanto, la vida cambiada del creyente. De esto parecen derivarse dos conclusiones: primera, que un cristianismo preparado para seguir adelante alegremente sin ningún tipo de señales del poder sobrenatural de transformación de Dios en las vidas de las personas demuestra un espíritu muy poco bíblico; y segunda, que esta expectativa de cambio moral en conjunto constituye el marco adecuado para todas las esperanzas y búsquedas de sanidad espiritual.

Milagros de la nueva creación. La venida de Cristo el Salvador ha dado lugar al derramamiento del Espíritu Santo sobre la Iglesia y sobre el mundo, y el Espíritu Santo llega con poder. En el Nuevo Testamento vemos ese poder manifestado en todas las formas que he mencionado hasta ahora: capacidad de realizar tareas de devoción y servicio, así como de vencer la tentación;

---

1. Véase *Keeping in Step with the Spirit,* pp. 191.
2. Algunos afirman que la falta de alguna promesa así es virtualmente una garantía de que dichas manifestaciones no habrían de continuar: véase, p. ej., B: B: Warfield, *Counterfeit Miracles* (Banner of Truth, Londres, 1976).

capacidad de influir en otros mediante la predicación y el testimonio; y capacidad de actuar como un canal de Dios para milagros, sanidades y cosas semejantes. Consideremos ahora estas tres modalidades en orden inverso:

Señales y prodigios. Primeramente, tanto en los Evangelios como en el libro de los Hechos encontramos obras de poder en el terreno físico, incluyendo milagros de la naturaleza y sanidades de todas clases. El mismo Jesús utiliza la expresión «señales y prodigios» en Juan 4.48 para referirse a ellas. Se trata, para usar la acertada fórmula de C.S. Lewis, de «milagros de la nueva creación»[3] en los que el poder divino que hizo el mundo vuelve a actuar para sacar algo de la nada: producir un estado de cosas que no tiene explicación en términos de lo que había antes. Todo el mundo sabe que no se puede obtener suficiente comida para cinco mil personas partiendo de cinco panes y dos peces, y sin embargo se hizo. Todo el mundo sabe que no se puede devolver a los que están muertos a la vida, pero en tres ocasiones Jesús lo llevó a cabo: la hija de Jairo, el hijo de la viuda de Naín y Lázaro (véanse Lc 7.11-17; 8.49-55; Jn 11).

Desde luego estos tres incidentes no fueron comparables a ese milagro mayor de la nueva creación que sucedió cuando el propio Cristo fue resucitado de los muertos. Fueron sólo resucitaciones. En cada uno de esos casos la persona volvió a morir poco tiempo después. Lo mismo puede decirse de Dorcas, a quien resucitó Pedro (Hch 9.36-41), o de Eutico, al cual Pablo devolvió la vida (Hch 20.9-12), como había sido también el caso de los niños muertos a los que Dios hizo vivir de nuevo por medio de Elías y Eliseo (1 R 17.17-23; 2 R 4.18-37). Sin embargo, Jesús resucitó para no morir nunca más. Su resurrección es un milagro todavía más extraordinario de esa nueva creación; en realidad, el milagro normativo. Cristo es las primicias, el comienzo de la nueva creación de Dios, como lo expresa el mismo Nuevo Testamento (véanse 1 Co 15.20,23; Col 1.18; Ap 1.5).

No obstante, todos estos son casos en los cuales el poder que creó el mundo de la nada produce efectos para los que no puede encontrarse ninguna causa, salvo que el Dios Creador ha vuelto a mostrar su poder.

---

3. C.S.Lewis, *Miracles* [Milagros], Geoffrey Bles, Londres, 1947, título del capítulo 16.

Palabras de poder. En segundo lugar, uno sigue leyendo el Nuevo Testamento y descubre que las palabras de poder en la comunicación cristiana forman parte muy importante del relato evangélico y de la historia de la nueva iglesia. Lucas está particularmente interesado en el poder de Dios, y hay varios versículos de su evangelio que son significativos para este caso. Examinemos algunos de ellos.

En Lucas 4.14 leemos que, después de la tentación en el desierto: «Jesús volvió en el *poder* del Espíritu a Galilea». Este versículo introduce no sólo las obras de poder del Señor, sino también las palabras poderosas que salían de sus labios. Luego, después de resucitar, Jesús dice a sus discípulos que esperen en Jerusalén hasta que hayan sido «revestidos de *poder* desde lo alto» para el ministerio de evangelización mundial al que los estaba dedicando (véanse Lc 24.49).

Al comienzo de Hechos, Lucas recoge el mismo tema y presenta a Jesús diciendo a sus seguidores: «Recibiréis *poder*, cuando haya venido sobre vosotros el Espíritu Santo, y me seréis testigos[...] hasta lo último de la tierra» (Hch 1.8). Más tarde leemos que «con gran *poder* los apóstoles daban testimonio de la resurrección del Señor Jesús, y abundante gracia era sobre todos ellos» (Hch 4.33).

De igual manera, Pablo dice cosas extraordinarias acerca del poder de Dios operando a través del evangelio y por medio de sus mensajeros: «No me avergüenzo del evangelio, porque es *poder* de Dios para salvación a todo aquel que cree» (Ro 1.16). Al término del extenso argumento que constituye la carta a los Romanos, y hablando acerca de su propio ministerio, el apóstol expresa: «No osaría hablar sino de lo que Cristo ha hecho por medio de mí para la obediencia de los gentiles, con la palabra y con las obras, con *potencia* de señales y prodigios, en el *poder* del Espíritu» (Ro 15.18-19). Nuevamente, en su primera epístola a los Corintios, dice: «Pues no me envió Cristo a bautizar, sino a predicar el evangelio; no con sabiduría de palabras, para que no se haga vana la cruz de Cristo. Porque la palabra de la cruz es locura a los que se pierden; pero a los que se salvan, esto es, a nosotros, es *poder* de Dios» (1 Co 1.17-18).

«Sabiduría de palabras» es una expresión de Pablo para indicar la tentativa de intercambio filosófico con los pensadores. La gente de las ciudades griegas adonde fue a evangelizar el apóstol esperaban de él que hiciese gala de su propio ingenio cuando hablaba en público. Los oradores itinerantes que presumían de este modo eran figuras familiares en las ciudades helenas, y se los apreciaba como buen entretenimiento. Pero Pablo no estaba dispuesto a comportarse como ellos querían, sino que adoptó un estilo de presentación llano, directo y práctico que le hacía parecer ridículo a los ojos de aquellos que esperaban la clase de exhibicionismo que veían en otros maestros viajeros.

«Sabía lo que deseabais, les dice el apóstol, y estaba resuelto a no dároslo. Queríais que presumiera como los filósofos, utilizando argumentos deslumbrantes, y que realizase una actuación que complaciera a vuestro modo de ser sofisticado, pero yo no estaba dispuesto a ello. Estuve con vosotros como un mensajero, y no como un filósofo, orador o artista de variedades; vine para testificar de Dios y de Jesucristo, y de la cruz de éste, y a deciros cómo podíais ser salvos del pecado y el infierno (cf. 1 Co 2.1), no estaba dispuesto a hacer más que eso. Así que me tomasteis por un tonto».

Pero, según Pablo, los corintios ya deberían haber llegado a apreciar su estrategia. «Ni mi palabra ni mi predicación fue con palabras persuasivas [sabias según los criterios del mundo], sino con demostración del Espíritu y de *poder,* para que vuestra fe no esté fundada en la sabiduría de los hombres, sino en el *poder* de Dios» (1 Co 2.4-5).

El mismo Jesús había predicho que, por medio del testimonio de los apóstoles, el Espíritu Santo convencería a la gente de la verdad acerca de Cristo y de su necesidad de Él. Pablo había confiado en que el Espíritu haría exactamente eso y no había sido defraudado.

Vidas transformadas. En tercer lugar, el Nuevo Testamento no habla sólo del poder de Dios en lo milagroso y en la comunicación del evangelio, sino también de su actuación *en nosotros,* capacitándonos para comprender y hacer aquello que de otro modo nos sería imposible.

En Efesios 1.16-19, Pablo explica a los creyentes qué es aquello que pide a Dios que les conceda: «Haciendo memoria de vosotros en mis oraciones, para que el Dios de nuestro Señor Jesucristo, el Padre de gloria, os dé espíritu de sabiduría y de revelación en el conocimiento de él, alumbrando los ojos de vuestro entendimiento, para que sepáis cuál es la esperanza a que él os ha llamado, y cuáles las riquezas de la gloria de su herencia en los santos, y cuál la supereminente grandeza de su *poder* para con nosotros [otras traducciones dicen *"en* nosotros"] los que creemos».

El poder del que habla el apóstol no obra simplemente en el *mensaje*. No es poder a través del *mensajero.* Es poder *en y sobre aquellos que creen,* abriendo más y más sus antes cerrados corazones para que puedan comprender la verdad evangélica cada vez mejor, y haciendo así que sus vidas sean completamente diferentes a como eran en el pasado. Se trata del poder de resurrección, consistente en que Dios resucita con Cristo a los que han llegado a estar dispuestos a morir con Él. Evidentemente, Pablo espera cambios espectaculares en las vidas de aquellos que ahora pertenecen a Cristo.

El apóstol vuelve de nuevo sobre el tema al final del capítulo 3 de Efesios: «Doblo mis rodillas[...] para que [Dios] os dé, conforme a las riquezas de su gloria, el ser fortalecidos con *poder* en el hombre interior por su Espíritu; para que habite Cristo por la fe en vuestros corazones, a fin de que, arraigados y cimentados en amor, seáis plenamente capaces [o tengáis *poder*] de comprender con todos los santos cuál sea la anchura, la longitud, la profundidad y la altura, y de conocer el amor de Cristo, que excede a todo conocimiento, para que seáis llenos de toda la plenitud de Dios» (vv. 14-19).

Nuevamente vemos que Pablo está hablando de algo radical, en el sentido más pleno de esa palabra: algo que produce un cambio completo. El apóstol ora para que mediante esta transformación y este enriquecimiento interiores y maravillosos de los cuales habla, los efesios sean totalmente distintos a la gente que los rodea, en realidad diferentes por completo a lo que ellos mismos habían sido hasta entonces. Esto queda patente cuando Pablo pasa a la doxología final de su oración, y alaba a «Aquel que es poderoso para hacer todas las cosas mucho más abundantemente de lo que pedimos o entendemos, según el *poder* que actúa en nosotros» (Ef 3.20). El apóstol habla como si para él no hubiera límite en cuanto a la actuación transformadora del Espíritu Santo, por lo que sus expectativas de cambio son consecuentemente altas.

He aquí algunas muestras de los muchos textos preciosos que hay en el Nuevo Testamento acerca del poder de Dios, cada una de las cuales constituye un ejemplo del poder divino obrando por medio de Cristo y de los apóstoles y manifestado en hechos poderosos en el terreno de lo físico, en revestimiento de poder para los mensajes cristianos a fin de que hiciesen un impacto significativo, y también en capacitación de los creyentes para que comprendieran e hiciesen aquello que de otro modo no podrían ni comprender ni hacer.

De esta manera, tras reflexionar sobre el asunto a la luz del Nuevo Testamento, me veo obligado a corregir mi pensamiento inicial en cuanto al deseo de la revista *Time* de jubilar la palabra «poder». Esta sigue siendo un término de moda para los cristianos. El poder es un tema que los creyentes deben retener siempre: El Nuevo Testamento deja muy claro que el poder de Dios ha de acompañar al evangelio y hallar expresión a través de sus mensajeros y en las vidas de aquellos a quienes llega el mensaje.

CÓMO MANIFESTAR EL PODER DE DIOS

Este libro trata de la santidad. El repaso que hemos dado al poder divino, como aparece en el Nuevo Testamento nos ha llevado a considerar ministerios de varias clases. ¿Ha sido pertinente hacerlo? ¿No estaremos intentando abarcar demasiado y saliéndonos de nuestro tema? No lo creo. Resulta artificial y poco bíblico trazar una línea divisoria estricta entre la obra que Dios realiza transformando el carácter de alguien, que es lo que hemos estado viendo hasta ahora, y aquella otra por la que lanza a tal persona al ministerio, al servicio activo a otros aceptado como una tarea encomendada por el Señor. No estoy hablando aquí únicamente, ni siquiera de manera primordial, del ministerio ordenado o asalariado. Ministerio es cualquier forma de servicio, y existen muchas de esas formas. Así, por ejemplo,

- ser un cónyuge fiel y un padre o una madre responsable es la forma de ministerio en la familia;
- desempeñar un cargo, cumplir cierta función u ostentar alguna responsabilidad definida constituye la forma de ministerio (tanto ordenado como laico) en la iglesia organizada;
- sostener amistades pastorales que implican consejo, intercesión y apoyo es otra forma de ministerio en Cristo; así como

- mostrar solicitud por las personas sea cual fuere el nivel de su necesidad, físico o mental, material o espiritual, representa la verdadera forma de ministerio en el mundo.

Como ya hemos visto la santidad no es ni estática ni pasiva. Ella supone un estado de amor creciente hacia Dios y hacia el prójimo, y el amor consiste precisamente en hacer aquello que honra y beneficia al ser amado, motivado por un deseo de levantarlo a él en alto. Por tanto, las personas santas demuestran que lo son alabando a Dios y ayudando a otros. Saben que deben, y de hecho desean, hacerlo. Dios mismo les ha hecho desearlo, por muy egocéntricos que puedan haber sido en el pasado.

Así como su parecido con Cristo aumenta el impacto, la credibilidad y la eficacia que los creyentes tienen para Dios en su servicio al prójimo, el Señor utiliza sus experiencias en dicho ministerio (éxito, fracaso, deleite, frustración, aprendizaje de la paciencia y la perseverancia, andar la segunda milla, permanecer humilde cuando uno es objeto de aprecio, ser manso si se le ataca, mantenerse firme bajo presión, etc.) para adelantar el cambio «de gloria en gloria» en sus propias vidas (2 Co 3.18). Él sigue haciéndolos más como Jesús de lo que eran antes.

Es digno de destacar que la mayoría de los oradores y libros sobre la santidad dicen poco en cuanto al ministerio, mientras que la mayor parte de los que hablan o escriben acerca de este último hacen lo propio con la santidad. Esto ha sido así hace más de un siglo. Pero tratar la santidad y el ministerio como temas separados es un error. Dios los ha unido, y lo que Dios une no debe separarlo el hombre.

Un resultado habitual de la santificación progresiva es que ese interés por los demás, junto con el reconocimiento de lo que les falta y una sabiduría que procura ayudarlos, aumenta. El ministerio florece en las vidas santas de un modo natural. En un ministerio eficaz, el poder de Dios fluye a través de sus siervos hacia las áreas de necesidad humana. Una persona santa con dones limitados es siempre susceptible de canalizar más poder divino que alguien más dotado pero menos piadoso. De manera que Dios quiere que todos busquemos juntamente la santidad y la utilidad, y la primera, al menos en parte, por causa de la segunda.

Consciente de esto, me aventuro ahora a formular cinco tesis que tienen que ver con la manifestación del poder de Dios hoy en día entre su pueblo. Mi objetivo al exponerlas es hacernos más dispuestos a recibir y a manifestar este poder en sus diversas formas. Debo decir francamente que, en mi opinión, hay contra-corrientes inútiles en las discusiones que en la actualidad se mantienen sobre el poder de Dios en los cristianos y en la iglesia; así que algunos aspectos de estas cinco tesis tendrán un propósito correctivo. Quiero que el poder divino se manifieste para la gloria de Dios en su vida, en la mía y en nuestras iglesias, por eso escribo como lo hago.

1. Expectativas elevadas. *Es correcto destacar lo sobrenatural y elevar las expectativas de los cristianos en cuanto a ello.* Hablando en general, nuestras expectativas respecto a ver el poder de Dios transformando las vidas de las personas no son tan altas como debieran.

Es un hecho histórico que en los años anteriores al estallido de la Reforma en la iglesia del siglo XVI, había una cantidad tremenda de superstición en lo referente a la realización de milagros. No niego que Dios puede haber hecho muchos milagros a través de innumerables santos antes de la Reforma (como, según parece, ha estado haciendo también algunos por medio de sus santos desde entonces). Pero los reformadores vieron gran cantidad de hechos supuestamente sobrenaturales, que para ellos eran inequívocamente supersticiosos, y reaccionaron violentamente contra los mismos.

Sin embargo, el proverbio de Packer, si puedo expresarme así, es que la reacción del hombre no obra la justicia de Dios, lo cual resulta indudablemente obvio. Si usted se aleja de algo que le parece un error caminando hacia atrás, puede que tenga razón al considerarlo un error, pero el retroceder de esa forma jamás será oportuno para usted. Más tarde o más temprano, la gente que anda hacia atrás en lo físico, tropieza con algún obstáculo que tenía a sus espaldas y que no había visto porque su mente y sus ojos estaban fijos en aquello de lo que intentaba apartarse, y entonces cae. Nosotros debemos andar siempre hacia delante y no hacia atrás. La reacción consiste invariablemente en caminar hacia atrás, lo que trae su propio castigo.

Los reformadores, con la Biblia como base, creían en un Dios Creador, el cual controla su mundo de modo absoluto, que había realizado muchos milagros en los tiempos bíblicos y que aún ejecutaba acciones especiales en respuesta a la oración. Así que, cuando Lutero pensó que su lugarteniente Melanchton estaba a punto de morir, se puso junto a la ventana del cuarto del enfermo, mirando al cielo, y estuvo rogando durante varias horas por la recuperación del joven. Al cabo de ese tiempo, la fiebre de Melanchton bajó y su aspecto fue el de estar mejorando ostensiblemente.[4]

En realidad, el orar por los enfermos y buscar vías especiales de recuperación fue una práctica evangélica normal desde el siglo dieciséis hasta el diecinueve, aunque con la comprensión clara de que una enfermedad continuada o una muerte temprana podían muy bien constituir la misericordiosa voluntad divina para cualquier caso en particular, comprensión, dicho sea de paso, que está a menudo (y muy desafortunadamente) menos clara entre la gente que hoy en día ora por los enfermos. No obstante, y debido a que la creencia en los milagros de los santos se hallaba muy ligada al supuestamente meritorio culto a las reliquias de la Edad Media, los reformadores dedicaron bastante tiempo a ridiculizarla, del mismo modo que hicieron con las pretendidas revelaciones sobrenaturales y las provisiones milagrosas del ala izquierda de su movimiento. De este modo dejaron la impresión de que, en opinión suya, no debían esperarse en absoluto provisiones sobrenaturales una vez finalizada la era apostólica.

Este negativismo, herencia de una reacción defensiva, como ahora podemos ver, se vio reforzado más tarde por la noción newtoniana del universo material como una caja de fuerzas y procesos cerrados. Ello hace que parezca cuando menos improbable, y quizá imposible, la irrupción de Dios en el mundo que Él ha creado; una idea que llegó a impregnar la cultura protestante y parece haber llevado directamente a la suposición, todavía extendida, de que en la gracia el Señor toca únicamente el alma, y nada en absoluto el cuerpo. Está claro que tal suposición desanima drásticamente un aspecto de la fe bíblica.

Al comienzo de este siglo, las nuevas denominaciones pentecostales desafiaron dicha suposición, y los cristianos alcanzados por el movimiento carismático han mantenido el desafío. Durante los últimos treinta años, muchos que habían perdido la apertura

---

4. Véase H. G. Haile, *Luther: an Experiment in Biography* [Lutero: un experimento en Biografía], Princeton University Press, Princeton, 1980, pp. 277-80.

a lo sobrenatural la han recuperado. Las expectativas de sanidad divina directa y de otras provisiones asombrosas en respuesta a la oración se han elevado por todo el mundo cristiano, de lo cual deberíamos estar agradecidos. La hostilidad de nuestro siglo hacia la idea de que Dios pueda sanar o modelar los acontecimientos hoy en día de tal manera que llame la atención hacia su presencia en poder, siempre ha sido injustificada y falta de equilibrio. Los motivos de dicha hostilidad no soportan el examen y debería alegrarnos que la misma esté desapareciendo.

Pero ahora se precisa una advertencia, ya que estamos amenazados por el error contrario, no menos injustificado y desequilibrado. El movimiento corrector de péndulo que nos alejó de un extremo de reacción constituía en sí mismo otra reacción y nos ha llevado a un extremo igual de falso que el primero. La inmadurez y el egoísmo pueril que infecta nuestra cultura reclama también sus víctimas entre los cristianos, y los síntomas de tales defectos aparecen en esa tendencia demasiado corriente de los creyentes modernos a infravalorar lo natural y lo ordinario. Hay sencillamente demasiada gente que quiere que cada problema se resuelva por la vía de un milagro inmediato, una exhibición sobrenatural, alguna provisión maravillosa que cambie toda la situación... Creo que eso es señal, no de una gran fe, sino de una gran inmadurez. Permítame que lo explique...

Una vez tras otra nuestro Señor nos guía a situaciones dolorosas y difíciles, así que oramos, como lo hizo Pablo respecto a su aguijón en la carne, para que la situación cambie. ¡Queremos un milagro! Pero en vez de ello Dios prefiere dejar las cosas como están y fortalecernos para que les hagamos frente, como en el caso de Pablo, perfeccionando su poder en la continua debilidad humana. (Véase 2 Co 12.7-10.)

Piense en ello tomando como modelo la educación de los niños y verá en seguida lo que quiero decir. Si no se nos plantea nunca ninguna situación difícil que requiera abnegación y disciplina, si no hay jamás presiones sostenidas que afrontar, ni se dan estrategias a largo plazo mediante las cuales el niño deba perseverar en un proceso educativo o de aprendizaje, o en la práctica de alguna habilidad durante muchos años, a fin de avanzar, jamás se logrará madurez de carácter. Los niños (quienes, como es natural, desean siempre que la existencia resulte fácil y llena de diversión) seguirán siendo unos mimados toda su vida porque se les han puesto las cosas demasiado fáciles. El Señor no permite que eso suceda en la vida de sus hijos.

Es extraordinario cuán poco dice el Nuevo Testamento acerca del interés de Dios en nuestros éxitos, en comparación con la enorme cantidad de cosas que refiere en cuanto a su preocupación por nuestra santidad, madurez en Cristo y crecimiento hasta la plenitud de su imagen. Típico de su interés revelado es su mensaje a través del escritor de Hebreos a un grupo de judíos convertidos que estaban siendo acosados, aparentemente por hebreos no cristianos, a causa de su fe en Jesús. En dicho mensaje Él no les promete resguardarlos de la dificultad, ni por medios naturales ni sobrenaturales; en vez de ello les dice (y por lo tanto a nosotros también) que, al igual que Jesús, los cristianos deben concentrar sus pensamientos en el gozo puesto delante de ellos. Han de estar dispuestos a derramar su sangre antes que ceder a la presión y renunciar a su fe. Además, tienen que comprender que las penalidades son la disciplina por medio de la cual su Padre celestial los cincela para una cosecha de santidad, que es aquello que Él está resuelto a conseguir en sus vidas. Si no estuviesen siendo así esculpidos, de un modo u otro, tendrían razones para dudar aún de si eran hijos suyos (Heb 12.2-14). ¡Qué cosa tan seria! Pero es algo que deja claro como el agua lo que necesitamos saber: que la prioridad de Dios en todos sus tratos con nosotros es hacernos santos. Sería desastroso torcer la saludable apertura a lo sobrenatural que existe hoy en día con fines egoístas.

2. Ministerio con poder. *Es correcto que aspiremos a utilizar los dones que Dios nos ha dado en un ministerio útil y poderoso.*

Está bien que queramos conocer cuáles son los dones que el Señor nos ha dado para el ministerio, así como aprovecharlos y asegurarnos de que sean usados para la bendición de otros del modo más amplio posible. Las personas santificadas (como ya hemos visto) quieren servir, y por lo tanto desean y necesitan al mismo tiempo saber cuáles son los recursos que Dios les ha dado para este fin.

Sin embargo, existe siempre el peligro de que la persona que descubre que Dios la ha salpicado con bastantes dones se vea traicionada por ese viejo enemigo que es la vanidad, otra forma de llamar al orgullo. Dios no nos valora por el número de dones que tengamos, ni por la cualidad espectacular de los mismos; como tampoco lo hace, principalmente, en términos de lo que podamos realizar, ni siquiera en su fuerza; sino, de un modo primordial, por lo que Él hace de nosotros en cuanto al carácter al conformarnos a Cristo por su gracia. Cuidemos de no olvidarlo.

Jesús ya dio un toque de advertencia cuando sus discípulos volvieron de una gira de predicación «todos entusiasmados», como diríamos hoy, y excitados, exclamando: «¡Señor, aun los demonios se nos sujetan en tu nombre!»

«Muy bien, les respondió Él. Pero no os regocijéis de que los demonios se os sujetan. Eso no es lo verdaderamente importante. Regocijaos de que vuestros nombres están escritos en los cielos. Regocijaos en vuestra salvación, en lo que *sois* por la gracia de Dios, y no tanto en la forma como Él os utiliza. Regocijaos porque sois hijos suyos y porque emprendéis la marcha hacia vuestro destino de ser transformados a mi imagen» (Lc 10.17-20.).

Los dones son algo secundario, la santidad tiene un carácter primordial. Jamás permita que nada le aparte de mantener esta verdad delante de su mente y de su corazón.

3. Satisfacción de necesidades. *Es correcto querer ser un canal del poder divino para suplir las áreas de necesidad que hay en las vidas de otras personas.*

Como ya hemos visto, el amor al prójimo busca el bien de los seres queridos. Si hay un amor así actuando con fuerza en nuestros corazones ello es indicio de buena salud espiritual. Pero tenga cuidado, no sea que llegue a convertirse en una de esas personas que padecen la neurosis de necesitar ser necesitados, ¡ese estado consistente en pensar que no somos nada o nadie a menos que podamos sentir que otra gente no puede pasarse de nosotros! Eso no es verdadero amor al prójimo, ni tampoco salud espiritual. Eso es *falta* de ella; es más, se trata de otra forma de orgullo. El sentido que tenemos de nuestros valor personal debe brotar, no de las actividades cristianas que realizamos, ni de que otros dependan de nosotros, sino más bien de nuestro conocimiento de que Dios nos ha amado lo bastante como para redimirnos al precio del Calvario.

El amor redentor confiere valor a las criaturas sobre las cuales se otorga, que de otro modo no lo tendrían, haciendo innecesario buscar un sentido de dignidad de ninguna otra fuente. Y si uso a mis prójimos para apoyar mi sentimiento de valor personal, los estoy *utilizando*, que es algo distinto a amarlos. Probablemente mi actitud hará que los siga haciendo depender de mí cuando debiera en realidad dejarlos libres, lo cual será dañino tanto para ellos como para mí mismo.

Una de las disciplinas a las que el Señor nos llama es la de estar dispuestos, de vez en cuando, a *no* ser utilizados en un ministerio significativo. Jesús ejemplificó esto cuando, después de decirle a Pedro que le trajese algunos de los peces pescados milagrosamente (de igual modo que nosotros debemos consagrarle a Él los dones que Él nos ha dado), pasó, aparentemente sin prestar atención a la ofrenda del apóstol, a alimentar a los discípulos con el pescado que Él había preparado por su cuenta (véase Jn 21.9,13).

Imagínese ahora a una mujer cristiana, devota y con talento, cuyo ministerio ha significado mucho para ella, y que descubre que durante un período de tiempo bastante largo Dios la aparta dejando de utilizar sus posibilidades. ¿Qué sucede? ¿Se trata de algún fallo espiritual? Probablemente no sea eso en absoluto, sino una lección que está recibiendo en la escuela de santidad de Cristo: el Señor le está recordando que su vida no depende de que vea que otros la necesitan. La fuente principal de su gozo debe ser, siempre, el conocimiento del amor de Dios por ella, comprender que aunque Él no la necesite, ha escogido amarla libre y gloriosamente para que pueda tener el gozo eterno de la comunión con Él. Respecto a su ministerio, lo que importa es que ella esté disponible para el Señor. Luego Él decidirá cuándo y cómo ponerla a servir de nuevo, lo cual la mujer debería dejar en manos de Dios.

En la vida espiritual, lo que somos tiene siempre prioridad sobre lo que hacemos. Si perdemos contacto con nuestra identidad y con la realidad de la misericordia gratuita de Dios como raíz primaria de nuestra fe, puede que el Señor tenga que apartarnos hasta que hayamos aprendido de nuevo esta lección.

4. Evangelización con poder. *Es correcto desear que el poder de Dios se manifieste de tal modo que tenga un importante efecto evangelístico.*

Las personas santas que buscan la honra y la gloria de Dios, y el bien de sus prójimos, sentirán un profundo interés por la evangelización: la actividad que trata de exaltar a Dios en Cristo convenciendo a los pecadores de que vuelvan a Él y obtengan vida nueva. Ellos querrán que dicha evangelización se haga de una forma que muestre lo más claramente posible que el evangelio es verdad, y aquello que se afirma acerca de la vida nueva en Jesucristo mediante el poder de Dios, como suele decirse: «de buena ley». Desearán asimismo ver la realidad de la transformación moral y espiritual por el Espíritu Santo proclamada por voceros cuyo porte y estilo indiquen que están viviendo personalmente en el poder de ese gran cambio que anuncian. Se sentirán muy a gusto con la moda actual de describir la actividad evangelística como destinada a producir, en sumisión a Dios, una «confrontación de poder» entre el pecador y Cristo. Querrán participar ellos mismos en dicha actividad.

Una línea de pensamiento en cuanto a la evangelización que se ha debatido recientemente parece expresar que la predicación pública del evangelio no es todo lo que debiera ser a menos que vaya acompañada de cierto tipo de manifestaciones físicas (señales, prodigios y milagros). Estas cosas, quiere darse a entender, confieren una credibilidad al mensaje que de otro modo este no tendría, y provocan la «confrontación de poder» que el mensaje verbal, por sí solo, difícilmente produciría. Sin embargo, según los criterios bíblicos, a mí esa me parece una afirmación altamente exagerada y un verdadero error,[5] que pone también a aquellos que proclaman el evangelio públicamente en una senda muy resbaladiza. La tentación de manipular a la gente, y las situaciones, de modo que parezca que el poder de Dios está produciendo aquellas manifestaciones deseadas puede hacerse irresistible, y la reacción que viene cuando las investigaciones demuestran que Dios no está actuando a las órdenes del evangelista, ineludible.

No podemos institucionalizar y utilizar el poder de Dios ni para convertir las almas ni para proporcionar milagros. Es Dios quien nos usa, y no nosotros a Él. Por muy buena intención que tengamos, cada vez que pretendemos que Él baile a nuestro compás ello supone un traspié espiritual. Esto no significa que el Dios de toda gracia no utilice empresas evangelísticas humanas de tal suerte equivocadas. Lo que quiero decir es, simplemente, que la evangelización constituye una de esas actividades a las que puede aplicárseles el viejo dicho de: «Si algo es digno de hacerse, merece hacerse bien». Tal vez resulte pertinente señalar que la mayor parte de los grandes evangelistas de antaño, si no todos, hombres como Richard Baxter, John Wesley, George Whitefield,

---

5. Véase J.I. Packer, «The Means of Conversion», *Crux*, XXV. 4, diciembre de 1989, p. 20.

Dwight L. Moody, Charles Spurgeon, impresionaron a sus contemporáneos como personas, ciertamente no inmaculadas, pero sí santas, y esto se reconoció que tenía mucho que ver con el poder de su ministerio.

5. Justicia verdadera. *Es correcto querer ser revestido de poder divino para producir justicia, obtener victorias morales, liberarse de malos hábitos, amar a Dios y agradarle.*

Lo alentador aquí es que, a través de los medios de gracia: la Escritura, la comunión, la oración y el culto de la iglesia, todos los cristianos pueden ser revestidos de poder de este modo. Por mediación del Espíritu Santo, cuyo poder llegamos a conocer a medida que nos disciplinamos para utilizar dichos medios de gracia, somos capaces de «hace[r] morir las obras de la carne» (Ro 8.13), crecer en el fruto del Espíritu (Gl 5.22-26) y recibir fuerzas para los aspectos específicos de nuestro vivir para Dios (1 Co 16.13; Ef 6.10; Flp 4.13; Col 1.11; 1 Ti 1.12; 2 Ti 2.1; 4.17). Mostrar diligencia en el uso de tales medios de gracia constituye el primer secreto de una santidad más profunda y una utilidad progresiva. A través de ello entramos en ese proceso vital contemplado en la oración de Pablo: «para que[...] seáis plenamente capaces de comprender[...] cuál sea la anchura, la longitud, la profundidad y la altura, y de conocer el amor de Cristo[...] para que seáis llenos de toda la plenitud de Dios» (Ef 3.17-19).

El proceso de santificación actúa desde dentro hacia fuera. Captar y ser captado por el amor de Cristo (cf. 2 Co 5.14) constituye su misma esencia. Aunque de modo parcial, desigual e incompleto, pero no obstante real, eficaz y a veces espectacular, los cristianos demuestran en la experiencia que el poder de Dios cambia las vidas. Esto es lo que los verdaderos creyentes desean y buscan, y también encuentran.

La intensidad de la santidad divina. Hay, sin embargo, una cosa más que decir al respecto, o mi último párrafo, con su optimismo, tendrá que ser tachado de superficial e ingenuo por contar sólo la mitad de la historia. El proceso de crecimiento espiritual le abre al creyente los ojos del corazón para que vea con más claridad, no sólo la grandeza del amor de Dios, sino también lo intenso de su santidad. Ya hemos señalado que «santidad» es la etiqueta bíblica para todo aquello que distingue a Dios del género humano, con un enfoque directo en su potencia majestuosa y su pureza moral. Aquí nos estamos concentrando en este último aspecto.

Las percepciones más claras de la pureza divina tienen un efecto reflejo, como si dicha pureza fuera una luz que alumbra los escondrijos del yo y manifiesta todo lo que se ha estado ocultando allí en la oscuridad. Como resultado de ello, los cristianos descubren en sí mismos actitudes y motivos pecaminosos, fallos, imperfecciones y defectos, de los que no eran conscientes hasta entonces, simplemente porque antes sus conciencias no habían evaluado su propia conducta mediante una luz divina tan brillante. Las cosas que ven entonces los creyentes incluyen:

- hábitos pertinaces de pecado;
- pautas crónicas de evasión moral;
- debilidades de carácter ético;
- anhelos realmente perversos;
- actitudes verdaderamente arrogantes;
- defectos de conducta debidos al temperamento;
- inclinaciones a la exaltación propia, la autoindulgencia y la autocompasión;
- instinto consustancial de protección de sí mismos a causa de heridas pasadas;
- subterfugios morales debido a las cicatrices sufridas por abuso y estratos de miedo.

Todas estas faltas, y muchas otras semejantes, cobran ahora por así decirlo, relieve y el individuo tiene que afrontarlas. El significado de la perfección moral: perfecto amor, humildad, gozo, paz, bondad, paciencia, mansedumbre, sabiduría, fidelidad, fiabilidad, valor, imparcialidad, etc; queda grabado en la mente con más claridad. La distancia entre esa perfección y nuestra propia forma de desempeñarnos, considerada desde el punto de vista tanto de la motivación como de la ejecución, se reconoce de buen o mal grado. Esas limitaciones personales para las que en otro tiempo nos dábamos excusas, nos parecen ahora indefendibles. Hacemos una mueca de dolor, incluso puede que lloremos, al considerar nuestra anterior torpeza en cuestiones morales.

Como Isaías en el templo, así se sienten los cristianos por todas partes. Cuando más vívidamente ven la santidad de Dios, de un modo tanto más intenso perciben su propia pecaminosidad y corrupción. Y puesto que el avance espiritual amplía de esta manera la comprensión de las profundidades de nuestro propio estado caído, aquellos que progresan en la santidad sienten a menudo que están retrocediendo. Su percepción agudizada de cuán pecadores son todavía, a pesar del anhelo que tienen de servir a Dios en perfección, los abruma, y despierta en ellos su propio clamor de corazón, «¡Miserable de mí!», eco de aquel de Pablo en Romanos 7.24. Una y otra vez se atreven a esperar que han vencido el tirón hacia abajo del pecado en algún área de la vida. Una vez tras otra, Dios vuelve a humillarlos permitiéndoles descubrir que eso todavía no ha sucedido. El sentir que uno jamás llega a alcanzar lo que se propone resulta desconsolador. Aunque el conocimiento de la gracia del evangelio les proporciona abundantes gozos, desde esta perspectiva están afligidos.

Esto no significa, sin embargo, que se encuentren en un estado de mala salud espiritual. El propio arranque de «¡Miserable de mí!» que tiene el apóstol Pablo es la expresión de ese hombre dinámico y espiritualmente saludable que está dictando la carta a los Romanos. El desarrollo de su argumento ha llevado al apóstol a repasar lo que le dice la ley acerca de sí mismo mientras recorre el camino de la nueva vida en Cristo (véanse Ro 6.1-14; 7.4-6; 8.1-39). Del hecho de que Pablo no pudiera sentirse saludable, o pretender estarlo, mientras gemía bajo el peso de no ser aún moralmente perfecto como él quería (véanse Ro 7.22; 8.23), algunos han inferido que, o el apóstol en realidad no gozaba de salud espiritual, o en Romanos 7.14-25 no estaba escribiendo en absoluto acerca de sí mismo, a pesar de hablar en primera persona y en presente indicativo. Tales personas han dado por sentado que ningún individuo espiritualmente saludable podría pensar de sí mismo como lo hace Pablo. Pero esto no es cierto.

El signo más claro de la santidad de corazón que resulta esencial para la salud del espíritu es ese intenso desconsuelo por la propia imperfección continuada en el contexto de un fuerte amor por la bondad tal y como Dios la define y un celo ferviente por practicarla. La paradoja, difícil de aceptar, al parecer, para algunos, es que el incremento de la santidad verdadera siempre traiga consigo un aumento de la insatisfacción real por aquello que aún no se ha conseguido. La verdad es que la sensación de anhelo frustrado que expresa ese clamor de «¡Miserable de mí!» forma parte de la experiencia de todos los que tratan de vivir en el poder del Espíritu y agradar así a su Dios y Salvador.

Pero esta no es la cosa más importante que los caracteriza, ni tampoco constituye su sensación continua de pecado el mejor indicador del poder del Espíritu en sus vidas. El signo más claro es, sencillamente, su amor por Dios y por los demás: amor que, con mucha o poca intensidad de sentimiento (porque no siempre podemos contar con sentimientos fuertes), honra activamente a Dios mediante una alabanza agradecida y un servicio a otros caracterizado por la ayuda solícita. El amor que dice constantemente «No» a lo que el puritano Richard Baxter llamaba el «yo carnal», para decir «Sí» de continuo a su propia vocación abnegada, es la prueba más clara que nadie pueda imaginar del poder del Espíritu.

En este libro se han dicho ya algunas cosas acerca del amor que hacen innecesario que hablemos más del mismo por el momento. Lo único que se precisa aquí es recordar lo expresado anteriormente en cuanto a que ese amor, enmarcado en la verdad, es la verificación más segura de que el poder de Dios está actuando en una persona; y eso otro de que el poder del amor tiene sus raíces en la capacidad de recibir amor de los demás, en primer término del Padre y del Hijo:

Para que seáis[...] capaces de comprender[...] el amor de Cristo... **Efesios 3.17-18**

El amor de Cristo nos constriñe... **2 Corintios 5.14**

[Dios] nos amó a nosotros, y envió a su Hijo en propiciación por nuestros pecados[...] Si Dios nos ha amado así, debemos también nosotros amarnos unos a otros. **1 Juan 4.10-11**

Nosotros le amamos a él, porque Él nos amó primero.
1 Juan 4.19

VISTA PANORÁMICA DEL PODER DE DIOS

El presente capítulo nos ha llevado a través de un territorio que es difícil de cruzar hoy en día. Pero ahora, nuevamente, nos acercamos a la cima de la montaña, ese sitio desde donde puede verse todo el panorama. A la luz de cuanto se ha dicho hasta el momento, el relato panorámico del poder de Dios en las vidas humanas, ya sea en las nuestras o en las de otros, se expresa así:

El poder divino es Dios mismo en acción. La mayor parte de la discusión moderna acerca del poder está relacionada con fuerzas impersonales que operan en la naturaleza o en la sociedad, o con las prerrogativas humanas de control, pero ninguna de tales cosas constituye nuestro tema presente. Nos estamos refiriendo a la energía divina que hizo que el universo fuese cuando no existía nada más que Dios, esa energía que mantiene el mundo en existencia a cada momento (ya que no hay cosa creada que se automantenga) y ordena, controla y dirige todo cuanto sucede dentro del universo en cualquier instante determinado. Nuestra preocupación inmediata es la actuación de dicha energía en la amplia complejidad de nuestras vidas humanas: tanto en lo intrincado de nuestro funcionamiento físico, como en los entresijos todavía mayores de nuestro ser personal consciente. Dichos entresijos incluyen el pensamiento, la planificación, la toma de decisiones y el cumplimiento de compromisos; nuestros hábitos y pautas de comportamiento; nuestras acciones y reacciones; la forma que tenemos de usar nuestras habilidades naturales y adquiridas, y nuestra creatividad; nuestras esperanzas, nuestros temores, nuestras alegrías, nuestras penas y el modo en que tales cosas nos afectan; nuestras experiencias relacionales, morales y estéticas; todos los altibajos de nuestros sentimientos, desde la exuberancia hasta la postración, desde el éxtasis hasta la apatía, y desde el deleite hasta la depresión; etcétera. Todas esas facetas de nuestra vida experimentan la influencia de la energía divina.

Pero más particularmente nos estamos concentrando en la manera que Dios tiene de ejercer su energía en gracia redentora. Mediante esta última, Él regenera, asegura, santifica, altera nuestra disposición, cambia nuestro carácter moviéndonos a la práctica de las virtudes cristianas, nos equipa para servir a otros, y nos capacita para que hagamos y seamos para Él aquello que, por nosotros mismos, jamás podríamos haber sido o hecho. El poder del que hablamos aquí no es de ese tipo del cual podemos echar mano los hombres y manipularlo. Es un poder que pertenece a Dios y que sólo Él administra. De igual modo que mi voluntad soy yo mismo en acción, así el poder divino es Dios actuando.

Cuando Él lo hace sobre los seres humanos, estos quedan bajo su control y no a la inversa. El poder divino es un poder soberano utilizado soberanamente.

Al igual que Dios desplegó un tremendo poder en la creación, y lo ejerce también en el mantenimiento y la modelación providencial de las cosas, se ha comprometido igualmente a ejercerlo en la salvación y la edificación de su pueblo. En Efesios 3.10, Pablo, después de declarar que las riquezas de Cristo son inescrutables, explica la intención divina en la economía de la gracia así: «Para que la multiforme sabiduría de Dios sea ahora dada a conocer por medio de la iglesia a los principados y potestades en los lugares celestiales».

El vívido cuadro que evocan estas palabras es el de la iglesia como área de exhibición de Dios donde Él demuestra a un público de ángeles que observan la imponente variedad de cosas maravillosas que puede hacer en los seres humanos dañados por el pecado y a través de ellos. Mis tres diccionarios de griego traducen la palabra vertida «multiforme» (πολυποικιλος/*polupoikilos*) como «muy diversificada», «de muchísimas facetas» y «de colores enormemente distintos»; traducciones, todas ellas, que nos hacen ver un poco el alcance y la cantidad de recursos que tiene la operación continua del poder divino en la iglesia. Este término, escribe John Stott, «se utilizaba para describir flores, coronas, telas recamadas y alfombras tejidas. La palabra más sencilla *poikilos,* se emplea en la Septuaginta [Antiguo Testamento Griego] para hacer referencia a la "túnica de diversos colores" (RV/60) "de muchos colores" (BA) que Jacob le dio a José, su hijo menor (Gn 37.3,23,32). La Iglesia como comunidad multirracial y multicultural se asemeja a un hermoso tapiz».[6] Así es, y también a un taller de multirreparaciones donde las vidas desordenadas y rotas, afeadas por el pecado, se reconstruyen según el modelo de Jesús. La sabiduría de Dios en la que Pablo está pensando no es simplemente aquella que une a los judíos y los gentiles en el cuerpo de Cristo, sino también la que dirige el poder que vivifica a los espiritualmente muertos y hace de ellos nuevas criaturas en una comunión nueva y preciosa de santidad y amor (Ef 2.1-10, cf. 4.20-24).

---

6. J.R.W. Stott, *God's New Society: the Message of Ephesians* [La nueva sociedad de Dios: el mensaje de Efesios], InterVarsity Press, Downers Grove, 1979, p. 123.

¡Grande es el poder de Dios en las vidas de los suyos! La estupenda oración de Pablo que viene a continuación, pidiéndole al Señor que capacite a sus lectores para conocer todas las dimensiones del amor de Cristo, a fin de que puedan ser llenos de toda la plenitud de Dios, y su magnífica doxología después de aquella celebrando el hecho de que Él puede hacer «mucho más abundantemente de lo que pedimos o entendemos» (Ef 3.20), confirman todavía más esta idea. Las posibilidades del poder divino en nuestras vidas son incalculables ¿Lo tenemos en cuenta?

El poder de Dios es el poder del Espíritu Santo. La distinción del Espíritu Santo como Persona forma parte de la revelación novotestamentaria de la naturaleza una y trina de Dios; Su ministerio personal desde Pentecostés, como el segundo Paracleto (Jn 14.16), es un aspecto de la revelación que da el Nuevo Testamento de ese Dios tripersonal en su actuación amante y salvadora. «Paracleto» es un término griego al que no hace justicia ninguna palabra individual en castellano. Significa consejero, ayudador, abogado, sustentador y consolador en el sentido de uno que anima; en resumen, todo aquel que apoya a otro en cualquier conexión posible. Jesús mismo fue el primer paracleto, y el sitio que viene a ocupar el Espíritu Santo como cuidador es el suyo. En el Nuevo Testamento (Jn 14.17; Ro 8.9-11) se destaca que el Espíritu mora en nosotros como fuente, guía y posibilitador de nuestra nueva vida en Cristo; como intercesor dentro de nosotros para compensar las deficiencias que tenemos en nuestro modo de orar (Ro 8.26); y como inquilino de nuestra vida que se contrista cuando le ensuciamos la casa (Ef 4.30).

Más de una vez se identifica al poder divino que actúa en las vidas humanas en relación con el evangelio como el poder del Espíritu Santo (Ro 15.13,19; cp. 1 Co 2.4; 1 Ts 1.5).

Como ya hemos señalado, «poder» es un término asociado en el castellano corriente con fuerzas impersonales, pero el poder del Espíritu Santo supone la instrumentalidad eficaz de una persona que se relaciona personalmente con aquellos en cuyas vidas opera. Tom Smail escribe: «Aun cuando el Nuevo Testamento habla del Espíritu Santo con imágenes impersonales, principalmente aquellas del viento, el fuego y el agua, dichas imágenes se utilizan de un modo dinámico para indicar que se están refiriendo a aquel que tiene la voluntad y el poder de controlarnos y no a algo que nosotros mismos podamos controlar».[7] El Espíritu Santo no es ninguna fuerza impersonal puesta a nuestra disposición o sometida a nuestra voluntad, sino más bien una personalidad soberana que, por propia voluntad, que es al mismo tiempo la voluntad del Padre y la del Hijo, dispone de nosotros.

El Espíritu actúa en y a través de:

- nuestro pensamiento (Él nos convence de la verdad de Dios);
- nuestras decisiones (guiándonos a desear la voluntad divina); y
- nuestros afectos (saca de nosotros amor y odio, esperanza y temor, gozo y tristeza, y otras disposiciones cargadas de sentimiento, todas ellas en respuesta a las realidades del evangelio).

Su bendición sobre la Biblia que leemos y sobre la instrucción cristiana que recibimos nos convence de la verdad del cristianismo. Él nos muestra cómo afectan a nuestras vidas las promesas y las exigencias de Dios. Su acción regeneradora en el centro de nuestro ser personal nos cambia y nos activa de tal manera que de hecho obedecemos a la verdad. La persuasión que tiene lugar en el nivel consciente es poderosa, y la acción de transformar corazones que produce el compromiso cristiano, todopoderosa. De principio a fin, sin embargo, el poder ejercido es personal. El Espíritu Santo es persona viva, no una mera fuerza.

Sin lugar a dudas, se trata, por así decirlo, de alguien tímido y anónimo. Su ministerio consiste en enfocar nuestra atención sobre el Padre y el Hijo, enseñarnos a llamar «Señor» (Amo divino) a Jesús y «Abba» (Padre amado) al que envió a este último, así como a comprender que cuando decimos tales cosas lo hacemos de veras (véanse Ro 8.15; 10.8-13; 1 Co 12.3; Gl 4.6). El Espíritu no llama la atención sobre sí mismo. La mayor parte del tiempo no hay nada humanamente anormal en nuestra experiencia que nos obligue a pensar que Él está actuando en nosotros; al menos hasta que miramos atrás y consideramos lo que hemos dicho y hecho, y vemos que no se puede atribuir a la mera naturaleza. Porque lo cierto es que, como expresa el himno:

---

7. Tom Smail, *The Giving Gift*, Hodder & Stoughton, Londres, 1988, p. 35.

Las virtudes que tenemos
Y las victorias logradas;
Si santos son los deseos
Suyo es todo y nuestro nada.

Así también, en todo nuestro servicio a los demás, desde las formas más sencillas de ayuda práctica hasta la guía espiritual más delicada y los más francos argumentos disuasivos contra el pecado, el Espíritu es quien nos activa, lo sepamos o no. Es su poder el que regenera toda la bondad de las buenas obras del cristiano.

Algo de la magnitud del ministerio del Espíritu hacia los santos puede verse en Romanos 8.4-16, donde en el espacio de trece versículos Pablo habla acerca de...

1. creyentes que viven según el Espíritu, el cual los impulsa a proseguir hacia Dios (Ro 8.4-6);
2. creyentes en quienes mora el Espíritu aquí y ahora (Ro 8.9);
3. creyentes cuyos cuerpos mortales serán vivificados cuando llegue el día de la redención (Ro 8.11);
4. creyentes que hacen morir (mortifican) sus vicios «por el Espíritu» (Ro 8.13);
5. creyentes que son movidos constantemente a decir, es más, a clamar, «Abba, Padre» al Señor, a instancias del Espíritu que da testimonio de su adopción (v. 15).

Todo esto manifiesta la idoneidad del título que Tom Smail puso a su libro: *The Giving Gift* [El don que da]. El Espíritu (el don del Padre y del Hijo para aquellos que creemos) nos proporciona lo que es necesario para devolver nuestra vida a Dios con la gratitud que enseña la gracia y que es encendida y alimentada por la certeza que dicha gracia suministra. Así que es el Espíritu, por su poder, quien gestiona nuestra vuelta a Dios, del cual habíamos caído en un principio.

Podríamos decir que el Padre y el Hijo nos han dado al Espíritu para que este nos devuelva al Padre y al Hijo, induciéndonos soberanamente a que nos entreguemos de nuevo como una decisión resuelta e independiente de corazones libres ahora del dominio del pecado. La prueba, por tanto, de si una determinada situación física, o un estado de conciencia, paranormal es obra del Espíritu Santo reside en que nos señale el camino de la abnegación para con Dios definida en la Biblia, en humildad, amor, celo, alabanza y acción de gracias, y nos arrastre por él. De igual manera que un guía turístico que enseña algún edificio conduce siempre a los visitantes según una ruta determinada, ninguna manifestación del tipo de poder que sea debería atribuirse jamás al Espíritu Santo, cuyo plan consiste invariablemente en guiarnos al trono divino, si no cuenta con ese empuje direccional.

El poder de Dios se ejerce según el divino propósito. La Escritura está llena de referencias al poder de Dios, y nos habla de su obra en...

- la creación;
- la providencia (sucesos regulares naturales, coincidencias significativas, liberaciones milagrosas);
- la gracia (esa vivificación y capacitación individual para la fe, el arrepentimiento, la justicia, el servicio y el testimonio; así como el avivamiento de la Iglesia); y
- la gloria futura que introducirá el regreso de Cristo (la remodelación del cosmos, la resurrección corporal de cada persona muerta y la transformación física de todos aquellos que estén vivos).

Se nos dice que, en todos estos actos de poder, Dios se muestra soberano. Él está llevando a cabo su propósito con cada persona individual, humana o angélica, y con la historia del universo sobre el cual Él gobierna y el que dirige hacia su clímax siguiendo su plan eterno.

Referente a la historia de este mundo, la Iglesia ocupa el centro de la misma. La Biblia nos dice cuál es la esencia del plan divino: Jesucristo, ya Señor soberano de esta creación, seguirá reinando hasta que, de un modo u otro (hay diferentes opiniones entre los creyentes acerca de cómo sucederá exactamente), todos los seres creados lleguen a reconocer su señorío. En el sentido más amplio de la expresión, Dios está ejerciendo su poder aquí y ahora para traer, paso a paso, esta consumación final.

Dios ha hecho de su propósito una promesa para nosotros. La Biblia está llena de promesas particulares en las cuales se nos explican detalladamente diversos aspectos de dicho propósito como base para nuestra respuesta confiada. De no ser así, difícilmente podría llamarse a nuestro contacto con Dios una relación personal en absoluto. Las relaciones personales verdaderas siempre implican compromisos personales, y las promesas constituyen declaraciones reguladoras de tales compromisos. Una promesa es una palabra que se extiende hasta el futuro, creando un vínculo de obligación para el que la da y de esperanza para el que la recibe. En este sentido es lo que los lógicos llamarían una palabra «realizadora», la cual produce un nuevo estado de cosas para aquellos por quienes es hablada o a quienes se dirige. Una de las maravillas de la religión bíblica es que nuestro poderoso Creador se ha comprometido a utilizar su poder para cumplir las promesas que Él nos da, «preciosas y grandísimas promesas», como dice 2 Pedro 1.4.

Todas las promesas de Dios se relacionan, de un modo u otro, con su propósito de glorificarse a sí mismo bendiciendo a sus criaturas humanas. Hay anuncios de dicho propósito en cuanto a:

- preservar el orden natural de la tierra para la humanidad hasta que termine la historia (Gn 9.8-17);
- mantener una relación de pacto continuo con Abraham y sus descendientes, incluyendo a todos los que estamos en Cristo (Gn 17.1-8; Gl 3.7-9,14,22-29);
- otorgar ciertos beneficios particulares a su pueblo aquí y ahora según sus necesidades: perdonando sus pecados, liberándolos de males, fortaleciéndolos en sus debilidades, confortándolos en sus penas, guiándolos en sus perplejidades, etc.;
- volver a enviar a Cristo a este mundo en gloria, para crear nuevos cielos y una tierra nueva, y para llevar a su pueblo a un estado final de gozo con su Salvador, comparado con el cual, como dice C.S. Lewis en alguna parte: «los mayores arrobamientos de los amantes terrenales parecerán insípidos».

Todas las promesas universales que Dios ha dado a su pueblo se relacionan con el cumplimiento de su propósito salvador para con ellos. Él quiere que veamos dicho cumplimiento y nos alegremos.

También nos habla la Escritura de que Dios da y cumple milagrosamente abundantes promesas específicas a muchas personas en particular, promesas de descendencia, por ejemplo, en ciertos casos de esposas sin hijos (Gn 17.15-19; 18.10-15; 30.32; Jue 13; 1 S 1.19-20; Lc 1.7-20) y en el de la virgen María (Lc 1.26-38). Hemos de ser precavidos en cuanto a las lecciones que extraemos de tales relatos: porque esos niños nacidos milagrosamente tuvieron cada uno un papel especial en el cumplimiento del propósito de Dios para el mundo, y no debemos leer tales narraciones como si se trataran de una promesa divina de preñez para todas las esposas que oran y no tienen hijos.

Ni tampoco, para dar otro ejemplo, podemos tratar los relatos de las curaciones milagrosas que Jesús hizo en Palestina, en las cuales Él demostró sus pretensiones mesiánicas (véase Mt 11.2-6), como si constituyesen una promesa de sanidad semejante para todos los que oran por ella hoy en día.

No obstante, todos los relatos bíblicos de promesas específicas cumplidas por el poder de Dios, y de manifestaciones misericordiosas particulares de ese poder en bendición, nos recuerdan lo que el Señor puede hacer, y nos animan a depender de su omnipotencia y a confiar en que Él cumplirá su propósito en la vida de cada cristiano de la forma que considere más conveniente.

Siempre hay cuestiones que surgen y nos dejan perplejos en cuanto al poder de la oración: la relación existente entre las plegarias que hacemos y la utilización por parte de Dios de su poder en las situaciones por las cuales oramos. Lo que se ha dicho hasta ahora nos sugiere la forma de resolver tales cuestiones.

La oración y la voluntad de Dios. Primeramente, ¿podemos nosotros mediante la oración de súplica controlar y dirigir el poder de Dios? ¿Es ese el sentido de aquellas palabras de Jesús acerca del mover montañas mediante la plegaria (Mt 17.20; 21.21; Mc 11.22-24; cp 1 Co 13.2)? ¿Es esa la lección que debemos sacar de que Elías detuviese e iniciase la lluvia por la oración? (Stg 5.16b-18)? La respuesta en breve es «No», nosotros no podemos manipular a Dios para que haga nuestra voluntad cuando esta no coincide con la suya. Sin embargo Él desea habitualmente dar bendiciones en respuesta a la oración; la cual, por medio de incentivos sacados de la Escritura y cargas que su Espíritu pone en nuestros corazones, Él nos impulsa a hacer.

Por este medio Dios logra dos propósitos a la vez: dar buenos dones a sus hijos, lo cual se deleita en hacer, y enriquecer la relación de estos consigo mismo a través del gozo y de la emoción especial que supone ver que esas cosas buenas han sido concedidas en respuesta a sus peticiones. Además, hay veces, no muchas, pero las hay, cuando Dios da una gran seguridad acerca de lo que debe pedirse, y gran confianza, antes de que el hecho ocurra, de que dicha oración será contestada (como lo hizo en el caso de Elías). El recuerdo de tales ocasiones (¡uno no puede olvidarlas!) queda como un vigoroso incentivo para orar con confianza y expectación acerca de la siguiente necesidad que se presente.

No pretendo saber mucho acerca de esto, pero recuerdo un día de intercesión a favor de cierta institución cristiana en la que tenía alguna responsabilidad y a la que, de la noche a la mañana, se le había ordenado que cerrara. Dos horas después de haber empezado a orar, supe que Dios me estaba indicando exactamente lo que debía pedir: un modelo de supervivencia consistente en siete cosas. Todas estas cosas parecían en ese momento imposibles de lograr, pero cada una de ellas se hizo realidad en el período de ocho meses. También recuerdo cierta mañana que volvía a casa orando por una persona a la cual iban a operar de cáncer al día siguiente. Mientras me aproximaba a mi residencia, la carga de preocupación se levantó y tuve la extraña sensación de que me decían que había sido escuchado y no necesitaba seguir orando por ello. Muchos otros estaban intercediendo por aquella persona, y no sé si alguno de ellos tendría la misma experiencia. Lo único que sé es que al día siguiente el cirujano no pudo encontrar ningún rastro de cáncer. Tales indicaciones precisas y con antelación de parte de Dios en cuanto a la manera en que Él piensa utilizar su poder son (creo yo) muy poco frecuentes. Pero otros han contado relatos semejantes de cómo el Señor los introdujo, por así decirlo, en su consejo mientras estaban orando para que Él utilizase su poder y manifestase su gloria en situaciones particulares. Como dije anteriormente, estas cosas suceden, y debiéramos reconocerlo y alegrarnos de que así sea.

La enseñanza aquí no es que la oración cambie el parecer de Dios, ni que le retuerza el brazo, sino más bien que nuestras plegarias, generadas y sostenidas como lo son por el Señor mismo, se convierten en el medio por el cual penetramos la mente divina: terminamos pidiéndole a Dios que haga aquello que Él había planeado hacer todo el tiempo, desde que nos llevó al punto de solicitarle que lo hiciese con un interés adecuadamente serio y sentido. Si queremos que el poder de Dios actúe en respuesta a nuestras oraciones (y algo va mal en nosotros si no tenemos ese deseo), lo que hemos de hacer no es autoinducirnos la certeza de que aquello que hemos decidido pedir sucederá simplemente porque nos hayamos asegurado a nosotros mismos que así será. Nuestra tarea consiste más bien en buscar el parecer de Dios en cuanto a las necesidades que nos apremian y permitirle que nos enseñe (con tanto o tan poco detalle como la Escritura y el Espíritu puedan sugerirnos en cada caso) de qué manera deberíamos pedir «hágase tu voluntad», siguiendo así la senda de oración de Jesús en Getsemaní.

Milagros. En segundo lugar, ¿es siempre correcto pedirle a Dios que muestre su poder mediante un milagro? Mientras la motivación básica de nuestra oración sea «hágase tu voluntad», y no la mía en oposición a la tuya, no hay nada impropio en que le digamos a Dios cuándo pensamos que un milagro, una coincidencia espectacular, o una demostración del poder de la nueva creación, por ejemplo en una sanidad orgánica, adelantará su gloria y la santificación de su nombre. Pablo oró por una curación milagrosa de su aguijón en la carne. No se equivocó al hacerlo, aunque la respuesta de Dios a su oración resultó no ser un milagro (véanse 2 Co 12.9). Sólo hacemos mal cuando pedimos una manifestación milagrosa y no estamos preparados para aceptar que Dios tenga otros planes. Pero el poder divino no sufre merma ninguna por ello; y aunque hemos de admitir que los milagros son siempre improbables, también debemos recordar que no son nunca imposibles.

Sin embargo, nuestra esperanza de ver milagros siempre debe ser atemperada por una comprensión del punto siguiente.

El poder de Dios se manifiesta más plenamente en la debilidad humana. Hay muchas clases de debilidad. La flaqueza física del inválido o el tullido; la debilidad de carácter de las personas con fallos y vicios dominantes; aquella otra intelectual del individuo con capacidad limitada; la producida por el agotamiento, la depresión, el estrés, la fatiga y la sobrecarga emocional. Dios santifica todas esas formas de debilidad capacitando al débil para que sea más fuerte (paciente, extrovertido, afectuoso, tranquilo, alegre e ingenioso) de lo que parecía posible bajo tales circuns- tancias. Esa es una demostración de su poder que a Él le encanta dar.

Pablo formula el principio de la siguiente manera: «Tenemos este tesoro (el conocimiento de Dios en Cristo) en vasos de barro, para que la excelencia del poder sea de Dios, y no de nosotros, que estamos atribulados en todo, mas no angustiados; en apuros, mas no desesperados; perseguidos, mas no desamparados; derri- bados, pero no destruidos; llevando en el cuerpo siempre por todas partes la muerte de Jesús, para que también la vida de Jesús se manifieste en nuestros cuerpos. De manera que la muerte actúa en nosotros» (2 Co 4.7-12). En un mundo egocéntrico, inclinado al placer y autoindulgente como lo es el nuestro hoy en día, esto parece de lo más brutal y estremecedor. Pero no es otra cosa que el verdadero significado de ese venerable y tan alabado aforismo: «La necesidad del hombre es la oportunidad de Dios». ¿Oportunidad para qué? Para demostrar su poder, el poder de su gracia, ahora revelado para alabanza de su gloria.

El hecho de ser débil y sentirse como tal no resulta en sí divertido, ni puede constituir una situación de lo que el mundo entendería como máxima eficacia. Uno hubiese esperado que Dios utilizaría su poder para eliminar tales debilidades de las vidas de sus siervos. Lo que Él hace en realidad, una y otra vez, es convertirlos a ellos en maravillas andantes; algunas veces, desde luego, en maravillas inmovilizadas en el sentido físico, de sabiduría, amor y utilidad para los demás a pesar de su propia incapacidad. Es así como a Dios le encanta manifestar su poder, y se trata de una verdad cuya comprensión resulta de vital importancia para nosotros.

Pablo mismo aprendió esta lección muy a fondo mediante su interacción con los corintios. El apóstol no era hombre de paños calientes, retraído ni distante en sus relaciones. Era, como se dice, «todo fuego»: imperioso, combativo, inteligente y apasionado. Consciente de su autoridad apostólica, y muy seguro de que su enseñanza era definitiva y saludable, se gastaba generosamente discipulando a sus conversos. Sentía y expresaba un gran afecto hacia ellos porque eran de Cristo, y naturalmente esperaba recibir a cambio no sólo obediencia sino también cariño.

En el caso de los corintios, sin embargo, la obediencia era vacilante y a regañadientes, y el cariño prácticamente inexistente. Esto se debía en parte, como reflejan las cartas que Pablo les dirigió, a que el apóstol no satisfacía sus expectativas vanidosas de que cualquier maestro que valiese la pena tenía que ir por ahí alardeando de sus conocimientos intelectuales para impresionarlos. También, en parte, era debido a que otros maestros que alardeaban de ese modo se habían asegurado su lealtad, y a que los corintios habían abrazado una idea triunfalista de la vida espiritual que valoraba el hablar en lenguas y la desinhibición por encima del amor, la humildad y la justicia. Pensaban que los cristianos eran personas liberadas por Cristo para hacer casi cualquier cosa, sin considerar las consecuencias. Menospreciaban a Pablo como «débil», insignificante en aspecto y en palabra (2 Co 10.10), y posiblemente equivocado en algunas de sus enseñanzas doctrinales y morales. Eran muy críticos con el estilo y el comportamiento personal del apóstol.

A cualquiera en la posición de Pablo esto le hubiese resultado doloroso en extremo, y queda claro por sus cartas a los corintios, con sus expresiones de amor acongojado y sus alternancias de pena, enojo, desengaño, frustración y sarcasmo, que el mismo apóstol lo encontraba sumamente penoso. Su respuesta, sin embargo, fue magnífica. Abrazó la debilidad, no aquella que le suponían los corintios, sino la de un cuerpo enfermo, un papel de siervo y un corazón dolorido, como su llamado aquí en la tierra. «Si es necesario gloriarse (escribió), me gloriaré en lo que es de mi debilidad» (2 Co 11.30). «De mí mismo en nada me gloriaré, sino en mis debilidades» (2 Co 12.5). Y su acción fue consecuente con su palabra:

> Y para que[...] no me exaltase desmedidamente, me fue dado un aguijón en mi carne, un mensajero de Satanás que me abofetee, para que no me enaltezca sobremanera; respecto a lo cual tres veces he rogado al Señor, que lo quite de mí. Y me ha dicho: Bástate mi gracia; porque mi poder se perfecciona en la debilidad. Por tanto, de buena gana me gloriaré más bien en mis debilidades, para que repose sobre mí el poder de Cristo. Por lo cual, por amor de Cristo me gozo en las debilidades, en afrentas, en necesidades, en persecuciones, en angustias; porque cuando soy débil, entonces soy fuerte.
>
> **2 Corintios 12.7-10**

¿En qué consistía ese aguijón? No lo sabemos, pero debió ser algún impedimento personal, algo que no funcionaba bien en su constitución, de otro modo no hubiese dicho que estaba en su «carne» (refiriéndose a su humanidad creada). También debía resultarle doloroso, o no lo habría llamado «aguijón».

¿Por qué recibió Pablo dicho aguijón (de parte de Dios, en su providencia)? Para su disciplina, como reconoció el apóstol, a fin de mantenerle humilde; algo nada insignificante, hay que decirlo, tratándose de un hombre con un ego tan enorme como el de Pablo.

¿En qué sentido el aguijón del apóstol era un mensajero de Satanás? Le provocaba pensamientos de rencor hacia Dios, compasión por sí mismo y desesperación en cuanto al futuro de su ministerio: la clase de pensamientos que el diablo se especializa en atizar dentro de todos nosotros. Cualquier cosa que estimule esa clase de ideas se convierte así en un mensajero de Satanás para nuestras almas.

¿Por qué oró Pablo específicamente al Señor Jesús sobre su aguijón? Porque Jesús era el sanador, que había llevado a cabo muchas curas milagrosas en los días de su carne, y también algunas por medio del apóstol durante los años de ministerio misionero de éste (véase Hech 14.3, 8-10; 19.11). Ahora Pablo necesitaba el poder sanador de Cristo para sí mismo, de modo que lo buscó en tres ocasiones solemnes de oración.

¿Por qué no se le concedió la sanidad? No fue por una falta de oración nacida de corazón puro por parte de Pablo, ni tampoco por una escasez de poder soberano de parte de Cristo, sino porque el Salvador tenía en vista algo mejor para su siervo. (Dios siempre se reserva el derecho de contestar a nuestras peticiones de un modo mejor al que nosotros solicitamos.) La respuesta de Jesús a la oración de Pablo podría ampliarse de la siguiente manera: «Pablo, voy a decirte lo que pienso hacer. Manifestaré mi fuerza en tu continua debilidad, de tal forma que las cosas que temes, el fin o el debilitamiento de tu ministerio, la pérdida de tu credibilidad y utilidad, no ocurrirán. Tu ministerio seguirá adelante en poder y fortaleza como siempre, aunque con una mayor debilidad que antes. Llevarás contigo ese aguijón en la carne durante toda tu vida; pero en esa situación de debilidad se perfeccionará mi fuerza, haciéndose más evidente que nunca que soy yo quien te sostiene». La implicación de todo ello era que ese estado de cosas sería de mayor bendición personal para Pablo, más enriquecedor para su ministerio, y más para la gloria de Cristo, el capacitador, que una cura inmediata.

¿Y qué debiéramos pensar de la reacción de Pablo? Está claro que él comprendió y aceptó lo que Cristo le había comunicado mientras oraba. Evidentemente lo consideró como algo que definía su propia vocación. Es natural suponer que una razón por la que él relató aquello de modo tan completo fue que sabía que estaba convirtiéndose en un ejemplo que otros deberían imitar: su experiencia ciertamente es un modelo al que una y otra vez se exige que nos conformemos.

La regla consiste en que primero el Señor nos hace conscientes de nuestra debilidad, de modo que nuestro corazón exclama: «¡No puedo soportarlo!» Luego vamos a Cristo para pedirle que quite de nosotros esa carga, la cual sentimos que nos está aplastando, pero Él contesta: «En mi fuerza *puedes* soportarla. Y como respuesta a tu oración, te *fortaleceré* para que lo hagas». Así que nuestro testimonio, como el de Pablo, es: «Todo lo puedo en Cristo que *me fortalece*» (Flp 4.13); «El Señor estuvo a mi lado, y *me dio fuerzas*» (2 Ti 4.17). Y, al igual que Pablo, nos encontramos diciendo: «Bendito sea el Dios y Padre de nuestro Señor Jesucristo, Padre de misericordias y Dios de toda consolación, el cual nos consuela en todas nuestras tribulaciones, para que podamos también nosotros consolar a los que están en cualquier tribulación, por medio de la consolación con que nosotros somos consolados por Dios. Porque de la manera que abundan en nosotros las aflicciones de Cristo, así abunda también por el mismo Cristo nuestra consolación» (2 Co 1.3-5).

Por «consolación», Pablo entiende un aliento que vigoriza y no la relajación enervante. Es en ese sentido que nos unimos a él para testificar de la consolación divina. Nos encontramos viviendo (si se me permite la expresión) bautismalmente, con la resurrección surgida de la muerte como modelo reiterado de nuestra experiencia, y comprendemos con una claridad cada vez mayor que esa es la expresión más plena y profunda de la vida cristiana con poder.

Parece, entonces, que el estar divinamente capacitado para hacerse más fuerte en Cristo no tiene necesariamente que ver con una actuación espectacular o exitosa según los criterios humanos (el que uno ejecute o no de este modo debe decidirlo Dios). Sin embargo, sí está muy relacionado con saber y experimentar que somos débiles. En este sentido, sólo crecemos más fuertes siendo cada vez más débiles. El mundo entiende por fortaleza (de carácter, mente y voluntad) una cualidad natural: la capacidad de ir adelante con decisión, sin distraerse ni desanimarse, hacia los objetivos que uno tiene. Sin embargo, la fortaleza o el poder que Dios da consiste en una capacitación por el mismo Cristo, mediante el Espíritu, para que sigamos adelante sin desmayar en:

- la santidad personal delante de Dios;
- la comunión personal con Él;
- el servicio personal al Señor; y
- la acción personal a su favor.

Uno sigue adelante por muy débil que se sienta —incluso en aquellas situaciones en las cuales lo que se pide parece estar más allá de las propias posibilidades—, y lo hace con la confianza de que es así como Dios lo quiere. Porque la capacitación divina sólo comienza cuando confrontamos, sentimos y admitimos la insuficiencia de nuestra fuerza natural.

De modo que la senda del poder consiste en una humilde confianza de que Dios canalizará su potencia hasta lo más profundo de nuestro ser para hacernos y mantenernos fieles al llamamiento que hemos recibido en santidad y servicio. De igual manera, dependemos de Él para que se sirva de nosotros como conducto a fin de hacer llegar su poder a las vidas de otras personas y ayudarlas a avanzar allí donde lo necesiten. La trampa del poder está en la confianza en uno mismo, y en no ver que sin Jesús nada podemos hacer que tenga importancia espiritual; por mucho que llevemos a cabo cuantitativamente en términos de una actividad dinámica. El principio del poder, podríamos llamarlo el guión del poder divino, es que la fuerza de Dios se perfeccione en la debilidad humana consciente. Las perversiones de dicho poder suponen que la fuerza divina es algo que nosotros podemos poseer y controlar, o que tenemos la posibilidad de acudir al Señor para ser capacitados a fin de servirle cuando no estamos esperando que lo haga para nuestra práctica de la justicia; pero, como hemos visto, tales ideas son completamente erróneas.

Si cada día de mi vida pudiese recordar que la forma de hacerme más fuerte es debilitándome; si aceptara que las frustraciones, los obstáculos y los accidentes de cada jornada constituyen las formas que Dios tiene de hacerme reconocer mi debilidad a fin de que pueda ser posible para mí el llegar a ser fuerte; si no me traicionase a mí mismo con la autoconfianza, basada en mi conocimiento, pericia, posición, habilidad con las palabras, etcétera, durante gran parte del tiempo, ¡qué enorme diferencia supondría para mí!

Me pregunto cuántas otras personas, además de mí mismo, necesitan concentrarse en aprender tales lecciones. Si usted ha llegado hasta este punto de la lectura, le insto a que haga un alto y se pregunte cómo están de ancladas dichas enseñanzas en su corazón. Verdaderamente deben estarlo muy firmemente, y me temo que hoy en día no sea así en muchos corazones cristianos. ¡Quiera Dios en su misericordia debilitarnos a todos!

El robustecimiento difícil: La disciplina de la constancia

Consideren, hermanos míos, como un motivo de gozo puro cuando tengan que enfrentar pruebas de varias clases, porque saben que la prueba de su fe produce constancia. Y la constancia necesita llevar a feliz término su obra, a fin de que sean maduros y completos, sin que les falte nada. **Santiago 1.2-4, NVI**

Si soportáis la disciplina, Dios os trata como a hijos.
Hebreos 12.7

CORRER CON LOS OJOS PUESTOS EN JESÚS

¿Conoce usted la expresión *hard gaining* [robustecimiento difícil]? No la había oído hasta que mi hijo empezó a hacer físico-culturismo y trajo a casa una de esas revistas que atienden a dicho interés. Entonces descubrí que se trata prácticamente de una expresión técnica entre los físicoculturistas, la cual abarca todos los métodos para el desarrollo muscular y el ensanche de pecho a los cuales aquellos que anhelan obtener una figura hercúlea deben aplicarse para lograr el efecto deseado: ese físico imponente que constituye el producto final.

Seguir los métodos no puede considerarse algo divertido, ni calificarse de fácil, pero he observado que da buenos resultados. Mi hijo, que trabaja en el sistema carcelario, es más bajo que yo pero ahora pesa más. Incluso el más fortuito observador reconocerá que su volumen adicional es mayormente músculo. Mediante una ardua disciplina («sin sufrimiento no hay robustecimiento», como dicen ellos), ha conseguido aumentar el volumen de sus músculos, no existe otro camino.

La madurez cristiana, que es la santidad plenamente desarrollada, constituye el producto acabado de otra disciplina de *«robustecimiento difícil», a saber, la constancia*, tanto aquella que es pasiva *(paciencia)* como la activa *(perseverancia)*. Para expresar esta idea, el Nuevo Testamento utiliza dos parejas de términos griegos, consistente cada una de ellas en un sustantivo y un verbo relacionado. Ambas parejas son prácticamente sinónimas; aunque la forma verbal de una de ellas *(hypomonē, hypomeno)* transmite la idea de mantenerse firme bajo presión, mientras que el otro verbo *(makrothymia, makrothymeo)* sugiere más bien dominio ante la provocación y retención del control. Uno y otro conceptos tienen áreas comunes, y el hábito de la constancia precisa de ambos. El término coloquial castellano sería «aguante». Su significado se halla bien resumido en el lema de la primera institución cristiana en la cual enseñé: «Esté en lo cierto y persista».

Estas cuatro palabras griegas aparecen en conjunto más de setenta veces, ya que la constancia es un tema importante en el Nuevo Testamento. Y la paciencia (el modo pasivo de la constancia, mediante el cual se soportan el dolor, la pena, el sufrimiento y la decepción sin derrumbarse uno interiormente) se menciona como una faceta, si podemos llamarla así, del fruto del Espíritu (Gl 5.22-23). Esto significa que no se trata de una dote natural, sino de un don espiritual: una gracia del carácter que Dios imparte a aquellos a quienes está transformando a la semejanza de Cristo.

Hablar así no es, sin embargo, contradecir nuestra afirmación anterior de que la constancia se forja en nosotros mediante una disciplina de *robustecimiento difícil*. Cada aspecto del fruto del Espíritu que Pablo menciona constituye de hecho tanto un mandato divino como un don de Dios. Todos ellos son hábitos de reacción que se reconocen del modo más notable en las situaciones donde, humanamente hablando, hubiese podido esperarse una respuesta distinta. Así, el amor brilla más cuando se ejerce por Jesús para con los poco agraciados y aparentemente repulsivos; el gozo, cuando nos regocijamos en nuestra salvación y nuestro Salvador a pesar de estar rodeados de cosas tristes; la paz, cuando, seguros de la soberana providencia de Dios, permanecemos tranquilos en lugar de dejarnos llevar por el pánico o desmoronarnos.

Del mismo modo, la constancia paciente se hace más obvia cuando nos mantenemos firmes bajo el dolor o la presión en vez de cortar y salir corriendo, o encogernos y derrumbarnos. Pero el aguantar de esta manera es un hábito que requiere cierto aprendizaje. La dificultad del «robustecimiento» que produce el carácter cristiano no debe minimizarse: ser cristianamente constante (lo que significa, en términos del fruto del Espíritu, amoroso, alegre, pacífico, amable, sin pérdida de bondad, fiel, manso y dueño de uno mismo) no constituye ningún programa informal. Y muchos de nosotros apenas hemos empezado a acometerlo todavía. No obstante, ese hábito de la constancia es esencial para nuestra santidad, madurez y semejanza con Cristo. Adquirirlo y asegurarse de no perderlo nunca, supone una disciplina necesaria para aquellos que son de Cristo.

La carta a los Hebreos está evidentemente dirigida a una iglesia cristiana judía que sufría a manos de otros hebreos resentidos por su fe en Cristo. Los creyentes estaban pensando que tal vez una vuelta al judaísmo oficial constituiría una decisión sabia, con la que no perderían nada y obtendrían el fin de la persecución. La epístola se escribió para instar a dichos creyentes a que permaneciesen firmes en su cristianismo. Para conseguir su objetivo, el escritor expone sistemáticamente, y en detalle, la forma en la cual el orden de gracia del Antiguo Testamento —tal y como era bajo la versión mosaica del pacto de Dios— había sido reemplazado y cancelado a través de la mediación sumosacerdotal y de la muerte expiatoria de Jesucristo, el Hijo de Dios encarnado. Su argumentación demuestra así que reincidiendo en el judaísmo del que procedían, no conseguirían nada que fuera significativo y perderían todo lo que importaba, ya que dejarían de ser acreedores a su salvación y se expondrían a un juicio horrible a causa de su infidelidad. De modo que debían permanecer firmes a toda costa.

Hebreos representa el clásico tratamiento novotestamentario de la constancia, y de las muchas palabras de peso que tiene la epístola sobre este tema, la más importante es la siguiente, en el comienzo del capítulo 12:

Por tanto, nosotros también, teniendo en derredor nuestro tan grande nube de testigos (a saber, los héroes de la fe del

Antiguo Testamento nombrados en el capítulo 11, todos los cuales entendieron lo correcto y valioso que es mantenerse firmes), despojémonos de todo peso y del pecado que nos asedia (evidentemente el deseo de tranquilidad que los estaba tentando a la apostasía), y corramos con paciencia *(hupomonē) la carrera que tenemos por delante, puestos los ojos en Jesús, el autor y consumador de la fe, el cual por el gozo puesto delante de Él sufrió (hupomeno)* la cruz, menospreciando el oprobio, y se sentó a la diestra del trono de Dios. Considerad a aquel que sufrió *(hupomeno)* tal contradicción de pecadores contra sí mismo, para que vuestro ánimo no se canse hasta desmayar.

Hebreos 12.1-3

En este pasaje se hacen evidentes para nosotros dos verdades acerca de la constancia.

1. La vida de constancia cristiana es semejante a una carrera de fondo. La ilustración de una carrera, aquí como en cualquier otra parte del Nuevo Testamento (véanse 1 Co 9.24-27; Gl 5.7; Flp 2.16; 2 Ti 4.7), nos dice dos cosas: primera, que la perseverancia es la única senda que conduce al premio de la gloria final; y segunda, que lo que dicha perseverancia requiere es una aplicación sostenida de esfuerzo concentrado día tras día, un compromiso tenaz, resuelto, abnegado y sin restricciones, de alabar y agradar al Padre a través del Hijo mientras dure la vida. Del mismo modo que quienes compiten con éxito en las carreras a campo traviesa, maratones y triatlones van adquiriendo un ritmo ganador, así debe suceder con los cristianos. Al igual que algunos atletas han nacido, como solemos decir, para correr, todos aquellos nacidos de nuevo son llamados a hacerlo, en el sentido de aplicar toda su energía a la piedad estable como estrategia de vida. Mantener el ritmo ganador en la vida cristiana, como en el Maratón de Boston, es algo invariablemente exigente y a veces angustioso; pero el significado mismo de la perseverancia y de la constancia paciente consiste en que uno lo haga de todos modos, puesto que es un hijo de Dios que corre lo que para él supone, en el sentido más profundo, la recta final.

Este esfuerzo interior sostenido, elevado al límite de lo que uno puede hacer con el cerebro, los dones y la energía que Dios le ha dado, es un aspecto esencial de la santidad cristiana sin el cual la supuesta santidad de alguien degenerará en blandura autoindulgente. Pero la verdadera santidad no es ni autoindulgente ni blanda; sino dura, viril, con espinazo y agallas, y con un rostro como de pedernal. Se ve animada por un corazón gozoso al divisar ante sí la línea de meta. La verdadera semejanza con Cristo, como señala el escritor de Hebreos, no significa más que eso; y una santidad real quiere decir, como apuntábamos antes, semejanza con Jesús.

2. La vida de constancia cristiana se vive poniendo los ojos en Jesús. «Puestos los ojos en...» es una buena traducción. El término griego implica que uno aparta la vista de todo lo demás para concentrarse en el objeto de su atención. La necesidad imperiosa de hacer esto respecto a Jesús es esencial para lo que el texto nos está diciendo. Los cristianos se ven rodeados, a veces casi ensordecidos, por los cantos de sirena de aquellos que desean que dejen de ser torpes clientes con un comportamiento cristiano y se conviertan en mundanos pusilánimes que sólo hacen lo que ya están haciendo quienes se encuentran a su alrededor. Los creyentes deben aprender a desestimar estos ruidos de distracción. No podemos seguir a Cristo en santidad a menos que estemos dispuestos a sobresalir de la multitud y a nadar contra la corriente.

El secreto de la constancia, explica el escritor de Hebreos, es concentrarse en Cristo mismo: «mirarle» a Él, como decían las traducciones más antiguas, la idea que se expresa es la de «mirar fija e intensamente a Jesús». Lo que la carta ya ha dicho hasta ahora da a esta expresión su significado. Para empezar, debemos contemplar a Jesús como nuestro modelo y patrón de piedad. «Considerad a aquel que sufrió tal contradicción de pecadores» (v. 3); quien «por lo que padeció aprendió la obediencia» (5.8); el que fue y sigue siendo «fiel al que le constituyó[...] como hijo sobre su casa [de Dios]» (3.2,6); quien «fue tentado en todo según nuestra semejanza, pero sin pecado» (4.15); el que «padeció siendo tentado» (2.18). Él es el mejor ejemplo de alguien que dice «No» al pecado a cualquier precio, incluso a costa de su vida misma. Cristo constituye nuestro modelo a seguir (cf. 12.4).

La verdad más trascendental para una vida de constancia santa no es, sin embargo, que Jesús constituya nuestra norma —por importante que esta verdad pueda ser—; sino, más bien, que Él es nuestro sustentador, nuestra fuente de fortaleza para la acción, nuestro dador soberano de gracia (véanse 2.18; 4.16), «el autor y consumador de [nuestra] fe» (v. 2). Como ha demostrado el recorrido que acaba de hacer el escritor por la galería de héroes veterotestamentarios, el cual llena todo el capítulo 11, la fe para él («la certeza de lo que se espera, la convicción de lo que no se ve», como la define en el 11.1) es una combinación de conocimiento, confianza, anhelo y persistencia obstinada en la esperanza cierta contra toda adversidad. El autor de la epístola implica, a lo largo de toda ella, que la fe puede hacer eso porque Aquel que graciosamente nos ha traído a la fe, y en quien ahora nosotros confiamos, nos ayuda a ello. «Porque él [Dios] dijo: No te desampararé, ni te dejaré [Dt 31.6-7]; de manera que podemos decir confiadamente: El Señor es mi *ayudador*... [Sal 118.6]» (13.5-6). «Acerquémonos, pues, confiadamente al trono de la gracia, para alcanzar misericordia y hallar gracia para el oportuno socorro» (4.16).

Este enfoque expectante y confiado es fe en acción. Fue precisamente el Señor Jesús glorificado quien, por su Palabra y por su Espíritu, hizo nacer en nosotros la fe y la mantiene (ese es el significado de «autor y consumador»), el que ahora nos ayuda a estar firmes mirándole y aferrándonos a Él mediante una oración concentrada, intencional y sincera. A menudo se dice que la mejor oración que podemos hacer es: «¡Socorro!» Y si esta va dirigida al Señor Jesús resulta, ciertamente, la más efectiva. Dicho sea de paso, esa última afirmación sigue siendo tan cierta para nosotros hoy en día como lo fue para cualquier otro en el tiempo pasado; ya que el escritor de Hebreos añade: «Jesucristo es el mismo ayer, y hoy, y por los siglos» (13.8).

Ahora hay un par de verdades más acerca de la constancia cristiana que se hacen evidentes. Primera, el hecho de que Jesús sea nuestro modelo demuestra que la perseverancia resuelta a la que somos llamados no tiene nada que ver con la práctica del *estoicismo*. Nuestra palabra «estoicismo» se refiere al arquetipo moral de los estoicos, una influyente escuela de filósofos griegos que había en los tiempos del Nuevo Testamento. El ideal estoico era la autosuficiencia y el soportarlo todo sin rechistar. Los estoicos consideraban como algo indigno del ser humano el dar rienda suelta a los sentimientos de tristeza, dolor, pena, pesar o cualquier otra clase de aflicción. En toda situación difícil, decían ellos, el amor propio debería llevarnos a sonreír resignadamente y a soportar las circunstancias, sin dejar que estas nos desanimasen. Vuelve tu mente hacia el interior y encaja el golpe. Echa mano de los recursos de tu condición humana para tomar la vida como viene y guárdate de caer en las lágrimas, las quejas, los lamentos, los gemidos o cualquier otra expresión de debilidad. El manifestar aflicción es algo vergonzoso y despreciable. Los chicos grandes deben aprender a no llorar. Sin embargo, si actuamos regularmente como si no experimentásemos aflicción, nos convertiremos poco a poco en la clase de personas que no la sienten. Y eso constituirá un aspecto de virtud e implicará un logro de fortaleza.

Ciertamente hay una especie de heroísmo en este ideal. Pero se trata de ese heroísmo perverso del orgullo autosuficiente y engreído, el heroísmo enfermizo que manifiesta Satanás en el *Paraíso perdido* de Milton, el cual es el extremo opuesto del heroísmo obediente y subordinado de Jesús —el hombre perfecto—, que ofrecía «ruegos y súplicas con gran clamor y lágrimas al que le podía librar de la muerte, [y que] fue oído a causa de su temor reverente» (5.7). Sin embargo, Cristo terminó su oración afrontando el hecho de que no sería librado de dicha muerte, y aceptándolo como la buena voluntad de su Padre. (Me refiero a Getsemaní.) Consecuentemente, fortalecido por la oración, Jesús avanzó de frente hacia las garras de la muerte, y «aprendió la obediencia», es decir, la práctica y el costo de la misma, «por lo que padeció» (5.8). Fue vejado y azotado, y murió en la cruz con una agonía que no terminó hasta que toda aquella terrible prueba hubo pasado.

La clase de constancia santa que caracterizó a Jesús es una expresión, no de orgullo, sino de humildad; no de confianza desafiante en uno mismo, sino de obediencia pronta; no de fatalismo resignado en un universo sombrío e indiferente, sino de sumisión resuelta; aunque a menudo dura y dolorosa, a un Señor amante, de quien se ha dicho con toda razón: «Cristo no me hace pasar por estancias más oscuras/De las que Él mismo haya cruzado». promesa que nos da nuestro crucificado Salvador de «gracia para el oportuno socorro» (4.16) permanece para siempre. ¡Cuán agradecidos deberíamos estar de ello!

En segundo lugar, el hecho de que Jesús sea nuestro modelo en santa constancia indica que el conducto por el cual fluye el poder para poseerla, hablando en términos subjetivos, es la *esperanza,* que como ya hemos dicho es la mirada hacia delante de la fe (11.1). Al repasar aquellas atroces y gloriosas veinticuatro horas que se extienden desde el aposento alto, pasando por

Getsemaní y los juicios amañados, hasta la degradación y el tormento del Gólgota, el escritor de Hebreos proclama que Jesús «por el gozo puesto delante de Él sufrió la cruz, menospreciando el oprobio»; después de lo cual, resucitó y ascendió triunfante para sentarse «a la diestra del trono de Dios» (v. 2). Lo que se nos dice aquí es que Jesús fue sostenido por la esperanza: su garantizada y segura esperanza de gloria le condujo a la cruz y, a través de ella, al triunfo posterior.

También nosotros, como ya ha expresado el escritor de la epístola, hemos de ser sostenidos por nuestra esperanza: la esperanza garantizada y segura de una gloria que se nos promete en el evangelio, la gloria a la que debe llevarnos, sin el menor género de dudas, una constancia fiel. «La cual [esperanza] tenemos como segura y firme ancla del alma» (6.19). Los barcos anclados no se mueven. Lo mismo sucede con los cristianos anclados. El ancla que puede mantenernos firmes, y que lo hace, es la esperanza que tenemos en Cristo.

UNA CONSTANCIA INSPIRADA EN LA ESPERANZA

Aquí aludimos a una verdad de la que se ocupa mucho la teología moderna. Dios nos hizo criaturas de esperanza, que viven en buena medida en su propio futuro; cuya naturaleza es mirar adelante y emocionarse con las cosas buenas que prevén, así como sacar gozo y fortaleza de sus expectativas de cumplimiento y deleite futuros para enfrentarse al presente. La vida es siempre mucho más rica cuando se espera algo con anhelo. Solemos decir: «Mientras hay vida, hay esperanza». Pero la verdad más profunda es que mientras hay esperanza hay vida. Porque, en ausencia de algo excitante que esperar, la existencia misma se convierte en una carga y la vida no parece digna de vivirse.

Una de las cosas más tristes hoy en día es el número de personas mayores que, no siendo creyentes, nada tienen que esperar con ilusión. Su vida se está extinguiendo poco a poco. Sus cuerpos se debilitan y comienzan a fallar. Ya no pueden hacer lo que solían, y jamás serán capaces de hacerlo de nuevo. Sienten que se hunden cada vez más en una gruta oscura, mientras las tinieblas que las rodean se van espesando sin que haya luz ni salida para ellas al final. Consideran el vivir sin esperanza como una absoluta carga. Se vuelven amargadas y caen en la autocompasión y la nostalgia. Y cuando se convierten (como desgraciadamente sucede a veces) en una desdicha para otros, es porque primeramente han llegado a serla para sí mismos de esta manera. La desesperanza consume el espíritu.

Recuerdo haber inquirido de alguien que hacía poco había visitado a mi antiguo rector, un brillante erudito a la sazón de noventa y un años de edad, cómo se encontraba el anciano. «Terriblemente abatido», me contestó. «Le pregunté en qué se ocupaba en estos momentos, y lo único que dijo fue: "Estoy esperando el fin"». Yo sabía que en su juventud el hombre había rechazado el cristianismo para abrazar alguna clase de budismo, y aquel era el resultado. No tener esperanza es algo trágico, y tanto más cuanto que es innecesario. Dios jamás pretendió que la humanidad viviera sin esperanza, y es más, ha dado a los cristianos la esperanza más magnífica que haya podido existir nunca.

El Nuevo Testamento presenta dicha esperanza de varias formas, pero su declaración básica es la que sale a la superficie cuando Pablo se anuncia a sí mismo como apóstol por mandato «del Señor Jesucristo nuestra esperanza» (1 Ti 1.1), y cuando identifica «las riquezas de la gloria» del «misterio» (su mensaje del evangelio) como «Cristo en vosotros, la esperanza de gloria» (Col 1.27). Jesucristo mismo, a quien los que creemos estamos ya unidos, es la esperanza cristiana. Nuestra unión con Él no constituye ninguna absorción, ni una abolición de nuestra condición de personas, como esa unión con lo divino que contempla el hinduismo (escape del dolor, sin duda, pero sin ningún otro gozo). Se trata más bien de una relación análoga a la de los esposos, cuyo amor el uno por el otro, y su unión en dicho amor, hacen a cada uno de ellos más vivo y alegre que antes. Sí, Cristo mismo es nuestra esperanza. Cada uno de nosotros viaja por una senda que Él nos ha designado hacia una eternidad de gozo en la cual Él mismo será el centro, el foco y la fuente de nuestro deleite perpetuo.

Esta es la «esperanza viva» por la que Pedro alaba a Dios en 1 Pedro 1.3: «La gracia que se os traerá cuando Jesucristo sea manifestado» (v. 13). Dicha esperanza produce ahora un gozo ilusionado y nos hace pacientes bajo la presión. Pablo se apunta una magnífica diana verbal cuando, escribiendo a los tesalonicenses, celebra «la obra de vuestra fe, [el] trabajo de vuestro amor y vuestra *constancia en la esperanza* en nuestro Señor Jesucristo» (1 Ts 1.3). Este trío de energías responsivas, o quizá debiera decir esta triple respuesta dinámica: fe, amor y esperanza; obra, trabajo y constancia, juntas todas ellas, tendrían que hacerse visibles en la vida de cada cristiano. (¡Lo que Dios ha unido no lo separe el hombre!). Esta es la forma de vivir a semejanza de Cristo. Esta es una santidad integral.

Al final de 1 Tesalonicenses, Pablo, tras haber declarado que «la voluntad de Dios es vuestra santificación» (4.3), ora: «Y el mismo Dios[...] os santifique por completo; y todo vuestro ser, espíritu, alma y cuerpo, sea guardado irreprensible para la venida de nuestro Señor Jesucristo» (5.23). Lo que quiere decir es que tengan fe, amor, esperanza, obra, trabajo y constancia hasta el mismo fin.

El orden de sus palabras nos confirma tres verdades que ya deberían estar claras para nosotros. Primeramente, que siempre es correcto que los cristianos se concentren en su esperanza futura, por mucha burla que ello les acarree por mirar más allá de este mundo a un «estar en el cielo con los angelitos». Segundo, que siempre es correcto para ellos centrar su esperanza en el regreso prometido de Jesús, el cual ciertamente se producirá, aunque no podamos fecharlo o imaginar cómo ha de ser, por muy satíricamente que el mundo se mofe de nuestra expectativa. Tercero, que debemos estar siempre listos para la aparición de Cristo, lo cual significa que hemos de cooperar siempre, activamente, con la obra de Dios para santificarnos y resistir, también activamente, a todas las incitaciones y presiones de que somos objeto para utilizar nuestra energía haciendo algo diferente.

Todo esto tiene también que ver con la santidad integral: la santidad y la esperanza van juntas. «Amados, ahora somos hijos de Dios, y aún no se ha manifestado lo que hemos de ser; pero sabemos que cuando Él se manifieste, seremos semejantes a Él, porque le veremos tal como Él es. Y todo aquel que tiene esta esperanza en Él, se purifica a sí mismo, así como Él es puro» (1 Jn 3.2-3). Los cristianos que no están persiguiendo la santidad son sospechosos en cuanto a su esperanza. Pastoralmente hablando, la pregunta de qué es lo que ellos esperan puede suponer el mejor punto de arranque para ayudarles a obtener una idea más acertada de su forma de vida. La esperanza y la santidad forman verdaderamente una pareja.

LA IRREALIDAD MODERNA

La constancia cristiana, como hemos visto, es un vivir amorosa, gozosa, pacífica y pacientemente bajo condiciones las cuales desearíamos que fuesen diferentes. Hay una palabra que abarca la innumerable variedad de situaciones que tienen este carácter: a saber, *sufrimiento*. El sufrimiento está en la mente del que sufre, y puede definirse convenientemente como el recibir lo que no se quiere al tiempo que se quiere lo que no se recibe. Esta definición abarca todas las formas de pérdida, daño, dolor, pena y debilidad, cada experiencia de rechazo, injusticia, desengaño, desaliento, frustración y de ser el blanco del odio, el ridículo, la crueldad, la insensibilidad, la ira y los malos tratos de otros; además de toda exposición a cosas abominables, repugnantes y espantosas que le hacen a uno querer gritar, salir corriendo e incluso morir. El sufrimiento, en una u otra forma, es algo que experimenta todo el mundo desde los tiempos más antiguos, aunque algunas personas sepan mucho más acerca de él que otras. Intentaré ahora ser explícito en cuanto a la relación que hay entre sufrimiento y santidad.

Llegados aquí, no sé qué grado de credibilidad puedan tener las palabras de alguien que, como yo, ha vivido una vida tan cómoda y sin problemas, gozando de tan buena salud y con tantos amigos. El sufrimiento es una de las muchas cosas sobre las que creo tener un conocimiento muy escaso; pero ahí van, de todos modos, las verdades a las cuales espero mantenerme fiel, con la ayuda de Dios, a través de cualesquiera sufrimientos, ya sean estos molestias triviales o desgracias mayores, que me deparen mis «años dorados» (como ahora se llama a la vejez).[1] Se trata de las verdades acerca del sufrimiento que todo cristiano necesita y ninguno de nosotros debe olvidar.

Primeramente, quiero recordarme a mí mismo que el nuestro no es un tiempo bueno para ninguna clase de realismo acerca del sufrimiento; en verdad, ningún tipo de realidad acerca de Dios,[2]

---

1. Acerca de esto, consúltense Peter Kreeft, *Making Sense out of Suffering*, Servant Books, Ann Arbor, 1986; Elisabeth Elliot, *A Path through Suffering*, Ann Arbor: Vine Books, Servant Publications, 1990; Joni Eareckson, *Un paso más*, Editorial Vida, Miami, 1979.

2. He intentado corregir algunas de las ideas equivocadas acerca de Dios en *Hacia el conocimiento de Dios*, Logoi.

del cristianismo, de la virtud, de las relaciones, de la muerte y el morir o de cualquier otra cosa salvo la tecnología. En nuestro mundo occidental, las habilidades técnicas llevan aparejadas una puerilidad y una inmadurez emocional extremas que nos hunden más que a ninguna otra generación desde que apareció el cristianismo, en la herencia del pecado consistente en el egocentrismo, el ensimismamiento y la autocompasión.

Además, estamos en una era intelectualmente poscristiana que conserva poco del sentido de la grandeza y la santidad de Dios, mientras que abunda en fantasías indignas referentes a Él. Nos lo imaginamos como el abuelo celestial de todos, que está ahí para prodigarnos sus dones y disfrutar de nosotros tal como somos. No albergando sentido alguno de la pecaminosidad de nuestros pecados, esperamos de Él un tratamiento exquisito todo el tiempo. Tenemos la costumbre diaria de manipular la idea de igualdad y equidad a fin de garantizarnos la obtención de tanto de aquello que deseamos como reciba nuestro vecino, y acariciamos un sentimiento de injusticia cósmica siempre que una persona sufre y otras no lo hacen, especialmente si dicha persona somos nosotros. El sacrificio por el bien de los demás: los padres por los hijos, los maridos y las esposas unos por otros, los directores de empresa por sus empleados y accionistas, los líderes políticos por la comunidad a la que pretenden servir, es casi desconocido en nuestros días. La sociedad se ha convertido principalmente en una selva donde todos vamos a la caza del placer, la ganancia y el poder, y nos parece bien quitar a otros de en medio si esa es la forma de conseguir lo que queremos.

Al mismo tiempo, comparados con todos los cristianos que han vivido hasta hace más o menos una generación, tenemos un sentido de la realidad, la capacidad de penetración, la ignominia y la culpabilidad del pecado terriblemente pequeña. Albergamos ilusiones escandalosamente elevadas de nuestro derecho a esperar de Dios salud, riqueza, tranquilidad, emoción y disfrute sexual. Somos espantosamente inconscientes de que el sufrir como cristianos constituye un aspecto integral de la santidad bíblica y una parte normal de los asuntos habituales del creyente.

Cuando busco la sensatez en cuanto al sufrimiento, me veo terriblemente impedido por estas contracorrientes culturales. Ellas contaminan el aire que respiro y obran en mi ser espiritual como un potente veneno de bajo nivel. Ciertamente, son parte de la razón por la cual encuentro tan difícil controlar mis pensamientos y sentimientos, además experimento mucha furia pueril cuando me topo con molestias y correcciones menores en mi camino.

EL SUFRIMIENTO DEBE ESPERARSE

En segundo lugar, me recuerdo a mí mismo que el sufrimiento, tal y como lo hemos definido (recibir lo que uno no quiere mientras quiere aquello que no recibe) está especificado en la Escritura como parte del llamado de cada cristiano, y por tanto de la mía. (¡De modo que los autores que escriben acerca de la vida no están exentos de vivirla en realidad!) Todos los creyentes sin excepción deben esperar y estimar el sufrimiento.

Dios no protege a los cristianos de la inquina del mundo. Sólo por vivir como lo hacen, encontrando su dignidad y deleite en agradar al Señor y disociándose de la competencia inexorable y egoísta que llevan a cabo sin cesar los devotos del placer, la ganancia y el poder, los cristianos condenan al mundo (véanse Ef 5.8-14; Heb 11.7). El mundo, aguijoneado, se venga con una ira anticristiana. «No puede el mundo aborreceros a vosotros —dijo Jesús a sus incrédulos hermanos—; mas a mí me aborrece, porque yo testifico de él, que sus obras son malas» (Jn 7.7). De modo que a sus discípulos les explica: «Si el mundo os aborrece, sabed que a mí me ha aborrecido antes que a vosotros. Si fuerais del mundo, el mundo amaría lo suyo; pero ... yo os elegí del mundo, por eso el mundo os aborrece» (Jn 15.18-19; véanse 1 P 4.4; 1 Jn 3.13). Ya sea que la hostilidad del mundo sea accidental o dirigida se muestre despectiva y fría o ardiente y feroz, se exprese en persecución oficial o en desaires informales y ostracismo social, siempre está presente como reacción más o menos resentida contra aquellos que, por su lealtad preferente, declinan, si bien pacíficamente, adaptarse a los usos, al estilo de vida y al sistema de valores que de algún modo se piensa son los que mantienen unida a la comunidad.

«Por ejemplo —escribe Thomas Schmidt—, un hombre de negocios trata de seguir a Jesús por su forma de comportarse en el trabajo. Sus superiores le piden que falsifique datos a favor de un cliente. Se le lisonjea, acosa y finalmente insulta, pero el hombre rehúsa hacerlo... Acepta el abuso con la confianza tranquila de que ha de responder ante Otro mucho más alto en el Organigrama Empresarial. ¿Y cuál es el resultado? ¿Admiración?

¿Remordimiento por parte de sus superiores? ¿Un nuevo clima moral en la oficina? En absoluto. En lugar de ello se le pasa por alto cuando llega el momento de los ascensos por no "jugar en equipo"».[3] Puede que no lleguemos a experimentar una persecución basada en la ideología, como les sucedió a los cristianos de los cuatro primeros siglos de nuestra era, y como les ha sobrevenido a tantos creyentes del Tercer Mundo y de detrás de la cortina de Acero en nuestro propio tiempo, pero la clase de situación que describe Schmidt acontece cada día en Occidente. «Todos los que quieren vivir piadosamente en Cristo Jesús, padecerán persecución», dice Pablo (2 Ti 3.12). Y esa es una de las formas que adopta la persecución.

Tampoco es únicamente el mundo secular quien les pone una navaja en las costillas a los cristianos. Resulta asombroso ver cómo la malicia y la arrogancia dentro de la propia iglesia conspiran para hacer sufrir a los creyentes. Personas que se saben llamadas a vivir amando a su prójimo, y mucho más si este es también cristiano, hacen excepciones con aquellos con los cuales discrepan. Considerando que están librando la batalla del Señor por la verdad y la sabiduría, demuestran su disgusto ante la falta de ambas mediante ataques personales contra aquellos cuyas ideas les parecen inexactas y necias. «Aun el hombre de mi paz, en quien yo confiaba, el que de mi pan comía, alzó contra mí el calcañar», se queja el salmista (Sal 41.9), y su experiencia estaba lejos de ser única. En mayo de 1991 leí la siguiente noticia:

LONDRES.— El nuevo Arzobispo de Canterbury, George Carey, se enfrentó a un ataque extraordinario el domingo pasado de parte de un sacerdote que en cierto artículo periodístico pedía al clero que le diese de lado. Titulado «Líbranos, Señor, de este hombre», el citado artículo apareció impreso al lado de la página editorial del *The Sunday Telegraph*. Ese periódico de derecha expresaba que el mismo era «necesariamente anónimo». La Iglesia nacional de Inglaterra... estaba en peligro, decía el articulista, y haría bien en «marginar al arzobispo antes que este nos margine al resto de nosotros». Carey, de cincuenta y cinco años de edad, pertenece al ala evangélica de la iglesia anglicana, madre de los setenta millones

---

3. Thomas Schmidt, *Trying to be Good* [Tratando de ser bueno], Zondervan, Grand Rapids, 1990, p.131.

de episcopales que hay en el mundo. Él se ha comprometido a tratar de reavivar la Iglesia —la cual pierde miembros constantemente— mediante una década de evangelización.

Chicago Tribune Wire Service

Así fue George Carey, un activista carismático, creyente en la Biblia y amante de Cristo, apuñalado públicamente por la espalda cuatro semanas después de su instalación en la silla arzobispal. Uno piensa que difícilmente hubiera podido mostrarse más brutal el mundo secular.

Sin embargo, este es un modelo que se repite una y otra vez en la Iglesia. Habiendo conocido yo mismo lo que significa ser objeto de una venganza montada por otros anglicanos, sentí tristeza por el doctor Carey, pero no me sorprendió realmente la agresión. Invocar el apoyo del Señor para atacar a un siervo suyo constituye una forma de perversidad frecuente, que se remonta, al menos, hasta Caifás. Y (a lo que voy) es algo que causa dolor, el cual las personas atacadas han aprendido a soportar.

Tampoco protege Dios a sus hijos de los traumas y las dificultades personales: de las pérdidas y las cruces, como las llamaban los puritanos. ¡Al contrario! En este mundo caído, donde el pecado al entrar lo ha desquiciado todo, Jesús el Redentor experimentó problemas —una familia poco comprensiva, la hostilidad de la autoridad civil, unos amigos que le fallaron—, y los redimidos que le siguen a Él se encuentran ahora en ese mismo barco. Al igual que Jesús, los cristianos son, como hemos podido observar, traicionados y víctimas de represalias. Sufren estafas y se les arrastra a la quiebra como a los demás; tienen problemas familiares como la otra gente. Todo parece ir bien cuando, de repente, alguno padece cáncer, es encarcelado, deja angustiosa y permanentemente de valerse por sí mismo, alguna queda embarazada no debiendo, alguno contrae el sida, su hijo muere, su cónyuge lo abandona. Y se trata sólo de una lista de muestras de lo que puede suceder.

A uno le parece que se le ha caído la casa encima y se siente completamente solo y arruinado, de un modo muy semejante a como debió sentirse Job sobre su montón de cenizas. (Y también los cristianos, al igual que Job, descubren que tienen que soportar en tiempos como esos las censuras de los santurrones sabelotodos, las cuales no hacen sino acrecentar su dolor.)

Otras piedrecitas en nuestros zapatos proceden, no de la participación relacional, sino de que no contamos con un cuerpo o una mente saludable. Hay, por ejemplo, cristianos que luchan durante toda su vida adulta con vehementes deseos homosexuales, los cuales saben que está mal complacer, pero que les importunan constantemente. Las tres grandes mentiras de nuestra cultura son que la satisfacción de los propios deseos es el verdadero objetivo de la vida, que es muy malo para uno reprimir sus anhelos ardientes y que cualquier conducta con la que nos encontramos a gusto correcta. Los homosexuales cristianos que rechazan estas mentiras se sienten tan aislados de otros gays que se las han tragado, como de los heterosexuales —incluso los solteros—, y su sensación de aislamiento les resulta permanentemente dolorosa. Del mismo modo, la lucha constante con cualquier otro deseo obsesivo que los demás no estén de acuerdo (el sadismo, por ejemplo, o la pasión por el hurto) es desgarradora. Pero jamás se nos prometió que el vivir rectamente resultaría fácil. El alivio es para el cielo, no para la tierra. La vida aquí abajo está básicamente deformada y descompuesta a causa del pecado. El Dios que ama y salva a los pecadores ha escogido dejar que la existencia siga así la mayor parte del tiempo. Así que en el futuro nos aguardan tensiones, dolores, desengaños, traumas y frustraciones de todas clases, del mismo modo que ya nos han sobrevenido en el pasado. El sufrimiento es algo que debe esperarse, y hemos de estar preparados para recibirlo. Que nuestras alegrías se verán interrumpidas por malas experiencias hasta el mismo fin, es un hecho anunciado por la Biblia para la vida de cada cristiano.

EL SUFRIMIENTO DEBE ESTIMARSE

¿Le sorprende esta idea? No debería. Naturalmente, el mundo no ve ningún valor en el sufrimiento. No tiene razón para hacerlo. Pero los cristianos se encuentran en una situación distinta, ya que la Biblia nos asegura que Dios santifica nuestros sufrimientos para bien. No debemos aparentar, por un orgullo estoico, que no experimentamos ningún dolor o congoja. Igualmente, tampoco hemos de pasar todo el tiempo quejándonos de cuánto sufrimos, ya que ello supone un ensimismamiento pecaminoso. De todos modos hay cosas más importantes que hacer.

Nuestra tarea consiste en tomar nota del dolor sin alterarnos; no como si se tratase de un placer, que no lo es, sino sabiendo que Dios no permitirá que nos abrume, y que Él lo usará, mediante su propia alquimia sobrenatural, al menos para tres buenos fines.

1. Nuestro sufrimiento produce carácter. Dios hace de nuestras heridas un medio de transformación moral a la imagen de nuestro Salvador. «Aquí y ahora podemos estar llenos de gozo incluso en nuestras pruebas y dificultades», escribe Pablo. «Aceptadas con la actitud correcta, estas mismas cosas producirán en nosotros una constancia paciente; la cual, a su vez, se desarrollará dando lugar a un carácter maduro; y un carácter así produce una esperanza firme» (Ro 5.3ss.; Stg 1.2-4). En Hebreos 12.5-11, un pasaje al que ya echamos un vistazo anteriormente, se explica cómo funciona esto.

El escritor de la epístola a los Hebreos, después de instar a sus lectores a que corran la carrera de la vida con los ojos puestos en Jesús, y sin ceder al pecado, sigue diciéndoles que sus dolores y penas constituyen el adiestramiento moral de su Padre Dios, impuesto, no por indiferencia brutal, sino para moldearlos según un modelo santo. «Si soportáis la disciplina, Dios os trata como a hijos; porque ¿qué hijo es aquel a quien el padre no disciplina?[...] Dios nos disciplina para que participemos de su santidad. Es verdad que ninguna disciplina al presente parece ser causa de gozo, sino de tristeza; pero después da fruto apacible de justicia a los que en ella han sido ejercitados» (Heb 12:7, 10-11). Las cicatrices enlazan con la santidad, y el dolor tiene un efecto educativo.

¿Dolor educativo? ¡Qué idea tan salvaje! ¡Pero cuán realista es en verdad la enseñanza! «¿Qué hijo es aquel a quien el padre no disciplina?» Los padres que aman a sus hijos dedican tiempo a disciplinarlos mientras son pequeños, a fin de que un día lleguen a ser adultos de los cuales puedan sentirse orgullosos. Esto es sencillamente así. ¿Qué otra alternativa hay? «Si se os deja sin disciplina[...] entonces sois bastardos, y no hijos» (v. 8). El triste guión según el cual el padre biológico no tomaba responsabilidad por el bienestar de sus descendientes naturales (y a veces tampoco de los legítimos) era tan corriente en el mundo antiguo como lo es hoy en día. La realidad consiste en que sin esa santidad que se obtiene por medio de la disciplina de Dios, «nadie verá al Señor» (v. 14). Pero si Dios se está tomando la molestia de educarnos en justicia aquí y ahora, ello demuestra que nos está preparando para una eternidad de gozo con nuestro Señor Jesús a su mano derecha. Así es como actúa para nuestro bien nuestro santo Padre celestial.

La educación divina de la que aquí se trata tiene dos caras: una la expresó George Whitefield, el evangelista del siglo dieciocho, que habló en algún lugar de cómo nuestro amable Señor pone espinas en todas nuestras camas para que no seamos hallados durmiendo cuando tenemos que velar y orar, como les ocurrió a los discípulos en Getsemaní. Del mismo modo que la incomodidad corporal nos mantiene despiertos en lo físico, la falta de una tranquilidad y un contentamiento situacionales nos guarda espiritualmente vigilantes.

La otra cara nos la hace ver el llamamiento de Jesús a todo aspirante a discípulo: «Niéguese a sí mismo, tome su cruz cada día, y sígame» (Lc 9.23, cf. 14.27). Las únicas personas que en tiempos de Cristo llevaban sus propias cruces eran los criminales condenados pertenecientes a las clases de los esclavos y los no ciudadanos romanos, que tenían que caminar hasta el sitio de su crucifixión. Se trataba de individuos que habían perdido sus derechos civiles, a los que la sociedad había decretado que quería ver muertos, y cuyos inminentes sufrimientos (y recuérdese que la crucifixión era la forma de ejecución más cruel jamás inventada) no preocupaban a nadie. Jesús al final de su vida ingresó literalmente en esa categoría, pero lo que quiso decir con las palabras citadas fue que, moralmente, ya estaba en ella debido a la actitud negativa que la gente tenía hacia Él. Sus seguidores, por tanto, han de aceptar con claridad de mente una relación semejante de parias con la comunidad que los rodea, ya que eso es lo único que pueden esperar si le son fieles a Él.

Negarse a sí mismo no significa realmente otra cosa, no es sólo reducir un poco la autoindulgencia privada, sino entregar por entero el propio deseo natural de aceptación, posición y respeto. Esto quiere decir disponerse a ser rechazado como inútil y prescindible, y a verse despojado de sus derechos.

Schmidt lo subraya repetidamente y con razón:

En su primera epístola, Pedro escribe: «Si haciendo lo bueno sufrís, y lo soportáis, esto ciertamente es aprobado delante de Dios» (2.20). Y comienza el siguiente versículo diciendo: «Pues para esto fuisteis llamados», luego continúa describiendo el ejemplo de Cristo. Ese sufrimiento constructivo, o dolor educativo, resulta esencial para la vida de fe.

También Pablo expresa enérgicamente esta idea. En Romanos 8.17, hace del sufrimiento la condición para la herencia eterna, al llamar a los creyentes «coherederos con Cristo, si es que padecemos juntamente con Él, para que juntamente con Él seamos glorificados». Y en Filipenses 1.29, el apóstol escribe: «A vosotros os es *concedido* a causa de Cristo, no sólo que creáis en Él, sino también que padezcáis por Él» (énfasis añadido).

Así que el sufrimiento se entiende como una vocación, la cual nos prepara para la gloria con Cristo al atraernos más y más a la santidad de ser como Él en nuestra reacción ante la experiencia de querer lo que no tenemos y tener lo que no queremos.

La palabra griega que la Nueva Versión Internacional, la Biblia de las Américas y otras versiones traducen por «carácter» en Romanos 5.4, es *dokimē* (δοκιυῆ). Estrictamente hablando, este término expresa la idea compleja de una calidad probada, reconocida y aprobada como tal por una parte interesada, en este caso Dios mismo. La razón por la que *dokimē* trae esperanza (confianza en que el gozo y la gloria con Cristo constituirán nuestra herencia final) no es que las personas que hayan permanecido firmes contra viento y marea pueden ahora darse votos de confianza a sí mismas, sino que ese Dios a quien tales personas sirven produce en ellas una conciencia de que en su fuerza han pasado pruebas que Él mismo impuso. La paciencia que tuvieron mostrándole lealtad bajo la presión que habían de soportar ha sido su único regalo para ellos, y dicha paciencia los ha hecho más fuertes de lo que eran antes. Los cristianos que han sufrido penalidades por causa de su Señor son productos probados de una calidad demostrada. *Dokimē* significa esta condición de haber sido probados y salido airosos de la prueba, que lleva el sello divino de aprobación sobre ella.

Ahora bien, según Pablo, la *dokimē* produce esperanza. Nuestro sentido de la gloria de la vida venidera se agrega y se intensifica nuestro anhelo de ella, tanto como consecuencia espontánea de la aprobación presente de Dios, como en fruto directo del saber que la angustia ha ensanchado en realidad nuestra capacidad de disfrutar de la gloria final cuando esta llegue. Pablo es explícito en cuanto a ello en 2 Corintios 4.17-18, donde, escribiendo tras una andanada de experiencias que habían amenazado su vida (véase 1.8-19), dice, no con ironía, sino expresando su sincera valoración retrospectiva de aquello por lo cual había pasado: «Esta leve (!) tribulación momentánea produce en nosotros un cada vez más excelente y eterno peso de gloria; no mirando nosotros las cosas que se ven, sino las que no se ven; pues las cosas que se ven son temporales, pero las que no se ven son eternas». Naturalmente, Pablo no quiere decir que el sufrimiento se gane la gloria de la manera que el trabajo se hace acreedor a un salario, ni tampoco que cree gloria del mismo modo que un cincel crea una estatua. Sólo quiere dar a entender que dicho sufrimiento le hace a uno más capaz de lo que lo era antes para disfrutar de la gloria venidera, de igual manera que uno se deleita más en la salud física renovada después de pasar por mucha enfermedad y dolor. Romanos 8 contiene una valoración y un testimonio similares: «Tengo por cierto que las aflicciones del tiempo presente no son comparables con la gloria venidera que en nosotros ha de manifestarse[...] Nosotros mismos, que tenemos las primicias del Espíritu, nosotros también gemimos dentro de nosotros mismos, esperando la adopción, la redención de nuestro cuerpo[...] Si esperamos lo que no vemos, con paciencia lo aguardamos» (vv. 18, 23, 25). Una pasión cada vez mayor de esperanza gozosa y de gozo esperanzado es esencial para la semejanza con Cristo en el carácter que produce el fuego refinador del sufrimiento.

Esta pasión que tan fuertemente estuvo en Cristo y en Pablo, se hallaba también en Moisés. «Por la fe Moisés[...] rehusó llamarse hijo de la hija de Faraón, escogiendo antes ser maltratado con el pueblo de Dios, que gozar de los deleites temporales del pecado, teniendo por mayores riquezas el vituperio de Cristo que los tesoros de los egipcios; *porque tenía puesta la mirada en el galardón*» (Heb 11.24-26, énfasis añadido). Dejemos que Moisés nos sirva de ejemplo para vivir según nuestra esperanza y descubrir, como hizo Pablo, que del mismo modo que la ausencia vuelve más afectuoso el corazón de uno, así la presión da más brillo a la propia esperanza. Cuando los cristianos sufren penalidades en el poder del Espíritu Santo, un resultado habitual de ello es que su esperanza se hace más radiante.

2. Nuestro sufrimiento glorifica a Dios. El Señor santifica nuestro sufrimiento de dos maneras, que se corresponden con el doble sentido bíblico de «gloria» y «glorificar a Dios». Este sentido doble es el siguiente: primeramente, «gloria» significa la manifestación de Dios a sus criaturas de sus perfecciones: la sabiduría, el poder, la rectitud y el amor que, tanto individualmente como combinados, le hacen digno de alabanza; además, Él es glorificado cuando, de palabra y de obra, muestra dichas cualidades a sus criaturas racionales. En segundo lugar, «gloria» quiere decir también la alabanza que nuestras acciones de gracias, nuestra confianza, nuestra adoración, nuestra sumisión y nuestra devoción le dan a Dios por lo digno de recibirla que hemos visto que es. Dios es «glorificado» cuando le exaltamos responsivamente de estas maneras. En Efesios 1.3, Pablo juega con los dos significados semejantes de «bendecir»: «Bendito sea el Dios y Padre[...] que nos bendijo[...]» Dios es bendecido por nuestras palabras de alabanza, y Él nos bendice por su palabra de poder. La idea hubiera sido esencialmente la misma si Pablo hubiera dicho: «*Dad* gloria a Dios por *mostrar* su gloria en las bendiciones que nos ha dado en Cristo».

En épocas de debilidad e infortunio, soportadas cristianamente, Dios es glorificado en ambos sentidos. Por un lado, Él revela las riquezas gloriosas de sus recursos en Cristo sosteniéndonos, para que las abrumadoras presiones no nos aplasten, aun cuando parezca que lo están haciendo. Pablo se alegra por el hecho de que él y sus asociados apostólicos estaban «atribulados en todo, mas no angustiados; en apuros, mas no desesperados; perseguidos, mas no desamparados; derribados, pero no destruidos; como moribundos, mas he aquí vivimos; como castigados, mas no muertos; como entristecidos, mas siempre gozosos» (2 Co 4.8-9; 6.9-10). Y explica que el propósito de Dios con tales presiones es dejar patente para todos el poder sobrenatural de la vida resucitada de Cristo, y la capacitación misericordiosa por la que los santos son sustentados en situaciones en las cuales parece imposible que nadie pudiera mantenerse. Hay una marca inglesa de bombillas que se anuncia desde hace mucho tiempo con el lema: «Siguen funcionando cuando todas las demás han dejado de hacerlo». Pablo nos está diciendo que una forma en la que Dios se glorifica a sí mismo en sus santos es haciendo que estos sigan funcionando cuando cualquier otra persona lo habría tenido que dejar ya.

Hablando acerca de la acción divina de glorificarse a sí mismo en los santos que sufren, Pablo escribe: «Tenemos este tesoro (el conocimiento de la gloria de Dios en la faz de Cristo) en vasos de barro, para que la excelencia del poder sea de Dios, y no de nosotros[...] llevando en el cuerpo siempre por todas partes la muerte de Jesús, para que también la vida de Jesús se manifieste en nuestros cuerpos. Porque nosotros que vivimos siempre estamos entregados a muerte por causa de Jesús, para que también la vida de Jesús se manifieste en nuestra carne mortal. De manera que la muerte actúa en nosotros, y en vosotros la vida» (4.7, 10-12). Y de un modo semejante, respecto al misterioso «aguijón en mi carne», escribe, como ya vimos anteriormente: «Me ha dicho: *Bástate mi gracia; porque mi poder se perfecciona en la debilidad.* Por tanto, de buena gana me gloriaré más bien en mis debilidades, para que repose sobre mí el poder de Cristo. Por lo cual, por amor a Cristo me gozo en las debilidades, en afrentas, en necesidades, en persecuciones, en angustias; porque cuando soy débil, entonces soy fuerte» (12.9-10, énfasis añadido). Cuando los recursos naturales fallan, el respaldo sobrenatural de los siervos de Dios entra en acción.

Tampoco es esta una experiencia especial reservada para personas especiales en la familia de Dios. Por el contrario, constituye una promesa para todo el pueblo del Señor. Eso está implícito en las palabras anteriores de Pablo a los corintios: «No os ha sobrevenido ninguna tentación que no sea humana; pero fiel es Dios, que no os dejará ser tentados más de lo que podéis resistir, sino que dará también juntamente con la tentación la salida, para que podáis soportar» (1 Co 10.13). Las tentaciones son lugares y momentos de decisión en los cuales Satanás se esfuerza por echarnos abajo en una experiencia de derrota, mientras que Dios actúa para edificarnos mediante una experiencia de victoria. El dolor, la pena, el odio a uno mismo, el desengaño, el miedo y el agotamiento interno, que tan a menudo forman parte de la experiencia de tentación, nos aíslan de los aparentemente tranquilos, haciéndonos pensar que aquello a lo cual nos enfrentamos es peor que cualquier cosa que haya podido ocurrirle jamás a ningún otro. Pero nunca es así, y siempre habrá disponible «gracia para el oportuno socorro» cuando la busquemos (Heb 4.16). Sea cual fuere la carga, ahí estará el poder para que el cristiano no se desplome. Gracias a la fidelidad de Dios en proveer fuerza sobrenatural a los que están en Cristo, estos sufren penalidades, vencen tentaciones y siguen funcionando como antes, al tiempo que el Señor se glorifica poderosamente en ellos.

La otra cara de la cuestión está representada por un salmo tras otro (para empezar, véanse el 4, 5, 6, 7, 22, 34, 38, 40, 41, 42, 43), y por Pablo y Bernabé mientras cantan himnos en su celda, con los pies en el cepo, después de haber sido azotados en Filipos (Hch 16.23-25). La respuesta adecuada para la presión es una alabanza acompañada de oración. Cuanto más feroz sea la oposición, tanto más fuerte debería ser nuestra alabanza. La ayuda se recibe a través de la alabanza del mismo modo que de la súplica. Es por medio de la primera, sobre y por encima de la petición, como honramos y glorificamos más directamente a Dios, desde lo profundo y en el fuego de la prueba no menos que en los momentos más tranquilos. La alabanza produce fuerza para resistir, al tiempo que da gloria a Dios nuestro fortalecedor. Bien dice el poema exhortatorio de Richard Baxter (ahora un conocido himno):

> Santos que aquí os esforzáis,
> Adorad a vuestro Rey,
> Y mientras firmes marcháis
> Himnos alegres cantad.
> De Él recibidlo todo
> Y alabadle aun así,
> En la prueba o en el gozo
> A quien siempre ha de vivir.
>
> Lleva, alma mía, tu parte,
> Triunfa en el Dios del cielo,
> Afine el amor su arte
> Y cante el ferviente anhelo.
> Todos tus días le alabes,
> Envíe lo que Él envíe,
> Hasta que la vida acabe
> Tu pecho nunca esté triste.

Baxter era un puritano inglés, y como la mayoría de ellos sufrió durante buena parte de su vida debido al mal alojamiento y la mala salud, al antagonismo de la comunidad, al ostracismo social, a los contratiempos políticos, eclesiásticos y económicos, y a la persecución verdadera. Los puritanos comprendieron (como pocos lo hacemos hoy en día) que los cristianos no están llamados a ser la gente más agradable del mundo, según la idea que este tiene de lo que es una persona agradable. En vez de ello han de representar la contracultura del Señor, viviendo con motivos, propósitos y valores diferentes a aquellos del mundo a causa de su lealtad hacia Dios. Cuando los cristianos se comportan de un modo que la sociedad considera extraño y recriminador (y los creyentes no necesitan ser realmente recriminadores para que se los perciba como tales), no tarda dicha sociedad en juntarse contra ellos de uno u otro modo. Los puritanos experimentaron esto —de ahí los maliciosos estereotipos que acerca de ellos corren todavía entre la gente que debiera estar mejor informada—, y los cristianos consecuentes lo siguen haciendo. Vimos cómo John Geree, describiendo el carácter de un viejo puritano inglés en 1946, presentaba a ese hombre ejemplar bajo el lema de *Vincit qui patitur*, «Vence quien sufre».[4] Pareciera realmente que de todos los protestantes que han vivido desde la época de la Reforma, hayan sido los puritanos quienes llevaron una vida más dura. Sin embargo, Baxter no fue el único de ellos que, siguiendo el ejemplo de David en el Salmo 34.1, alababa al Señor en todo tiempo, y por medio de esta disciplina (que para los puritanos representaba a la vez un deleite, como puede serlo para nosotros) glorificaba insistentemente a Dios, y al hacerlo conseguía fuerzas para mantenerse firme en su servicio.

3. El sufrimiento cumple la ley de la cosecha. Esta ley puede formularse como sigue: «Para que haya bendición en cualquier sitio, ha de haber primero sufrimiento en algún sitio». La Escritura no explica por qué esto es así, sino que simplemente nos lo presenta como un hecho. Jesús fue el primero en anunciar dicha ley cuando declaró: «Si el grano de trigo no cae en la tierra y muere, queda solo; pero si muere, lleva mucho fruto» (Jn 12.24). El mucho fruto eran en su caso los cuantiosos millones de personas para quienes su cruz significaría vida nueva. Luego, habiendo dicho (v. 25) que para seguirle a Él hace falta estar dispuestos a entregar la propia vida, declara: «Si alguno me sirve, sígame» (v. 26). La implicación natural es que Él exige de todos aquellos que le pertenecen que vivan según la misma ley de la cosecha por la que Él se guió, llegando a ser la semilla que muere

---

4. Packer, *A Quest for Godliness*, p.151.

para llevar fruto. Cada experiencia de dolor, pena, frustración, desengaño, así como de ser herido por otros constituye una pequeña muerte. Cuando servimos al Salvador en este frívolo mundo, morimos muchas de esas muertes, pero el llamamiento que se nos hace es a ser constantes, ya que Dios santifica nuestra constancia para que resulte fecunda en las vidas de otros.

La comprensión que de este principio tenía Pablo se refleja en diversos comentarios suyos acerca de su propio ministerio: «Me gozo en lo que padezco por vosotros —dice—, y cumplo en mi carne lo que falta de las aflicciones de Cristo por su cuerpo, que es la iglesia» (Col 1.24). Creo que resulta indiscutible que el efecto de esas aflicciones era de carácter edificador y no propiciatorio. Pablo está afirmando que hay una conexión entre sus dificultades (escribía desde la cárcel) y el progreso de la obra de Cristo en cuanto a edificar su Iglesia. En una carta paralela, redactada también en prisión, el apóstol se llama a sí mismo «prisionero de Cristo Jesús por vosotros los gentiles» (Ef 3.1). Y a los corintios les escribe diciendo: «De manera que la muerte actúa en nosotros, y en vosotros la vida» (2 Co 4.12). A Timoteo, a su vez, le explica: «Todo lo soporto por amor de los escogidos, para que ellos también obtengan la salvación que es en Cristo Jesús con gloria eterna» (2 Ti 2.10). En cada uno de estos versículos queda patente la realidad del vínculo entre los propios sufrimientos del apóstol y el hecho de que otros sean bendecidos, aunque no se defina con precisión la naturaleza de dicho vínculo.

Parte del significado de este principio es ciertamente —aunque no constituya el todo— que por medio de los golpes que experimentamos somos, por así decirlo, desmenuzados en trozos pequeños para que cada pedacito de nuestro ser pueda convertirse en alimento para algún alma hambrienta: alimento, a saber, en el sentido de la percepción empática y el respaldo sabio. A menudo, en nuestro ministerio hacia otros, resulta decisivamente útil si podemos decir: «Sé cómo te sientes. Yo también he pasado por ello. Y Dios me encontró en esa situación, me enseñó ciertas lecciones y me sacó de la prueba... Déjame que te hable de ello». De igual manera que, en cierta ocasión, Jesús explicó que la razón por la cual un hombre había nacido ciego no era el castigo del pecado pasado de nadie, sino el presente propósito de Dios de manifestar su poder curándolo (Jn 9.1-3), la verdadera respuesta a la pregunta «¿Por qué me sucede esto a mí?» será con frecuencia: «No se trata de ninguna medida disciplinaria o correctiva por sus lapsus morales del ayer. Ni tiene que ver en absoluto con el pasado, sino sólo con el uso que Dios pretende darle en el futuro y con la preparación que necesita para dicho uso. Las duras y amargas experiencias que ahora le asolan, como la muerte de un ser querido (por ejemplo), le están capacitando para ser un conducto de la vida de Dios hacia alguna otra persona. De modo que debe usted esperar que las penalidades sigan de alguna manera durante toda su vida, según la propia declaración de Jesús: «Todo sarmiento que [en mí, la vid] da fruto, [el Padre] lo poda para que dé más fruto» (Jn 15.5, BA). Así es como opera la ley de la cosecha.

Vemos esa ley ejemplificada también en Isaías 50.4-9, uno de los cantos del siervo que apuntan proféticamente hacia el futuro, al sufrimiento y la gloria de Jesús. Este canto es, en primer lugar, el testimonio personal de Isaías, y comienza diciendo: «Jehová el Señor me dio lengua de sabios, para saber hablar palabras al cansado». Y sigue diciendo: «Di mi cuerpo a los heridores, y mis mejillas a los que me mesaban la barba; no escondí mi rostro de injurias y de esputos. Porque Jehová el Señor me ayudará...» La implicación de esto es que la palabra que sostiene al cansado sólo se llega a conocer mediante la experiencia del odio y la brutalidad de otros. Isaías yuxtapone ambas cosas porque forman un solo paquete.

La fecundidad del sufrimiento para el ministerio es ejemplificada aún con mayor claridad por la misma experiencia de nuestro Señor Jesucristo. Él fue «tentado en todo según nuestra semejanza, pero sin pecado» (Heb 4.15), y ahora, como consecuencia de ello, «es poderoso para socorrer a los que son tentados» (2.18). Además del significado salvífico de su obediencia perfecta al Padre como segunda cabeza de nuestra raza, la tensión que experimentó Jesús resistiendo a la tentación (piense en sus días en el desierto cuando estaba comenzando su ministerio, y en las horas que pasó en Getsemaní al final del mismo) le ha capacitado para ministrar ayuda a nuestras atormentadas almas de una forma que, de otro modo, no sería posible. Si ese fue el camino que tomó el Señor, resulta menos extraño que sus siervos tengan también que andar por él.

En cierta ocasión William Booth, fundador y general del Ejército de Salvación, dio a su grupo, a modo de divisa para el año, una única palabra: «Otros». Nadie podía concebir un lema más cristiano que aquel, ni de hecho más de acuerdo con la actitud de Cristo. Pero servir al Señor estando disponible para buscar el bien de otra gente y para ayudarles cuando necesitan asistencia, requerirá de nosotros que seamos finamente molidos en el molino de la providencia de Dios en beneficio de los demás. San Agustín expresó esta idea diciendo que los siervos de Dios han de ser «partidos y distribuidos» para dar de comer a los hambrientos; un concepto que Oswald Chambers trató con más detalle en algún sitio declarando que Dios convierte a sus agentes en pan partido y vino vaciado. Así es, y debemos estar dispuestos a soportarlo. La verdadera santidad, centrada en Cristo y orientada hacia los demás, acepta esto sin titubear.

Pablo era un hombre santo, y por ello, lejos de resentir sus muchas penalidades (véase 2 Co 11.23-33), se regocijaba públicamente de que podía ver este principio actuando de veras en su propia vida: «Bendito sea el Dios y Padre de nuestro Señor Jesucristo[...] Dios de toda consolación, el cual nos consuela en todas nuestras tribulaciones, para que podamos también nosotros consolar a los que están en cualquier tribulación, por medio de la consolación con que nosotros somos consolados por Dios[...] Si somos atribulados, es para vuestra consolación[...] si somos consolados, es para vuestra consolación...» (1.3-6). Pablo estaba satisfecho de ser finamente triturado en el molino por los demás.

El modo de enfrentarse al sufrimiento, del tipo que sea —desde la más leve irritación hasta esa angustia física y mental que le absorbe y le abruma a uno, de tal manera que hace que gima y llore—, es ofrecérselo al Dios que lo ha permitido, diciéndole que haga de él lo que quiera, y de nosotros por medio de él. A veces se describe la oración contemplativa como la mirada de amor hacia Dios, sin palabras pronunciadas ni pensamientos activos en ese momento. También podemos hablar de oración contemplativa cuando esa mirada hacia el Señor es sumisa, en situaciones en las cuales toda capacidad de pensar y de hablar ha sido ahogada por la pena. El modelo de esto es Jesús mismo en la cruz. El Padre, se nos dice, santificó el sufrimiento de Cristo como precio de rescate por nosotros (Mt 20.28; 1 Co 6.20), como ejemplo de la inocencia hecha víctima (1 P 2.20-23), y como experiencia de aprendizaje práctico para nuestro precursor acerca del costo de la obediencia (Heb 5.8). De un modo semejante, como ya hemos visto, el Padre ahora santifica nuestro propio sufrimiento para madurar y refinar nuestro carácter cristiano, demostrar en nosotros la realidad de la capacitación sobrenatural y darnos verdadera fecundidad en el servicio de otros. Una faceta de la santidad de Jesús fue su disposición a sufrir toda clase de dolores para la gloria de su Padre y el beneficio a otros; y una faceta de esa santidad en sus discípulos consiste en estar dispuestos a ser guiados por una senda paralela a la de Cristo.

FORTALEZA: VALOR Y CONSTANCIA

Pobre Rocky, ha perdido el coraje.

Por el nombre puede usted pensar que se trata de un hombre fuerte, un boxeador, un guardaespaldas o un miembro de alguna otra profesión para tipos duros. Pero no, Rocky es un perrito negro, con forma de barril, patas cortas y ligeramente lanudo, de paso bamboleante, nariz estrecha y una magnífica cola en abanico casi tan grande como el resto de su cuerpo. Mi hijo, que lo trajo a casa de la escuela cuando no medía más de diez centímetros, lo identifica con un perro barquero noruego. El resto de nosotros pensamos que se trata de una mezcla de... bueno, esto y aquello. De un modo que nos recuerda al oso Pooh de Christopher Robin, Rocky es un animal muy poco inteligente. No es que se lo echemos en cara, pero hemos de tenerlo en cuenta. Era una criaturita vivaracha hasta que anduvo sobre el agua, o más bien fue incapaz de andar sobre ella. Entonces su moral se vino abajo, y desde ese momento se ha vuelto asustadizo, con unos ojos que dan vueltas acobardados, reflejo de un corazón lleno de temor. Pobre Rocky.

La primera vez tenía la cabeza levantada. Estaba persiguiendo a un pájaro. La orilla del lago se encontraba a unos pocos centímetros por encima del nivel del agua y, evidentemente, el animal no había reparado en la forma del suelo. Así que salió a toda velocidad por encima del borde. Durante un momento, según me explicaron los testigos, sus extremidades delanteras patalearon en el aire mientras su cara adoptaba un gesto de sorpresa como pocas veces se ven. Luego, como hiciera Piglet en el cuento, se encontró completamente rodeado de agua y salió aprisa conmocionado. En la segunda ocasión Rocky iba avanzando afanosamente por las rocas que hay al lado del mar, y fue a apoyarse en un verde matorral que había entre dos de ellas suponiendo que sería suelo firme. Pero no lo era, de modo que al agua fue a parar otra vez. Ahora sospecha de todo y considera el agua como algo peligroso de lo que uno no debe fiarse nunca. La cuestión va más allá del odio a dejarse bañar, aunque ciertamente no le gusta que lo bañen y esto siempre ha sido así. Pero hoy en día, cuando la tormenta ruge afuera de la casa, y particularmente si se oye algún trueno, tiene que agazaparse a los pies de alguien, temblando. Cuando está en el automóvil y llueve, o cuando el coche salpica al pasar por los charcos, Rocky se estremece, tiembla y gimotea como un alma en pena. Está claro que ha perdido su coraje, que no tiene fortaleza. Debo decir de nuevo: Pobre Rocky.

Fortaleza, la cuarta de aquellas cuatro virtudes cardinales de la teología moral del Medioevo es valentía y más. La valentía puede ser caprichosa y desvanecerse, pero la fortaleza es una mezcla de valor y constancia que perdura. La fe estimula la fortaleza, poniendo ante nosotros esa esperanza prometida acerca de la cual meditamos algunas páginas más atrás (véanse 1 Co 15.58; Heb 3.6; 6.19-20; 10.23-25; 12.1-13). La idea de fortaleza procede de Aristóteles, pero el poder para practicarla sólo la da el evangelio mediante el ejercicio de la fe y la esperanza en Jesucristo.

La fe también estimula la fortaleza recibiendo de un modo realista las declaraciones divinas de que debemos esperar el dolor y el conflicto en nuestra peregrinación, y luego produciendo pureza de corazón en aquellos que se hallan realmente bajo presión y sufren angustia. Como afirmara Kierkegaard en el título de uno de sus libros: «Pureza de corazón es desear una sola cosa», a saber, el mandamiento y la gloria de Dios. Esta pureza, a la que también se refiere la Escritura como la sencillez de un corazón sin doblez y un ojo íntegro, es fomentada por la experiencia de la aflicción. El doctor Samuel Johnson, sabelotodo del siglo dieciocho en Inglaterra, señaló en cierta ocasión que cuando un hombre está al corriente de que va a ser ahorcado al siguiente día, ello concentra maravillosamente su pensamiento. Para los cristianos, la conciencia de que la vida a la cual Dios los está guiando es la contrapartida espiritual de aquella promesa de Winston Churchill de «sangre, esfuerzo, lágrimas y sudor», produce un efecto semejante. Las seducciones del mundo se hacen mucho menos tentadoras, y los creyentes entienden con gran claridad que caminar cerca del Padre y del Hijo, dependiendo fuertemente de ellos y sacando de ambos las fuerzas mediante el Espíritu Santo, es a la vez lo que necesitan y lo que desean. Así que, en las situaciones de sufrimiento, la fe purifica el corazón.

Tres versículos del Salmo 119 testifican de esto mismo: «Antes que fuera afligido, yo me descarrié, mas ahora guardo tu palabra» (v. 67, BA). Las experiencias difíciles, que por sí mismas podrían indicar el desagrado divino, nos desafían a arrepentirnos de la negligencia y la irreflexión pasadas y a hacernos más concienzudos en cuanto a poner en práctica la voluntad de nuestro Padre: «Bueno es para mí ser afligido, para que aprenda tus estatutos» (v. 71, BA). Es como si dijéramos: Hasta que me vino la dificultad no logré ver claro lo que quieres de mi vida, ni lo que implica realmente el modelo de conducta que detalla para mí la Biblia, pero ahora lo entiendo mejor. Y por último: «Conozco, oh Jehová,[...] que conforme a tu fidelidad me afligiste» (v. 75). La fidelidad de Dios consiste en la renuencia por su parte a que sus hijos se queden sin alguna de las profundidades de comunión con Él que les ha preparado. Así que nos aflige para hacer que nos apoyemos más en su persona con objeto de que el propósito que tiene de atraernos a una comunión más íntima consigo mismo pueda cumplirse.

John Newton expresó de manera inolvidable este aspecto de la santificación:

> Pedí al Señor: ¡Hazme crecer
> En toda gracia, fe y amor!
> ¡Tu salvación más quiero ver
> Buscar tu rostro con fervor!
>
> Él quiso así moverme a orar
> Y, de seguro, respondió;
> Mas hízolo de un modo tal
> Que casi me desesperó.
>
> Pensaba yo que mi oración
> No tardaría en contestar,
> Y mis pecados, por su amor,
> Habríalos de subyugar.
>
> En vez de ello, me hizo ver
> Cuán negro tengo el corazón;

De los infiernos el poder
Dejó que soportara yo.

Su misma mano pareció
Volverse al punto contra mí;
Mis planes todos trastornó,
Y triste cual Jonás me vi.

«¿Por qué, Señor?», clamé por fin
«¿A tal gusano aplastarás?»
Y Dios me dijo que es así
Como sus gracias me ha de dar.

«Al alma pruebas mando,
Y purifico así tu ser.
Si en este mundo doy dolor,
Puedes tú todo en mí tener».

Para terminar pueden darse dos ejemplos de esa fortaleza que resulta esencial para la santidad. El primero es Mabel, una anciana de ochenta y nueve años, ciega, sorda, agobiada por las enfermedades y cancerosa, a la que Tom Schmidt conoció en una residencia para enfermos crónicos donde llevaba veinticinco años postrada en cama. Schmidt preguntó a la mujer en qué pensaba durante sus días y noches de soledad. «Me respondió —dice—: *Pienso acerca de Jesús... E inquirí: ¿Y qué piensa sobre Él?* Mabel me respondió, lenta y premeditadamente, mientras yo escribía su contestación: *Pienso en lo bueno que ha sido conmigo. ¿Sabe usted que Él ha sido tremendamente bueno conmigo en mi vida?... Yo soy de esa clase de gente que está principalmente satisfecha... A muchas personas no les interesaría mucho lo que pienso. Muchos creerían que soy una anticuada. Pero no me importa... prefiero tener a Jesús. Él es todo para mí».*[5] Schmidt afirma, y con razón, que Mabel tenía poder: la clase de poder que Pablo pedía para los efesios, capacidad de «comprender cuán ancho y largo, alto y profundo es el amor de Cristo» (Ef 3.18, NVI). Cito a Mabel, me parece que con la misma razón, como un ejemplo de fortaleza: valor más constancia. El poder y la fortaleza son dos de los ingredientes principales de una auténtica santidad cristiana: «Sin dolor no hay robustecimiento», pero gran robustez se obtiene por medio del sufrimiento.

---

5. Schmidt, *Trying to be Good*, [Quieres ser Dios] p. 182.

Mi segundo ejemplo es Terry Waite, el rehén británico liberado a finales de 1991 después de pasar casi nueve años de confinamiento solitario en el Líbano, encadenado a la pared de su habitación durante cerca de veinticuatro horas diarias. En una entrevista, Waite explicó: «Durante mi cautiverio, he tenido la resolución —y todavía la tengo— de convertir esta experiencia en algo útil y provechoso para otros. Creo que esa es la manera de enfocar el sufrimiento. En mi opinión, el cristianismo no reduce el sufrimiento en modo alguno; lo que sí hace es capacitarnos para aceptarlo, enfrentarnos a él, abrirnos paso a través del mismo y, a la larga, convertirlo».[6] Este es también un claro testimonio de ese robustecimiento por medio del sufrir que caracteriza a la santidad auténtica.

En Occidente vivimos una era de blandura, en la que el mundo considera como los valores supremos de la vida la holgura y la comodidad. La prosperidad económica y los recursos médicos han llegado a hacer creer a la gente no cristiana, que tienen derecho a una vida larga, y a ser libres de la pobreza y el dolor durante toda esa vida. Muchos incluso abrigan resentimiento contra Dios y contra la sociedad si tales esperanzas no llegan a materializarse. Nada, sin embargo, como vemos ahora, podría estar más lejos de la santidad verdadera, resistente y del *robustecimiento* que expresa el auténtico cristianismo.

Pablo, como ya dije antes, era un hombre verdaderamente santo, y debería tener la última palabra cuando pone las cartas sobre la mesa acerca de cómo deberían vivir los cristianos:

> Considero todo como pérdida comparado con la suprema grandeza del conocimiento de Cristo Jesús, mi Señor, por cuya causa lo he perdido todo, y lo tengo por basura, para ganar a Cristo[...] Quiero conocer a Cristo y el poder de su resurrección y la participación en sus sufrimientos, llegando a ser semejante a Él en su muerte y, así, de alguna forma, alcanzar la resurrección de los muertos[...]

> Voy corriendo tras [la perfección], por si logro alcanzar aquello para lo cual me alcanzó Cristo Jesús. Hermanos, no considero que yo mismo lo haya alcanzado. Pero hago una

---

6. *Church Times,* 27 de diciembre de 1991, p. 2

cosa: olvidando lo que queda atrás y lanzándome a lo que está delante, voy corriendo hacia la meta, para ganar el premio para el que Dios me ha llamado al cielo en Cristo Jesús. Todos los que somos maduros, debemos ver así las cosas.

Filipenses 3.8, 10-15, NVI

¿Maduros...? Oh sí, ya entiendo. Y yo no soy más que un nino estúpido que tropieza, titubea y da tumbos a diario. Santo Padre, Santo Hijo, Santo Espíritu, necesito tu ayuda. Señor, ten misericordia de mí; sostenme y mantenme firme; hazlo, por favor, desde ahora. Amén.